Blockchain, *tokens* e criptomoedas

ANÁLISE JURÍDICA

2021

Dayana de Carvalho Uhdre

BLOCKCHAIN, TOKENS E CRIPTOMOEDAS
ANÁLISE JURÍDICA

AUTOR: Dayana de Carvalho Uhdre

DIRETOR ALMEDINA BRASIL: Rodrigo Mentz
EDITORA JURÍDICA: Manuella Santos de Castro
EDITOR DE DESENVOLVIMENTO: Aurélio Cesar Nogueira
ASSISTENTES EDITORIAIS: Isabela Leite e Larissa Nogueira

DIAGRAMAÇÃO: Almedina
DESIGN DE CAPA: FBA

ISBN: 9786556271842
Março, 2021

Dados Internacionais de Catalogação na Publicação (CIP)
(Câmara Brasileira do Livro, SP, Brasil)

Uhdre, Dayana de Carvalho
Blockchain, tokens e criptomoedas : análise jurídica / Dayana de Carvalho Uhdre.
São Paulo : Almedina, 2021.

Bibliografia.
9786556271842

Índice:
1. Bitcoin 2. Blockchains (Base de dados)
3. Criptomoedas 4. Direito 5. Direito tributário I. Título.

21-55088 CDU-34:336.2(81)

Índices para catálogo sistemático:

1. Brasil : Direito tributário 34:336.2(81)
Aline Graziele Benitez - Bibliotecária - CRB-1/3129

Este livro segue as regras do novo Acordo Ortográfico da Língua Portuguesa (1990).

EDITORA: Almedina Brasil
Rua José Maria Lisboa, 860, Conj.131 e 132, Jardim Paulista | 01423-001 São Paulo | Brasil
editora@almedina.com.br
www.almedina.com.br

Blockchain, *tokens* e criptomoedas

AGRADECIMENTOS

Toda finalização de um projeto nos possibilita um olhar retrospectivo, em que podemos ponderar e refletir sobre o caminho que nos permitiu chegar até esse momento. Minha trilha teve muitos partícipes, o que me fez perceber o quão abençoada e sortuda sou por ter contado com uma imensidão de inspirações, de aprendizados, de compartilhamento e de construção (e reconstrução) de pensamentos. Minha gratidão é imensa, sendo mesmo difícil nomear a todos que de uma forma ou outra deixaram um pouco de si em mim, e, por conseguinte, aqui tambêm jazem. De qualquer forma, tentemos, ainda que de forma incompleta, expressar tal sentimento, que por ser tão nobre merece ser declarado.

Primeiramente, é de se agradecer ao Ser Superior que me proveu de saúde para que pudesse concluir tal trabalho. Na sequência, aos meus pais que me deixaram o maior legado que eu poderia ter: exemplo. Testemunhar suas existências marcadas pela preserverança de sempre prosseguir me inspiram a assim também o fazer.

Um especial agradecimento ao amigo Rhodrigo Deda que foi o "provocador" da fagulha inicial sobre o tema do presente livro. Graças ao seu convite para fazer parte do belíssimo projeto dos Grupos de Discussão Permanete junto à Comissão de Gestão e Inovação da OAB-PR é que isso fora possível: obrigada, querido, por me inspirar a ingressar no mundo "blockchain". Ainda no âmbito da Comissão de Gestão e Inovação da OAB-PR são tantas as inspirações e pessoas que admiro, e com quem tive o privilégio de conviver, trocar ideia, e construir o pensamento de forma crítica, que faltariam espaços para nominá-las todas.

De qualquer forma, deixo minha especial referência à Renata Kroska que compartilhou a coordenação inicialmente comigo, e me auxiliou muito no início dessa caminhada. Agradeço ainda aos amigos Rafael Aggens, Gisele Ueno, Cynzia Fontana, Mariana Farias, Patrícia Franco, que me acompanham nessa jornada desde o início, e aos amigos André Guskow, Kael Moro, Rodolfo Farias, Maylyn Maffini, Magna Vacarrelli, Josélio Teider, Rafael Reis, Adriana Camargo Gluck, dentre outros notáveis e partípies dos grupos de discussão, que comigo estão em boa parte da viagem.

Não poderia ainda deixar de agradecer aos inúmeros estudiosos e curiosos do tema com quem tive o privilégio de conversar e trocar experiências: Courtnay Guimarães, Bernardo Quintão, Giovana Treiger Grupenmacher, Isac Costa, Fillipo Zatti, Sophie Nappert, Morhed Mannan, dentre outros. Por fim, agradeço ainda às minhas amigas Nayara Sepulcri de Camargo Pinto e Bárbara das Neves pelas contribuições críticas ao presente trabalho.

PREFÁCIO

"A medida da inteligência é a capacidade de mudar."
Albert Einstein

Vivemos a era da interdisciplinariedade. Segundo Peter Burke[1], este termo começou a ser mais utilizado a partir dos anos 50 para descrever os estudos que estão na fronteira entre as disciplinas, bem como para se referir aos grupos que atraem seus membros de diferentes disciplinas para trabalhar em um projeto em comum.

A complexidade da Sociedade atual exige justamente a capacidade de conectar os dados em diversos campos do conhecimento para trazer novas soluções, ou seja, para gerar inovação. E é justamente isso que a autora Dayana Uhdre realizou com esta magnífica obra sobre um dos temas mais atuais do Direito Digital, buscando desvendar e desmistificar o tema sobre "Blockchain, Tokens e Criptomoedas".

Por certo, o fenômeno da digitalização das últimas décadas vem impondo uma série de profundas transformações em diversos modelos de negócios. E seus maiores impactos são justamente sobre o comportamento dos indivíduos e como estas relações passam a ocorrer em um novo ambiente desmaterializado que ainda necessita conquistar e garantir mais segurança jurídica para as suas operações.

A questão da confiabilidade é um fator crucial para que uma tecnologia possa realmente ser aplicada em larga escala e gerar a mudança a

[1] Burke, Peter. O Polímata. Editora UNESP. 2020. Pg 324.

que se pretende. Caso contrário, o que ocorre é meramente um efeito passageiro, um modismo, algo que após alguns anos ninguém mais irá se recordar. Quantos inventos surgiram assim, com a promessa de que iriam revolucionar nossa maneira de agir, viver, pensar e depois simplesmente despareceram.

No entanto, quando a idéia original surge acompanhada de capacidade de execução sustentável e reunida em um contexto que lhe permite ganhar confiança suficiente para gerar uma grande adesão, há então o famoso "salto", a quebra de paradigma tão esperada. Isso faz com que todos passem a não saber mais realizar suas ações sem utilizar aquela ferramenta, que até pouco tempo atrás era simplesmente desconhecida. Ela se torna parte da vida cotidiana, se torna essencial.

A grande questão é que nem sempre a inovação vem acompanhada de compreensão e aceitação no momento em que ela ocorre. Ao contrário, pode sofrer resistência. E neste sentido, fatores que vão desde análise de risco até mesmo efeitos concorrenciais e tributários podem ser determinantes para a sobrevivência e permanência de uma nova técnica, ou melhor, uma "tecnologia", que tem origem no grego "tekhnè" (técnica, ofício) juntamente com o sufixo "logia" (conjunto de saberes).

Por isso, parabenizo a autora Dayana por ter se dedicado a aprofundar a pesquisa sobre Bitcoins e Criptoativos, visto que o elemento novidade em torno do assunto traz consigo ainda muitas dúvidas, medos, onde há diversos atores envolvidos com interesses nem sempre convergentes, havendo aqueles que querem regulamentar e outros que querem tornar ilegal o seu uso e aplicação. Mas por que?

É muito importante termos uma mente inquisitva, querer saber, entender o caminho percorrido de onde viemos para construir as pontes jurídicas, econômicas e sociais do para onde vamos. Como já dizia Platão "nada é mais belo que tudo saber".

Sendo assim, a obra é uma verdadeira incursão sobre os principais desafios jurídicos, regulatórios e tributários para a viabilização efetiva da Bitcoin, que traz consigo uma revolução no modelo de moeda e crédito acompanhando toda a mudança do sistema financeiro na era digital, segundo Jonathan Mcmillan[2].

[2] MCMILLAN, Jonathan. O Fim dos Bancos. Ed. Portfolio-Penguin. 2018, pg 26.

Estou certa que a escolha da autora em fazer uma análise comparada de diversos ordenamentos jurídicos com suas propostas de regulamentação, como a apresentada pelos Estados Unidos, pela União Européia, pela Suiça, Malta, Liechtenstein e Japão até chegar ao Brasil, onde nos apresenta um excelente panorama de desafios e possibilidades.

Este é um livro de leitura obrigatória para todos os que querem adentrar no universo das criptomoedas e/ou criptoativos, quer sejam empresários, investidores, "*policy makers*", juristas, economistas.

Ainda há muito a ser feito. Quando as Bitcoins começaram a operar pensou-se que seria o fim do uso do dinheiro ("*cash*"), conforme explica Brett King[3], mas assim como a Internet não eliminou o rádio nem a televisão, temos que compreender melhor os efeitos intersistêmicos das novas tecnologias e como elas interagem criando novos mercados de atuação e quais são os efeitos colaterais e riscos que surgem que precisam ser devidamente tratados e mitigados.

Desejo a todos uma boa leitura e que possamos juntos, de maneira interdisciplinar, trazer as inovações necessárias para construirmos a Sociedade Digital do Futuro.

Patricia Peck Pinheiro, PhD
Advogada Especialista em Direito Digital
Doutora pela Universidade de São Paulo

[3] King, Brett. Breaking Banks. Ed. Wiley. 2014, pg 115.

SIGLAS

AML/KYC – Anti-Money Laundering/ Know Your Customer
B2B – Business to Business
B2C – Business to Consumer
Baas – Blockchain as a Service
BACEN – Banco Central do Brasil
BIS – Bank for International Settlements
CBDC – Central Bank Digital Currency
CDD – Client Due Diligence
CEA – Commodity Exchange Act
CFTC – Commodity Futures Trading Commission
CSLL – Contribuição Social sobre o Lucro Líquido
CVM – Comissão de Valores Mobiliários
DAC – Decentralized Autonomous Corporation
DAO – Decentralized Autonomous Organization
DAPPS – Decentralized Applications
DCBE – Declaração de Censo de Capitais Brasileiros no Exterior
DLT – Distributed Ledger Technology
ESMA – The European Securities and Markets Authority's
FATF – Financial Action Task Force
FCA – Financial Conduct Authority
FIEA – Financial Instruments and Exchange Act (Japão)
FinCEN – Financial Crimes Enforcement Network
FINMA – Swiss Financial Market Supervisory Authority
FMA – Financial Market Authority of Liechtenstein

FMI – Fundo Monetário Internacional
FSA – Financial Security Autorithy (Japão)
G-20 – Grupo formado pelas 19 maiores economias do mundo mais a União Europeia
GDPR – General Data Protection Regulation
ICMS – Imposto sobre Circulação de Mercadorias e Serviços de Transporte Interestadual e Intermunicipal e de Comunicação
ICO – Inicial Coin Offering
IOF – Imposto sobre Operações Financeiras
IPO – Inicial Public Offering
IRPF – Imposto de Renda Pessoa Física
IRPJ – Imposto de Renda Pessoa Jurídica
IFRS – International Financial Reporting Standards
ISO – The International Organization for Standardization
ISP – Internet Service Provider
ISS – Imposto sobre Serviços
LGPD – Lei Geral de Proteção de Dados
OCDE – Organização para a Cooperação e Desenvolvimento Econômico
ONU – Organização das Nações Unidas
P2P – Peer to Peer
PL – Projeto de Lei
SAR – Suspicious Activity Report
SEC – Securities and Exchange Commission
STF – Supremo Tribunal Federal
STO – Security Token Offering
SUSEP – Superintêndencia de Seguros Privados
UE – União Europeia

SUMÁRIO

Capítulo 1
Um Pouco de Contexto Não Faz Mal a Ninguém

Sem que essa autora soubesse, o presente projeto começara em meados de 2016. Naquele momento, vivenciava um certo desconforto gerado pela incompreensão do que estava acontecendo no mundo. Sentia que muita coisa estava mudando, apenas não sabia exatamente o quê. Em razão de uma feliz coincidência, daquela em que questionamos se de fato são verdadeiras coincidências, deparei-me com o livro *Obrigado pelo atraso*, em que Thomas Friedman[4] retrata a velocidade das mudanças tecnológicas por ele vivenciadas ao longo de sua trajetória enquanto jornalista do New York Times. Destaca o autor, entre outras questões, que o ritmo frenético dessas mudanças é realidade dos últimos anos, sendo essa uma das razões de nossa perplexidade ante a realidade atual: nossa curva de aprendizado e adaptação já não mais acompanha a curva do desenvolvimento tecnológico. Aquele desconforto começara a fazer sentido, apaziguando a angústia de quem encontrara o que sem saber procurava. Convencida de que deveria aprofundar as leituras sobre tal "revolução tecnológica", para além do livro de Thomas Friedman, adquiri o título *Quarta Revolução Industrial*, de Klaus Schwab[5].

[4] FRIEDMAN, Thomas L. *Obrigado pelo atraso*. Um guia otimista para sobreviver em um mundo cada vez mais veloz. Rio de Janeiro: Objetiva Editora, 2017.

[5] SCHWAB, Klaus. *A Quarta Revolução Industrial*. São Paulo: EDIPRO, 2016.

E, ao entrar em contato com esses textos, pude compreender que de fato presenciamos uma era de mudanças profundas na sociedade, as quais claramente impactam a economia, o Direito, assim como as demais relações sociais em que estamos inseridos. "Desmaterialização"[6], "desmonetização"[7], "descentralização/distribuição"[8] e "digitalização[9]" são temas e realidades cada vez mais recorrentes em nosso cotidiano. Trata-se de efeitos daquilo que catalogamos como "Quarta Revolução Industrial", a qual se sustenta nas mudanças propiciadas pela Terceira e avança em níveis jamais imagináveis e, nesse momento, ainda não dimensionáveis.

Apertada síntese, e utilizando-nos das lições de Klaus Schwab[10], a Primeira Revolução Industrial, principiada, em meados do século XVIII, pela mecanização da fiação e da tecelagem (que transformou a indústria então existente e originou outras, tais como máquinas operatrizes, manufatura do aço, motor a vapor etc.), tornou o mundo mais próspero[11]. Já a Segunda Revolução, deflagrada entre 1870 e 1930, caracterizou-se pelo poder inovador da energia elétrica (rádio, telefone, televisão, além do motor de combustão interna, que possibilitou a existência de automóveis, do avião e seus ecossistemas), tendo sido responsável pelo início do que conhecemos como mundo moderno[12].

[6] Sousa, António Freitas de. Desmaterialização da economia é o principal desafio da máquina fiscal. *O Jornal Económico*. 29 maio 2018. Disponível em: <www.jornaleconomico.sapo.pt/noticias/desmaterializacao-da-economia-e-o-principal-desafio-da-maquina-fiscal-313582>. Acesso 20 out. 2019.

[7] Wille, José Juvenil. Quando o dinheiro ficará obsoleto?. *BH Cidadão*. 03 jun. 2018. Disponível em: <http://bhcidadao.com.br/quando-o-dinheiro-ficara-obsoleto/>. Acesso em: 20 out. 2019.

[8] Souza, Manoel Tibério Alves de. Argumentos em Torno de um "Velho" Tema: A Descentralização. Dados, Rio de Janeiro, v. 40, n. 3, p., 1997. Disponível em: <http://www.scielo.br/scielo.php?script=sci_arttext&pid=S0011-52581997000300004&lng=en&nrm=iso>. Acesso em: 20 out. 2019.

[9] Revoredo, Tatiana Trícia de Paiva. A digitalização da sociedade: economia da web no Brasil. *Jota*. 18 maio 2017. Disponível em: <https://www.jota.info/opiniao-e-analise/artigos/a-digitalizacao-da-sociedade-economia-da-web-no-brasil-18052017>. Acesso em: 20 out. 2019 Pinto, Ilídia. Indústria 4.0. Só os mais preparados sobrevivem à digitalização. Dinheiro Vivo. 23 jan. 2016. Disponível em: <https://www.dinheirovivo.pt/economia/industria-4-0-so-os-mais-preparados-escapam-a-digitalizacao/>. Acesso em: 20 out. 2019.

[10] Schwab, Klaus. *Aplicando a Quarta Revolução Industrial*. São Paulo: EDIPRO, 2018.

[11] Schwab, Klaus. *Aplicando a Quarta Revolução Industrial*, p. 37.

[12] Schwab, Klaus. *Aplicando a Quarta Revolução Industrial*, p. 38.

A Terceira Revolução Industrial, iniciada em meados do século XX, e marcada pelo avanço das tecnologias da informação e da computação digital, possibilitou o início da era digital[13]. A Quarta, por seu turno, estende e transforma os sistemas digitais então imperantes. Isto é, as tecnologias nascentes nessa nova revolução são todas integradas e construídas sobre os recursos e sistemas desenvolvidos pela Terceira Revolução. Justamente por isso, há quem alegue se tratar apenas de uma continuação da própria revolução digital[14]. No entanto, o que as aparta é o fato de que as tecnologias da Quarta Revolução "prometem causar disrupções até mesmo aos sistemas digitais atuais e criar fonte de valor inteiramente novas"[15].

Cumpre ressaltar que a atual revolução tem como pedra de toque a intensa convergência entre o que podemos chamar genericamente de "blocos de construções". Vivenciamos, nos vários campos humanos, inúmeras revoluções paralelas e simultâneas. É como se cada um dos microcosmos tecnológico, científico, social, psicológico etc., estivesse vivenciando sua própria metamorfose. Vemos no contexto tecnológico a eclosão, dia a dia, de inúmeras ferramentas que visam otimizar o uso das anteriores (Internet, Smartphones, Internet das Coisas, Inteligência Artificial, Energia Renovável, Impressora 3D, Realidade Aumentada, Robótica, Nanotecnologia, entre outras). Da mesma forma, testemunhamos revoluções nos campos econômico (economia compartilhada, economia circular, *smart grids* energéticos, veículos autônomos, telemedicina, tokenização de ativos) e social (mudanças climáticas, aumento expectativa de vida, declínio nas taxas de natalidade, globalização, urbanização, conectividade, redes sociais, poder da informação, *fake news* etc.), por exemplo.

[13] Schwab, Klaus. *Aplicando a Quarta Revolução Industrial*, p. 38.

[14] "Evidentemente, há uma área borrada entre o que se pode definir como tecnologia da Terceira ou da Quarta revolução, mas é uma discussão bizantina, irrelevante, pois é preponderante e inegável que estamos vivenciando o limiar de transformações disruptivas e avassaladoras[...]". Venturi, Jacir. Estamos no limiar da Quarta Revolução Industrial. *Gazeta do Povo*. 04 fev. 2018. Disponível em: <https://www.gazetadopovo.com.br/opiniao/artigos/estamos-no-limiar-da-quarta-revolucao-industrial-885y6uwhv24ams3xr5pd0eykw>. Acesso em: 30 jul. 2018.

[15] Schwab, Klaus. *Aplicando a Quarta Revolução Industrial*, p. 52.

O ponto de inflexão, como bem salienta o futurista Frank Diana[16], é que tais transformações paralelas conformam "blocos de construção" — comparáveis a peças de "Lego" — que se interconectam, interpenetram-se e se retroalimentam, resultando em um ambiente propício para grandes, massivas e definitivas transformações da sociedade (tal como a conhecemos), tudo em uma velocidade exponencial. Eis a representação gráfica, por ele proposta, dessa convergência de revoluções distintas:

Figura 1: Futuro Emergente: convergência de "blocos de construção"

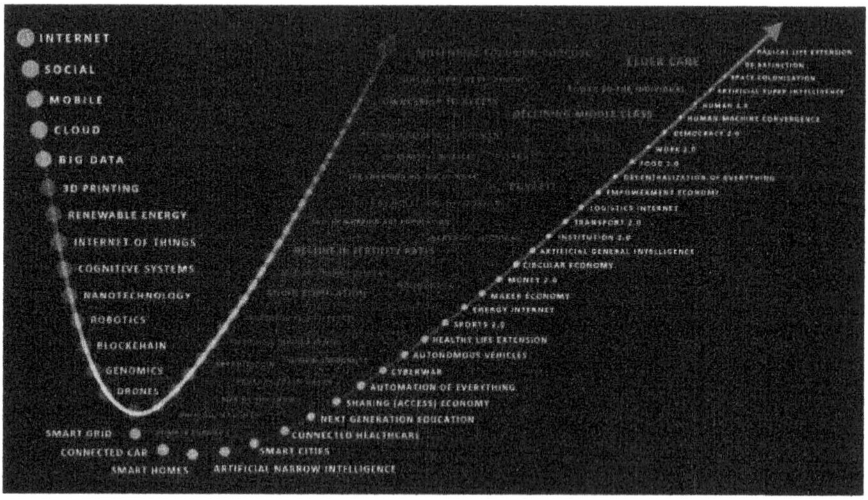

Fonte: Frank Diana (2018)

Feito esse parêntese, e retomando a linha condutora relacionada às revoluções industriais, percebe-se que, em todos esses momentos, vivenciamos profundas transformações no modo como interagimos, produzimos e consumimos, pressionando os Estados a se readaptarem e a se readequarem a esses novos paradigmas. E assim o é porque a regulamentação jurídica das relações sociais serve de norte e proteção àqueles que se aventuram a empreender e a interagir em dada ordem estatal.

Em outras palavras, o Direito é elemento essencial à garantia de segurança nos relacionamentos interpessoais. Primeiro porque traduz as

[16] Diana, Frank. Visualizing Our Emerging Future — Revised. *Reimagining the Future.* 18 abr. 2018. Disponível em: <https://frankdiana.net/2018/04/18/visualizing-our-emerging-future-revised/>. Acesso em: 15 set. 2020.

expectativas de comportamento esperado das parte que se inter-relacionam, previsibilidade essa que possibilita os acordos/acertamento entre as partes. Em segundo lugar, porque tal previsibilidade é assegurada pelo poder coercitivo estatal. Em suma, a previsibilidade das condutas e a garantia de suas observâncias (certeza) concretizam a propalada segurança jurídica das relações sociais — possibilitando-as e incentivando-as[17].

Nossa estrutura organizacional estatal fora forjada sob a lógica subjacente à era industrial (séculos XIX e XX), em que a organização burocrática era sinônimo de eficiência e eficácia administrativa. Afinal, o mundo era e ainda é Weberiano[18]. No entanto, a relação de poder estatal inerente a um tal pensar é em toda distinta ao que se nos apresenta hodiernamente. Na era industrial, o poder socioeconômico era concentrado em menos atores dada a altíssima barreira ao ingresso[19] de novos partícipes no mercado produtor. Da mesma forma, os objetos das transações econômicas eram, via de regra, tangíveis, e vinculados a uma (ou mais de uma) territorialidade facilmente identificável.

[17] Trata-se do aspecto funcional da segurança jurídica. Nesse sentido, esclarece Heleno Taveira Torres que, relativamente aos aspectos funcionais, "a segurança jurídica concorre para o aperfeiçoamento permanente do Estado Democrático de Direito e, por conseguinte, para a efetividade do Sistema Constitucional Tributário, na medida em que a segurança jurídica tem por finalidade reduzir as incertezas decorrentes do ordenamento e preservar a confiança gerada sobre seu *bom funcionamento*, sem concessões para subjetivismos e tratamentos diferenciados, exceto nos casos autorizados pela Constituição". TORRES, Heleno Taveira. *Direito Constitucional Tributário e Segurança Jurídica*. Metódica da Segurança Jurídica do Sistema Constitucional Tributário. 2ª ed. rev., atual. e ampliada. São Paulo: Editora Revista dos Tribunais, 2012, p. 192-193.

[18] Em linhas gerais, Max Weber elaborou um conceito de burocracia baseado no contexto do Estado moderno (aumento do tamanho das organizações sociais e empresariais, racionalidade, Estado de Direito). Dentro da perspectiva jurídica, o termo era empregado para indicar funções da administração pública, que era guiada por normas, atribuições específicas, esferas de competência bem delimitadas e critérios de seleção de funcionários. A burocracia seria o aparato técnico-administrativo formado por profissionais especializados, selecionados segundo critérios racionais e que se encarregavam de diversas tarefas importantes dentro do sistema. Tal divisão e distribuição de funções, bem como a seleção de pessoal especializado, a regulamentação normativa e a disciplina hierárquica são fatores que fazem da burocracia o modo mais eficiente de administração, tanto na esfera pública quanto na privada.

[19] O custo para se estruturar uma unidade industrial limita o livre ingresso de novos atores. NAÍM, Moisés. *O Fim do Poder*. São Paulo: LeYa, 2013.

Em pouco mais de 20 anos, vivenciamos o desenvolvimento e difusão, em escala global, da internet — difusão essa que permitiu o florescimento do *e-commerce*, num primeiro momento, e da economia digital[20] mais recentemente. Presenciamos o advento da impressora 3D, que tende a desmantelar grande parte do polo industrial. Ainda, damos vida à era da robotização, da Inteligência Artificial e da Internet das coisas (IOT — Internet of things). Os criptoativos, *blockchain* e tecnologias correlatas produzem a uma forma de relacionamento ponta a ponta (parte-a-parte, ou P2P), em que não mais se faz necessária a presença das instituições intermediárias. Toda essa efervescência tecnológica[21] muda o cenário até então estabelecido. As relações econômicas são muitas vezes intangíveis, e prescindem de qualquer vínculo de territorialidade. O ingresso de novos agentes detém menores barreiras[22].

E tais mudanças propiciadas pela atual revolução tecnológica, notadamente na forma como os relacionamentos sociais se desenrolam, têm imposto novos desafios ao Direito. Inúmeros questionamentos têm sido feitos. Que novas realidades são essas? Deve-se regulamentá-las? Quem deteria a competência? De que forma se deve fazê-la? Como lidar com tais fenômenos nesse momento?

Porém, a forma como se tem buscado trabalhar com tais desafios é buscar "encaixá-los" nas categorias jurídicas postas. Os debates relativos à regulamentação e, por conseguinte, à tributação das criptomoedas[23], por exemplo, perpassam a discussão acerca de sua (possível) "natureza jurídica". Guilherme Follador sintetiza a discussão ao observar que as

[20] Utilizamos o termo *e-commerce* para nos referirmos à comercialização, pela via digital, de bens tangíveis (como a encomenda de um livro físico, por exemplo, pela loja online), e economia digital para identificar os negócios jurídicos celebrados com bens intangíveis (a aquisição do mesmo livro em formato eletrônico, por exemplo).

[21] Em realidade o ritmo das mudanças tecnológicas é de tal forma acelerada, que impede o acompanhamento e adaptação do homem a todas elas. Friedman, Thomas. *Obrigado pelo atraso*: um guia otimista para sobreviver em um mundo cada vez mais veloz. São Paulo: Objetiva, 2017.

[22] Uber, Airbnb são exemplos de empreendimentos que começaram como ideias de baixíssimo investimento inicial, e que hoje detêm valor de mercado bilionário.

[23] Criptomoedas seriam espécie de critpoativos. Conforme veremos mais à frente, as discussões iniciais se centraram na realidade das criptomoedas, no entanto, o cenário atual, relacionado ao que denominamos criptoativos, é bem mais amplo, a exigir a ampliação do debate.

"criptomoedas podem ou não ser enquadradas em conceitos tais como 'moeda' (*currency*), 'moeda estrangeira' (*foreign currency*), 'dinheiro' (*money*), 'dinheiro eletrônico' (*e-money*), 'produto financeiro' (*financial product*), 'mercadoria' (*commodity*), 'título' ou 'valor mobiliário' (*security*), 'bem' (*property, good*), 'ativo' (*asset*), ou 'produto' (*product*), entre outras categorias com que o Direito — e, por extensão, o Direito Tributário — costuma operar"[24].

Em síntese, e de forma simplória, as criptomoedas têm sido catalogados como "moedas", bem móvel, *commodity*, e/ou valor mobiliário, dependendo da situação e contexto em que utilizados. Fala-se, inclusive, ser sua natureza mutante[25], camaleão[26] ou fungível[27]. No entanto, esse Direito, o qual intenta que sejam "subsumidas" tais novidades, fora estruturado sob o molde de uma sociedade industrial, em que a soberania, atrelada muitas vezes à territorialidade das relações, assim como a tangibilidade/materialidade dos bens econômicos, era a realidade posta[28]. Porém, esse Estado moderno já não é mais a nossa realidade.

O descompasso entre essas novas "manifestações de riqueza" e a estrutura normativa assentada já é alvo inclusive de preocupações na seara tributária, vital à própria subsistência do Estado. Entidades como a OCDE e o G-20, por exemplo, já diagnosticaram que as digitalizações das operações tradicionais levantam inéditos desafios nas políticas públicas que, a toda evidência, trazem uma necessidade de reformulação dos modelos fiscais tradicionais[29]. Inclusive, já iniciaram os debates relativos a tais mudanças paradigmáticas perpretadas pela economia digital.

[24] Follador, Guilherme Broto. Criptomoedas e competência tributária. *Revista Brasileira de Políticas Públicas*, vol. 7, n. 3, 2017, p. 13.

[25] Silva, Luiz Gustavo Doles. *Bitcoins & Outras Criptomoedas*. Teoria e Prática à luz da legislação brasileira. Curitiba: Juruá, 2018, p. 41.

[26] Cunha Filho, Marcelo de Castro; Vainzof, Rony. A natureza jurídica "camaleão" das criptomoedas. *Jota*. 21 set. 2017. Disponível em: <https://www.jota.info/paywall?redirect_to=//www.jota.info/opiniao-e-analise/artigos/a-natureza-juridica-camaleao-das-criptomoedas-21092017>. Acesso em: 22 de outubro de 2018.

[27] Campos, Emília Malgueiro. *Criptomoedas e Blockchain*. O Direito no Mundo Digital. Rio de Janeiro: Editora Lumen Juris, 2018.

[28] Ainda que a noção de soberania seja construída pelo homem, o fato é que a situação social posta permitia tais construções.

[29] *Digitalisation raises a large number of public policy challenges, and is also changing the nature of policy-making itself, through the emergence of a new range of tools available to both develop and implement effective policies. The work being undertaken to consider the impact of digitalisation on the*

De acordo com os relatórios da OCDE/G20, tais reformulações dar-se-ão, em um primeiro momento por meio de novas qualificações/adaptações de conceitos já existentes. Entre as frentes de discussão ora em pauta, podemos destacar duas: a identificação da criação de valor na economia digital[30] e a possibilidade de se desenvolver a ideia de um estabelecimento permanente digital[31].

Trata-se, é claro, de um caminho sem volta. O crescimento da presença digital nos negócios é uma tendência global, conforme bem destacado no último Relatório da OCDE, de março de 2018[32]:

international tax rules and other aspects of the tax system forms only one part of this broader unfolding transformation. OECD. *Tax Challenges Arising from Digitalisation.* Interim Report 2018: Inclusive Framework on BEPS, OECD/G20 Base Erosion and Profit Shifting Project. Paris: OECD Publishing, 2018, p. 14.

[30] *The concept of the value chain models businesses where value is created on the basis of a linear production process as, for instance, in traditional, vertically-integrated manufacturing businesses. It also includes resellers in so far as their primary activities follow a sequential pattern. The concept of the value network portrays businesses where value is created by linking users, suppliers or customers (i.e., creating a network relationship) using a mediating technology. This category covers all types of multi-sided platforms. The concept of the value shop describes businesses where value is created by marshalling resources, that is, hardware and software as well as specialised knowledge, to resolve customer problems/demands. This includes digital and non-digital service providers that (i) do not operate linear production processes and (ii) do not act as intermediaries across multi-sided markets.* OECD. *Tax Challenges Arising from Digitalisation.* Interim Report 2018: Inclusive Framework on BEPS, OECD/G20 Base Erosion and Profit Shifting Project. Paris: OECD Publishing, 2018, p. 36.

[31] *Some countries have responded to the structural changes resulting from digitalisation by reconsidering the way the threshold for source-based taxation of business profits — the permanent establishment (PE) definition — is applied under their domestic law and/or in tax treaties. In contrast to the traditional approach, 2 these amendments or new interpretations of the PE threshold are generally aimed at diluting the requirement for permanence and physical presence at a specific geographical location to establish a nexus for net-basis taxation.* OECD. Tax Challenges Arising from Digitalisation — Interim Report 2018: Inclusive Framework on BEPS, OECD/G20 Base Erosion and Profit Shifting Project. Paris: OECD Publishing, 2018, p. 135.

[32] OECD. Tax Challenges Arising from Digitalisation — Interim Report 2018: Inclusive Framework on BEPS, OECD/G20 Base Erosion and Profit Shifting Project, Paris: OECD Publishing, p. 14.

FIGURA 2: Business with a web presence

As a percentage of total businesses.

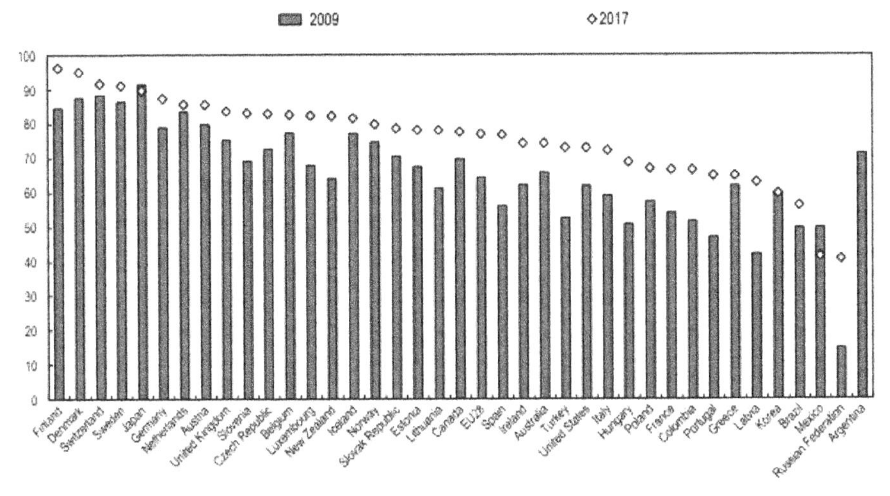

Fonte: OECD. Tax Challenges Arising from Digitalisation — Interim Report 2018.

E, no Brasil, há ainda muito espaço para crescimento dessa tendência. De acordo com o estudo "Brazil Digital Report", feito pela consultoria McKinsey & Company Inc., 2/3 (dois terços) dos brasileiros têm acesso a smartphones e à internet. Ainda, a média de horas que os brasileiros passam diariamente conectados é de mais de 09 (nove) horas, uma das maiores do mundo. No entanto, e curiosamente, apesar de ávidos consumidores de mídias digitais (redes sociais — WhatsApp, Instagram ou Facebook —, YouTube, entre outras), nós brasileiros não somos muito adeptos de compras, transações ou gastos feitos *online*. Ou ao menos, não éramos: com o estouro da pandemia da Covid-19, presenciamos o aumento exponencial das transações realizadas por *e-commerce*[33].

Em suma, queremos deixar assente que estamos vivenciando o nascimento de uma nova era social. Testemunhamos uma verdadeira reconfiguração[34], cujo resultado por ora não conhecemos, da visão de mundo

[33] Com a atual pandemia e política de isolamento social, noticiou-se só em abril (de 2020) aumento de 81%, relativamente à março, no faturamento do *e-commerce* brasileiro (estimado em 9,4 bilhões de reais).

[34] Nas palavras de Ulrick Bech, a metamorfose do mundo "significa mudança extraordinária de visões de mundo, a reconfiguração da visão de mundo nacional", e prossegue escla-

— nacionalista/territorialista — em que construídas nossas bases jurídicas. Por conseguinte, identificada — como identificamos — tal mudança paradigmática das relações sociais, com a ascensão de um Estado pós-moderno[35], em que as noções de territorialidade, tangibilidade dos bens econômicos mostram-se em certa medida ultrapassadas, o relacionamento administração-administrado não mais parece poder sustentar-se nos moldes tradicionais.

O Estado centralizador de poder e apto a acompanhar, regulamentar e fiscalizar as atividades econômicas (tangíveis) que ocorriam em seu território não mais existe. Para além de vivermos uma pulverização do poder (inclusive estatal), ao se "empoderar" os micropoderes[36], a tecnologia permite uma fluidez, rapidez e alcance global das atividades econômicas sem quaisquer precedentes[37].

recendo que isso não significa que "nações e Estados-nação se dissolvem e desaparecem, mas que nações são 'metamorfoseadas'; Elas precisam encontrar seu lugar no mundo digital em risco, em que fronteiras se tornam líquidas e flexíveis; precisam se (re)inventar, girando em torno das novas estrelas fixas de 'mundo' e 'humanidade'". BECK, Ulrick. *A Metamorfose do Mundo*. Novos conceitos para uma nova realidade. 1ª ed. Rio de Janeiro: Zahar, 2018, p. 18-20.

[35] Segundo Ana Carolina de Faria Silvestre, "o momento atual — quer se designe como momento pós-moderno ou não — está fortemente cunhado pela transição, fragmentação e pelo dissenso". E prossegue salientando que a expressão "pós-modernidade" é controversa, e mesmo entre os que adotem a expressão, dissentem quanto ao marco inicial desse período. Citando Eduardo Bittar (O direito na pós-modernidade), a autora destaca que a primeira característica da pós-modernidade é justamente a sua incapacidade de gerar consensos. SILVESTRE, Ana Carolina de Faria. O contribuinte e o fisco — ou pela necessária assunção das emoções no âmbito das relações entre o contribuinte e o fisco. In: SANTOS, António Carlos dos; LOPES, Cidália Maria da Mota (coord.). *Fiscalidade* — Outros Olhares. Porto: Vida Econômica, 2013, p. 334.

[36] NAÍM, Moisés. *O Fim do Poder*. São Paulo: LeYa, 2013.

[37] Nesse sentido, Marcelo Rodrigues de Siqueira salienta que "a facilidade nas trocas mercantis on line contrasta com as dificuldades da administração tributária em fiscalizar e controlar tais operações". Ora, algumas sociedades empresarias "existem apenas no mundo virtual, não possuindo sequer estrutura física, o que dificulta muito a fiscalização do fluxo de mercadorias e eventuais estoques". Ademais, os "próprios bens e serviços comercializados, às vezes, só existem no plano digital, como é o caso dos *softwares*, músicas, filmes, fotografias, livros, etc." Todos esses aspectos "criam empecilhos não só à fiscalização dos fatos geradores e obrigações acessórias, mas, também, à própria exação dos tributos". SIQUEIRA, Marcelo Rodrigues de. Os desafios do Estado Fiscal Contemporâneo e a Transparência Fiscal. In: NABAIS, José Casalta; SILVA, Suzana Tavares da. *Sustentabilidade Fiscal em Tempos de Crise*. Coimbra: Almedina, 2011, p. 136-137.

E tais situações trazem perplexidades e dificuldades ao *status quo*, justamente por atingir seus pilares. E o advento da *blockchain* e de tecnologias correlatas possibilita o rompimento com o prórpio modelo "multi-descentralizado"[38] das relações socio-econômicas (Airbnb, Uber, entra outras) que desestruturaram, por sua vez, as relações centralizadas tradicionais (hotéis, táxis, enquanto atividades reguladas e fiscalizadas pelo Estado).

Essas tecnologias permitem que sejam realizadas transações jurídicas parte-a-parte (P2P), sem a presença do intermediário de confiança (*middleman*). Destarte, a *blockchain* do Bitcoin, por exemplo, possibilita que valores (*bitcoins* ou *satoshis*, que são percentagens de bitcoins) sejam transferidos diretamente entre as partes, sem a presença de instituições bancárias. E tais transações ficarão registradas, de forma imutável, em todos os pontos (*nodes*) da rede, o que significa que terá alcance global.

No entanto, um olhar mais atento desvela que, em verdade, o que se tem em tal ambiente são apenas registros de informações que estão em todos os lugares (*nodes* da rede). Assim, não é possível identificar nas transações realizadas vínculos com qualquer Estado: são apenas dados, informações, atualizadas em todos os pontos da rede. Ainda, as partes envolvidas não são devidamente identificadas: conhecem-se as carteiras (*wallets*) de origem e destino, porém, não os seus proprietários (que podem utilizar pseudônimos).

Em tal contexto, quem deteria a competência para regulamentar e eventualmente tributar tais operações? Mais: ante a inexistência de um intermediário de confiança, colaborador com a atividade de regulamentação e fiscalização estatal, como compelir os partícipes a adimplirem com os deveres impostos?

Muitos são os questionamentos e perplexidades. Variadas são as realidades em que tais debates têm sido suscitados. Da mesma forma, fascinante ingressar no estudo desse tema. Porém, não encontramos, por ora, obras sistematizando, ao menos sob a ótica jurídica, tais discussões afetas ao universo "cripto". Eis a motivação do presente trabalho.

[38] Trata-se de termo proposto por Emília Malgueiro Campos. A autora detectou que, apesar de não estarmos mais diante de estruturas centralizadas, o poder continua na mão de centros de poder e controle, ainda que vários. Campos, Emília Malgueiro. *Criptomoeda e Blockchain*. O Direito no Mundo Digital. Rio de Janeiro: Editora Lumen Juris, 2018.

Mais especificamente, propomos aqui ampliar o horizonte das discussões jurídicas, que parecem se ater ainda às estreitas fronteiras das chamadas "criptomoedas". É que justamente por serem a primeira aplicação da tecnologia *blockchain*, foram as "criptomoedas" que tomaram primazia nos debates realizados. No entanto, parece-nos que é hora de expandir. Compreender que estamos já a falar em criptoativos, *tokens*, tokenização de ativos, etc. Afinal, é apenas com o dimensionamento da realidade que se mostra que teremos terreno mais adequado para se buscar respostas aos inúmeros questionamentos — de ordem jurídica — anteriormente levantados.

Nesse interím, para além desse capítulo introdutório, dividimos a presente obra em outros 5 capítulos. No capítulo 2 buscamos trazer uma noção, dentro dos limites cognitivos da autora, do que seria a chamada tecnologia *blockchain*, por ser um dos principais conceitos tecnológicos subjacentes a tal universo. Já no capítulo 3, buscamos distinguir as categorias *token*, criptoativos, tokenização de ativos, e suas subespécies, propondo uma estrutura classificatória delas. Nos capítulos 4 e 5, buscamos analisar as propostas regulatórias presentes em alguns países pelo mundo e as em discussão ora[39] presentes no Brasil. Por fim, no último capítulo, trato da questão tributária relacionada às criptomoedas no Brasil. O objetivo desse último capítulo é tentar assinalar os desafios e perplexidades com que os operadores desse novo mercado já estão tendo de lidar.

[39] O fechamento desta obra se dá em outubro de 2020.

Capítulo 2
Blockchain, *DLT* e Correlatos: Um Breve Flerte com a Tecnologia

Em novembro de 2019, tive o privilégio de assistir ao discurso de Katherine Maher, CEO da Wikipedia, durante o Web Summit, um dos maiores eventos mundiais de tecnologia tradicionalmente sediado em Lisboa. A fala de Katherine inspirou-me a principiar este capítulo. É que entendo como ponto central para a compreensão da natureza potencialmente disruptiva[40] da tecnologia (ou das tecnologias) *blockchain* justamente a questão por ela levantada em seu discurso: a crise de confiança porque passamos nos mais variados planos e patamares.

É que coincidentemente foi em um contexto de grave crise de confiança no sistema financeiro mundial — estouro da bolha imobiliária americana em 2008 — que o Bitcoin, aplicação mais remota e ao mesmo tempo representante mais célebre do que convencionamos chamar

[40] Consoante nos lembra Marcus Lisboa, o termo "tecnologia disruptiva" apareceu pela primeira vez em um artigo intitulado "Disruptive Technologies: Catching the Wave", de autoria de Clayton Christensen. No entanto, foi com os jovens empreendedores do Vale do Silício que o termo se popularizou. Inspirado no conceito de "destruição criativa", cunhado por Joseph Schumpeter, a locução atrela-se à ideia de inovações tecnológicas, de produtos ou serviços, com características disruptivas, isto é, que rompem com os padrões, modelos ou tecnologias estabelecidas em mercado. LISBOA, Marcus. *Criptomoeda*. O dinheiro do futuro. 2ª ed. Caldas Novas-GO: CEVI, 2020, p. 21-22.

tecnologia *blockchain*, surgiu. E mais: a estrutura tecnológica por trás do que chamamos *blockchain* tem em si o potencial de possibilitar o rompimento — daí porque disruptiva — com a forma como nos relacionamos social, econômica e até politicamente, justamente por atingir um de seus pilares fundamentais: a confiança.

Relacionar-se pressupõe confiança: confiança de que o que fora dito, ou prometido, será de fato entregue, posto que alguém a garante. No que se refere às trocas e às transações financeiras, as moedas surgiram como instrumentos facilitadores de trocas que "valiam" em si mesmos (ouro, prata, bronze, sal), e/ou representavam valores (cédulas). Hoje, nosso dinheiro/moeda não tem valor em si (são pedaços de papel ou de metais de menor qualidade), sendo apenas representações de valores. E é aqui que o elemento confiança ganha terreno: afinal, em última análise, confiamos na veracidade da informação constante naquele título (cédula de dinheiro), porque acreditamos em seu emissor (Estados).

De fato, no caso das moedas oficiais (também chamadas fiduciárias), confiamos que o valor expresso na cédula realmente vale aquilo. E assim o é porque confiamos que o Estado emissor garante aquela reserva de valor (R$10, €10, $10 etc.). E, nesse contexto, os bancos e demais instituições financeiras, para além de criarem eles próprios moedas (as chamadas moedas escriturárias[41]), erigiram-se como os intermediários de confiança por excelência das transações econômicas. Assim é que atualmente, quando nos relacionamos economicamente com outrem, exceto no caso de transações em espécie ("dinheiro vivo") em que já pressupomos confiança no Estado-emissor da cédula, necessitamos dos intermediários financeiros (operadoras de cartões, bancos, administradores de meios de pagamento, entre outros).

São esses intermediários quem escrituram, isto é, registram e detêm as informações pertinentes aos celebrantes. Justamente por não conhecermos ou determos o histórico e as informações econômicas, finan-

[41] Fala-se que as instituições bancárias "criam moedas" em razão do efeito multiplicador das moedas escriturais. Moedas escriturais seriam aquelas relacionadas aos depósitos em bancos (saldos em conta-corrente: números, portanto). O efeito multiplicado se dá em razão da possibilidade de o banco depositário realizar empréstimos com parte do dinheiro do correntista, que dificilmente irá sacar todo o seu dinheiro de uma só vez. É que, por lei, o banco precisa guardar apenas uma pequena fração do dinheiro depositado, podendo emprestar o restante, a fim de se criar crédito no mercado.

ceiras ou mesmo patrimoniais daquele(s) com quem nos relacionamos dia a dia, a presença desses intermediários de confiança mostra-se em todo necessária. Confiamos na tutela por esses intermediários exercida quanto ao registro e controle desses dados — escrituração essa, inclusive, que impede o chamado gasto duplo, ou seja, que consigamos gastar um mesmo valor duas vezes.

Agora, e se pudéssemos replicar as transações em espécie, em que esses intermediários de confiança não são necessários, no mundo virtual? Ou ainda, se pudéssemos mesmo criar, coletivamente, uma nova "moeda virtual", que servisse ela mesma como meio de pagamento, reserva de valor e unidade de conta? Eis a promessa (ainda que ainda em estado potencial) do Bitcoin — protocolo tecnológico e criptomoeda que constitui a primeira e mais conhecida aplicação do que convencionamos dominar *blockchain*.

E, se não bastasse isso, percebeu-se que a *blockchain*, plataforma tecnológica subjacente ao Bitcoin, poderia ser utilizada em inúmeras outras frentes em que esse terceiro de confiança se mostrasse necessário (e, por vezes, custoso). Exemplos podem ser vistos em projetos para utilização de *blockchain* em cadeias de suprimentos (*supply chain*[42]), no âmbito de registros de documentos ou de propriedade de imóveis[43] ou ainda em expedição de diplomas de graduação[44]. Não à toa, portanto, todo o furor causado em torno do assunto.

[42] Alguns projetos que são comumente citados são Waltonchain, Ambrosus, Modum, VeChain, WaBi, Origin Trail, etc.

[43] Sobre essa possibilidade de se utilizar tecnologia blockchain para fins de registro de títulos e documentos e de imóveis merece menção a proposta legislativa nº 2.876/2020, do Senado Federal brasileiro. É previsto modificação na Lei de Registro Públicos (de nº 6.015/1973) a fim de que cada registro (de título, documentos e imóveis) seja também feito nos Sistemas Eletrônicos de Blockchain Nacional de Registro de Documentos e de Registro de Imóveis, a serem disponibilizados pelo Conselho Nacional de Justiça.

[44] Há notícias de que o próprio Ministério da Educação do Brasil começara estudos para desenvolver uma plataforma de registros de diplomas em blockchain. O objetivo é se unificar, nessa plataforma distribuída, a emissão e registro de todos os diplomas de universidades particulares e públicas, minorando assim a chance de fraudes. Notícia disponível em: <https://cointelegraph.com.br/news/ministerio-da-educacao-estuda-desenvolver-plataforma-blockchain-para-unificar-diplomas-de-universidades-particulares?_ga=2.172664611.1827439144.1598295754-1800700955.1598295754>, e <https://valor.globo.com/brasil/noticia/2020/03/02/por-autorregulacao-faculdade-privada-estuda-diploma-digital.ghtml>. Acesso em: 26 ago. 2020. Não se trata, porém, de iniciativa inédita no país:

Para que possamos tratar de *blockchain*, criptoativos, *tokens* e afins, e suas repercussões no cenário jurídico, mormente regulatório e tributário, parece em todo relevante que apresentemos, ainda que de forma sintética, o universo de que nos propomos a tratar. Esse será o objetivo do presente capítulo. Primeiro, voltaremos nosso olhar ao início, mais especificamente na lógica subjacente ao Bitcoin. Ainda, tentaremos esclarecer algum dos termos técnicos relacionados — ainda que indiretamente — ao cenário *blockchain*. Na sequência (capítulo 3), buscaremos compreender as várias realidades que já se têm nos mostrado e que vão muito além da inicialmente desvelada por aquela pioneira criptomoeda.

2.1. Entendendo a tecnologia *blockchain* por onde tudo começou: o protocolo Bitcoin

Tomando o protocolo Bitcoin, como modelo inicial de aproximação, é importante desde já diferenciar as "duas realidades" a que nos referimos com o termo. Podemos estar diante de uma "moeda" digital e virtual — bitcoin, grafado com letra minúscula —, e/ou diante de um protocolo tecnológico desenvolvido sobre a camada da internet — Bitcoin, gravado em letra maiúscula. Ao nos referirmos ao primeiro aspecto, bitcoin, estamos falando de uma "moeda virtual (porque só "existente"[45] no mundo virtual) criptografada (utiliza-se de criptografia assimétrica) e conversível (para moeda fiduciária), baseada em um sistema descentralizado. Já sob a segunda ótica, Bitcoin, estamos a tratar de um programa que cria, sobre a camada da internet, uma rede global e distribuída (Distributed Ledger Technology) de registros de transações

em abril de 2019 a Universidade Federal da Paraíba criou uma plataforma para emitir diplomas em blockchain. Notícia disponível em: <https://cointelegraph.com.br/news/federal-university-of-paraiba-creates-platform-for-issuing-degrees-based-on-blockchain>. Acesso em: 26 ago. 2020. Alhures, algumas universidades de países como Estados Unidos (MIT), Inglaterra (Woolf University), Canadá (Instituto de Tecnologia de Alberta do Sul — SAIT), Itália (Universidade de Cagliari) e Índia (SP Jain School of Global Management) já usam blockchain para emissão de diplomas digitais. Sobre o assunto: UHDRE, Dayana de Carvalho Uhdre. *Blockchain na Educação*. In: FERREIRA, Dâmares (coord). Educação, Inovação, Inclusão e Proteção de Dados. Editora CRV (no prelo).

[45] O existente está entre aspas tendo em conta que, em última instância, sequer virtualmente existe o "ser" bitcoin. Explica-se: uma música existente unicamente no mundo digital é redutível a um arquivo, a algo existente ("bits"); o bitcoin, não. O bitcoin existe apenas enquanto referenciado nos registros, em *blockchain*, das transações realizadas.

relativas à transferência de valores diretamente entre partes distintas (peer-to-peer ou P2P), isto é, sem intermediários. Todos esses termos e conceitos serão tratados a seguir — dentro, obviamente, da limitação técnica dessa autora.

Surgido no contexto da crise americana de 2008, em que a confiança nas instituições ficou bastante abalada, o protocolo Bitcoin foi criado por Satoshi Nakamoto (pseudônimo de um, ou mais provavelmente de um grupo de, cypherpunks) e levado ao conhecimento do público especializado por meio do famoso *whitepaper* "Bitcoin: a per-to-peer eletronic cash system"[46]. O objetivo último do sistema era possibilitar a troca de representações de valores diretamente entre as partes, sem a necessidade da presença dos intermediários de confiança (*middleman*). Em outras palavras, o Bitcoin substitui o papel exercido atualmente pelos bancos e demais intermediários das transações financeiras. Confia-se no protocolo tecnológico que possibilita o envio de valores diretamente de parte-a-parte (P2P, peer-to-peer), sem necessitar de um terceiro de confiança a quem se outorgue a função de zelar para evitar que o mesmo recurso seja gasto mais de uma vez.

Atualmente, quando fazemos uma transferência de valores para outrem, de nossa conta no Banco «A» para outra conta no Banco «B», por exemplo, cada uma das instituições tem de contabilizar a transação. O Banco «A», ao verificar que o remetente tem saldo em sua conta, registrará a saída dos valores transferidos, e o Banco «B» a entrada desses mesmos valores na respectiva conta destinatária. Tal controle tem por objetivo assegurar que os valores utilizados são únicos, isto é, de que foram gastos apenas uma vez.

O protocolo Bitcoin substitui o papel desses intermediários, atribuindo-o à tecnologia. Para tanto, propõe a descentralização da arquitetura de rede, de modo a se ter vários computadores conectados de forma distribuída ao redor do globo. Ainda, distribui-se o registro dos dados, de forma que cada um desses computadores detenha a contabilidade atualizada das operações realizadas. Retomando o exemplo anterior, é como se todos os computadores (também chamados de nós, *nodes* ou *legder*) da rede, por terem o registro de todas as operações até

[46] NAKAMOTO, Satoshi. Bitcoin: a Peer-to-Peer Electronic Cash System. Disponível em: <https://bitcoin.org/bitcoin.pdf>. Acesso em: 18 maio 2020.

então realizadas, pudessem fazer a verificação da existência de saldo na "conta" do emitente. Da mesma forma, ao se concretizar a transferência dos valores, cada um dos pontos (computadores) da rede atualizaria quase simultaneamente o registro, contabilizando a operação recém-realizada.

Essa estrutura descentralizada (de rede e de registro) é o que chamamos de Distributed Ledger Technology (DLT[47]). A tecnologia *blockchain* é uma DLT[48], porém, o que a caracteriza é a compilação dos dados em blocos de informações encadeados. Eis a razão da nomenclatura *blockchain*, que em tradução livre significa "cadeias de blocos". A ligação entre os blocos de informações é feita por meio dos chamados *hash*, que seriam as "impressões digitais" de cada um dos blocos. Cada bloco é iniciado com a cópia do *hash* do bloco anterior, o qual faz a conexão entre ele e o bloco anterior, e ao final terá um *hash* unívoco seu, que simultaneamente iniciará o bloco seguinte:

[47] "A distributed ledger is a consensus of replicated, shared, and synchronized digital data geographically spread across multiple sites, countries, and/or institutions. Distributed Ledger Technologies (DLT) are technologies used to implement distributed ledgers". INTERNATIONAL ORGANIZATION OF SECURITIES COMISSION. IOSCO Research Report on Financial Technologies (Fintech). Fevereiro 2017, p. 47. Disponível em:< https://www.iosco.org/library/pubdocs/pdf/IOSCOPD554.pdf>. Acesso em: 10 dez. 2019.

[48] Nesse sentido: "As with cryptoassets, while there is no single formal definition of DLT, it can be described as a set of technological solutions that enables a single, sequenced, standardised and cryptographically-secured record of activity to be safely distributed to, and acted upon by, a network of varied participants. This record could contain transactions, asset holdings or identity data. This contrasts with a traditional centralised ledger system, owned and operated by a single trusted entity.

DLT in its blockchain form was first used in Bitcoin to facilitate peer-to-peer payments without a central third party. Blockchain is a type of DLT that has a specific set of features, organising its data in a chain of blocks. Each block contains data that are verified, validated and then 'chained' to the next block. Blockchain is a subset of DLT, and the Bitcoin Blockchain is a specific form of a blockchain. Today, all cryptoassets utilise various forms of DLT (be it blockchain or otherwise), although the use cases of DLT extends far beyond financial services". FINANCIAL CONDUCT AUTHORITY. *Guidance on Cryptoassets.* Consult Paper CP19/3. Janeiro 2019. Disponível em: <https://www.fca.org.uk/publication/consultation/cp19-03.pdf>. Acesso em: 02 nov 2019.

FIGURA 3: Bloco não corrompido

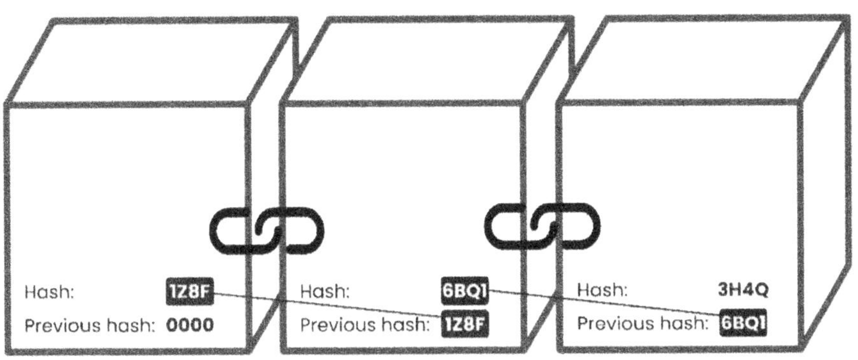

Source: Savjee, (2017)
Base retirada do relatório "OECD Blockchain Primer"

Fonte: Elaborado pela autora

Um parêntese aqui. Consoante afirmamos no parágrafo anterior, *blockchain* é uma espécie de arquitetura de registro de informações realizado de forma distribuída, caracterizada pela forma como os registros de informações serão organizados (em blocos conectados criptograficamente), e replicados por todos os nós da rede. Isso quer dizer duas coisas. Primeiro: há outras "formas" de serem tais informações organizadas/agrupadas e validadas, tais como a *hashgraf* ou *tangle*. No entanto, a narrativa, relativa ao tema, imperante acaba tomando o termo *blockchain* para se referir a todas essas outras formas de estrutura dos dados, o que nos leva ao nosso segundo ponto. É que o termo *blockchain*, para além de ser utilizado para fazer referência a outras formas de "estruturação dos dados", acabou por ser tomado como referencial de todo cabedal tecnológico possibilitador do Bitcoin — não sem razão, portanto, a crítica[49] que se faz quanto a se tomar uma pequena parte (registro de informações em blocos) pelo todo (plataforma tecnológica em que são convergentes ao menos as seguintes "peças": arquitetura de sistema distribuído de informações, criptografia assimétrica e teoria dos jogos). No entanto, o termo *blockchain* "pegou", restando consolidado no mercado — razão pela qual ele será utilizado, por vezes, precedido do termo "tecnologia", a fim de se referir ao todo (plataforma).

[49] GUIMARÃES, Courtnay. Não é blockchain. É DATP! 6 jul. 2018. Disponível em: <https://medium.com/@courtnay/não-é-blockchain-é-datp-d7d592afe393>. Acesso em: 04 ago. 2020.

Feito esse parêntese, e retomando o raciocínio, é de se questionar de que forma as informações presentes nesses blocos são validadas, isto é, como são "certificadas" a veracidade e a autenticidade das operações realizadas naquele interstício e agrupadas em um dado bloco? No sistema atual, em que temos instituições bancárias como entes competentes ao registro das transações financeiras, confiamos na contabilidade elaborada por essas instituições: as instituições são os entes garantidores. Com o elemento tecnológico, em que são as "máquinas" que contabilizam e portanto têm o "controle" das operações, foi necessária a criação de mecanismos de consensos (entre os nós da rede) para que novos dados, com base nos registros anteriores, fossem inseridos na *blockchain*[50] (verdadeiro livro razão contábil). Quando falamos em mecanismos de consensos queremos simplesmente dizer que é necessário que a maioria da rede concorde com a legitimidade dos novos dados (em bloco) que serão colocados no histórico de transações. E tal concordância será obtida quando a maioria dos nós (partícipes) da rede checarem, com base nos dados já registrados na cadeia de blocos e disponíveis a todos eles, a higidez da operação realizada — "o valor transferido existia e era de propriedade daquele que fez a operação" —, e "votarem" favoravelmente à validação da operação.

No caso do protocolo Bitcoin, o método de consenso ("votação") programado é o "proof-of-work" (prova de trabalho, em tradução livre). Tal método de consenso consiste basicamente em se resolver, computacionalmente, problemas matemáticos complexos. Chama-se prova de trabalho em razão de se despenderem energia e força computacional para a resolução desses "problemas". Em razão de estarem envolvidos custos não desprezíveis para a validação dos dados (deixar à disposição da rede máquinas, energia, tempo etc.), é necessário incentivar a atividade dos participantes[51] (afinal, quase ninguém despenderia dinheiro altruisticamente o tempo todo a fim de manter o sistema funcionando). Daí que, no sistema Bitcoin, os *nodes* (nós) ou partícipes da rede disputam quem resolverá o problema matemático primeiro, sendo que o vencedor, justamente por validar e inserir o novo bloco de informações na rede, receberá recompensas em bitcoins. Eis a origem dos bitcoins.

[50] Vale pontuar, aliás, que uma das características da *blockchain*, enquanto espécie de DLT, é a de ser *data appended only*, isto é, os dados só podem ser inseridos, acrescentados.

[51] Eis aqui a teoria dos jogos em ação dentro da plataforma Bitcoin.

Cumpre esclarecer aqui que, para além dessa recompensa, em bitcoins, pela solução do algoritmo matemático, esses validadores também são recompensados pelas taxas de transação (“*fees*”). Relativamente a cada transação realizada (transferência de “n” bitcoins da *wallet* x para a *wallet* “y”), é cobrada uma percentagem correspondente à taxa pela validação. Daí que o minerador (ou *pool* de mineradores[52]) que “vencer” a disputa receberá, além dos bitcoins inerentes ao ingresso do bloco na rede, as taxas cobradas referentes a todas as operações registradas naquele bloco minerado[53].

Chama-se tal atividade de resolução do algoritmo matemático de validação; a “criação” do novo bloco, “mineração”; e os *nodes* da rede que participam dessa atividade, “*miners*” (mineiros). Impende esclarecer ainda que, uma vez resolvido o algoritmo e minerado o bloco, para que o mesmo se aperfeiçoe, ingressando na *blockchain*, é necessário que os demais nós (ou a maioria deles) opinem pela adequação da resposta (qual seja, o “*hash*” do novo bloco minerado) obtida pelo vencedor. Visualmente, eis como funciona o sistema Bitcoin:

Figura 4: Como funciona a transferência de bitcoins?

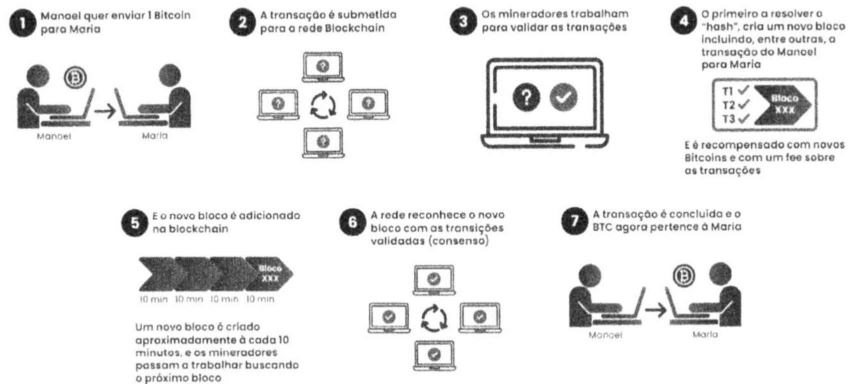

Fonte: Elaborado pela autora

[52] “Piscinas de mineradores (ou de mineração)”, em tradução livre, correspondem a grupos de mineradores que cooperam entre si, concordando em repartir as recompensas oriundas dos blocos minerados, proporcionamente ao seu poder de *hashing* de mineração contribuído.

[53] Convém esclarecer ainda que, consoante a programação do protocolo Bitcoin, apenas 21 milhões de unidades de bitcoins serão criadas (emissão essa que tem previsão de se encerrar em 2140). Após isso, a remuneração dos validadores dar-se-á apenas com as taxas transacionais (“*fees*”) que tendem, obviamente, a serem mais custosas.

Resumindo o que foi dito até agora, é de se notar que protocolo Bitcoin tornou "dispensável" para fins de transferência de valores os terceiros de confiança (instituições bancárias, por exemplo), hoje tão necessários. E assim o é porque a plataforma em estrutura *blockchain*, verdadeiro "livro razão" (livro contábil) de registro das transações efetuadas em bitcoins, é compartilhada por múltiplos usuários do sistema, mediante uma rede que veicula publicamente todas as operações. Essas operações, depois de validadas, são agrupadas em blocos e relacionadas em cadeia (cadeia de blocos).

É necessário um parêntese aqui: apesar de público, o registro das transações e as partes nelas envolvidas não são diretamente identificadas. Sabe-se que uma determinada quantidade de bitcoins "saiu" de uma carteira (*wallet*) X e "entrou" em uma carteira Y, mas não se sabe quem é realmente o titular dessas carteiras (visto que se utilizam de pseudônimos). Isso porque a informação (de qualquer transação) é criptografada com a chave pública do destinatário, mas somente pode ser decodificada com a senha/chave privada desse mesmo destinatário (chamada criptografia assimétrica).

Pois bem. A possibilidade de se trocar valores de forma digital, diretamente entre as partes (P2P), não é ideia que surge com *o whitepaper* do Bitcoin, nem a primeira a ser (tentar ser) implementada[54]. Em realidade, a ideia já aparece em 1983 em um texto do cientista da computação David Chaum[55]. No entanto, as moedas virtuais implementadas anteriormente apresentaram problemas de segurança (atacadas facilmente), muito em razão de o registro dos dados se dar de forma centralizada ou por não resolverem o problema do gasto duplo, sendo então necessária a presença de um terceiro de confiança (*middleman*) para contabilização e controle das operações.

Eis porque a grande inovação da tecnologia inerente ao sistema do Bitcoin, a plataforma com registro em *blockchain*, permitiu, por meio da combinação entre criptografia assimétrica, "*proof of work*" e DLT, a resolução desses e de outros problemas relacionados à implementação da

[54] Podemos nos referir ao E-gold e ao Digi-Cash, por exemplo.

[55] Chaum, David. Blind Signatures for Untraceable Payments," Advances in Cryptology Proceedings of Crypto 82, R.L. Rivest, & A.T. Sherman (Eds.), Plenum, p. 199-203. Disponível em: <https://www.chaum.com/publications/Chaum-blind-signatures.PDF>, acesso em 13 de out. 2020.

ideia. Diferentemente do que ocorre com as moedas nacionais, que são emitidas pelos Estados nacionais, ainda que eventualmente obedecendo a algum sistema de autorregulação, os bitcoins não são gerados de acordo com a vontade de alguém. Eles foram programados para serem "descobertos" mediante o processo que se passou a chamar de "mineração" (*mining*), até o limite de 21 milhões de unidades.

Os "mineradores" (*miners*) são, portanto, pessoas ou empresas (ou grupos deles, chamadas *mining pools*) que põem seu poder computacional — e o espaço, tempo, energia etc. a ele relacionados — para resolver complexos algoritmos, destinados a verificar a higidez dos blocos de transações, em especial com vistas a evitar o duplo gasto de um mesmo bitcoin (chamado protocolo de validação "*proof of work*"). Quando concluem a análise de um grupo de transações, os mineradores geram um bloco, que submetem à validação pelos "nós" (*nodes*) da rede, isto é, computadores que atualizam progressivamente a *blockchain* do Bitcoin, e que será conexo ao bloco que lhe era precedente (resultado em uma cadeia de blocos interconexos entre si).

No entanto, para lograrem sucesso, os mineradores dependem não apenas de poder computacional, mas também de sorte. É que a inserção de um novo bloco à *blockchain* do sistema deve ser aceita pelos outros partícipes (*nodes*), que, ao validarem referido bloco, passam a utilizá-lo como ponto de partida, isto é, como última atualização da *blockchain*. E aquele minerador que for o "vencedor" da disputa ganha uma recompensa, em bitcoins, a cada novo bloco de transações incorporado à *blockchain* do Bitcoin. Como há, no protocolo do sistema, um número limite de 21 milhões de bitcoins a serem gerados, torna-se progressivamente mais difícil minerar bitcoins e proporcionalmente menor — se contada em número de bitcoins absolutos — a remuneração dos mineradores.

Essa diminuição progressiva da recompensa, por meio da criação de novos bitcoins, ao trabalho dos mineradores é conhecida como "*halving*". A cada 210.000 (duzentas e dez mil) unidades de bitcoin "mineradas", diminui-se em 50% (cinquenta por cento) a quantidade de bitcoins "pagos" aos mineradores pela criação de novos blocos. A ocorrência de "*halvings*" se dá a cada 04 (quatro) anos, aproximadamente, datando o último de maio de 2020.

No entanto, como fora dito, para além da remuneração pelos novos blocos gerados, os mineradores ainda poderão ser recompensados pelos usuários da rede, mediante o pagamento de taxas por aqueles que tiveram transações incluídas nos blocos efetivamente adicionados à *blockchain* do Bitcoin (as chamadas "*mining fees*"). Nem sempre é obrigatório que o usuário pague essas taxas, mas há certas regras que praticamente o obrigam a fazê-lo, sob pena de sua transação demorar mais ou até mesmo nem sequer ser processada, pelo desinteresse dos mineradores[56],[57].

De qualquer forma, o que tem de ficar assente é que o protocolo Bitcoin é uma plataforma tecnológica estruturada com uma plêiade de "peças" tecnológicas (DLT e criptografia) e psicológicas (teoria dos jogos) que tinha por propósito operacionalizar transferência de valores entre as partes diretamente. Trata-se, assim, do que poderíamos denominar, parafraseando Courtnay Guimarães, do advento de plataformas distribuídas, autônomas, e sem garantidor[58]. É a lógica subjacente a essa arquitetura (descentralização e desintermediação das transações, de forma autônoma instrumentalizados pela tecnologia) que tem se mostrado funcional, inaugurando uma nova era, em que inúmeros projetos nela inspirados têm ganhado corpo e forma. É a era do que convencionamos chamar tecnologia — ou tecnologias — *blockchain.*

2.2. Olhando um pouco mais para a tecnologia (ou tecnologias) *blockchain*

Compreendida a lógica da tecnologia *blockchain* — descentralização da arquitetura de registro dos dados, assim como da validação dos mesmos, que agora é realizada de forma autônoma, pelos próprios partíci-

[56] Sobre o assunto, vide: <http://bitcoinfees.com>. Acesso em: 10 ago. 2020.

[57] Nesse sentido: "The person making the transaction offers the amount in fees he is willing to pay, and miners will consequently be more willing to take up confirming the transaction the higher the fee/bytes ratio attached to it. The faster a user wants to have a transaction confirmed, the higher the fee he might want to attach to it in order to incentivize miners to validate it more quickly.". Rubinstein, Flavio; Vettori, Gustavo Gonçalves. Taxation of Investments in Bitcoins and Other Virtual Currencies: International Trends and the Brazilian Approach. *SSRN*, 6 mar. 2018. Disponível em: <https://ssrn.com/abstract=3135580>. Acesso em: 10 ago. 2020.

[58] Guimarães, Courtnay. Não é blockchain. É DATP. 6 jul. 2018. Disponível em: <https://medium.com/@courtnay/n%C3%A3o-%C3%A9-blockchain-%C3%A9-datp-d7d592afe393>.Acesso em: 10 ago. 2020.

pes da rede, com apoio na tecnologia –, é o momento de olharmos mais de perto algumas das "virtudes" dela oriunda. Aliás, o resultado do otimismo inerente a essas alegadas virtudes pode ser visto no aumento da cotação de valor de empresas pela mera noticia de uso (ou projeto de) dessa tecnologia[59].

Vimos no tópico antecedente que *blockchain*, em essência, seria um "livro razão" (contábil), em que são registrados, sequencialmente e em forma de blocos, todos os dados relativos às transações efetuadas pelos usuários da rede. E que tal banco de dados é partilhado de forma sincronizada (ou quase) entre os vários nós da rede e mantido por um algoritmo de consenso — que, no caso do Bitcoin, é o do *proof-of-work*[60]. Cada um dos blocos é conexo aos anteriores por meio de *hashs*: ou seja, cada bloco detém um *hash* próprio que o identifica (semelhante à nossa "digital"), e esse *hash* contém o *hash* do bloco anterior, conectando-os (eis porque "cadeia de blocos"). Note-se que os blocos de dados só podem ser adicionados aos anteriores, o que torna as transações irreversíveis. Da mesma forma, é de se pontuar que, justamente por serem os *hashs* subsequentes atrelados ao *hash* do bloco anterior, qualquer alteração de dado contido em um determinado bloco modifica o *hash* desse bloco adulterado e, por conseguinte, de todos os subsequentes, denunciando a adulteração feita: é essa transparência que torna o sistema mais confiável relativamente à veracidade dos dados. Visualmente:

[59] AGÊNCIA O GLOBO. Ações dobram de valor após Kodak lançar criptomoeda própria. *Época*. 10 jan. 2018. Disponível em: <https://epocanegocios.globo.com/Mercado/noticia/2018/01/acoes-dobram-de-valor-apos-kodak-lancar-criptomoeda-propria.html>. Acesso em: 18 de maio 2020.

[60] Mas há inúmeros outros consensos passíveis de serem utilizados em redes *blockchains*, tais como o "Proof of stake", "Proof of authority" etc. Para se ter uma visão mais ampla, vide: LAMOUNIER, Lucas. Algortimos de consenso: a raiz que sustenta a tecnologia Blockchain. *101 Blockchains*. 4 out. 2018. Disponível em: <https://101blockchains.com/pt/algoritmos-de-consenso/>. Acesso em: 18 maio 2020.

FIGURA 5: Bloco corrompido

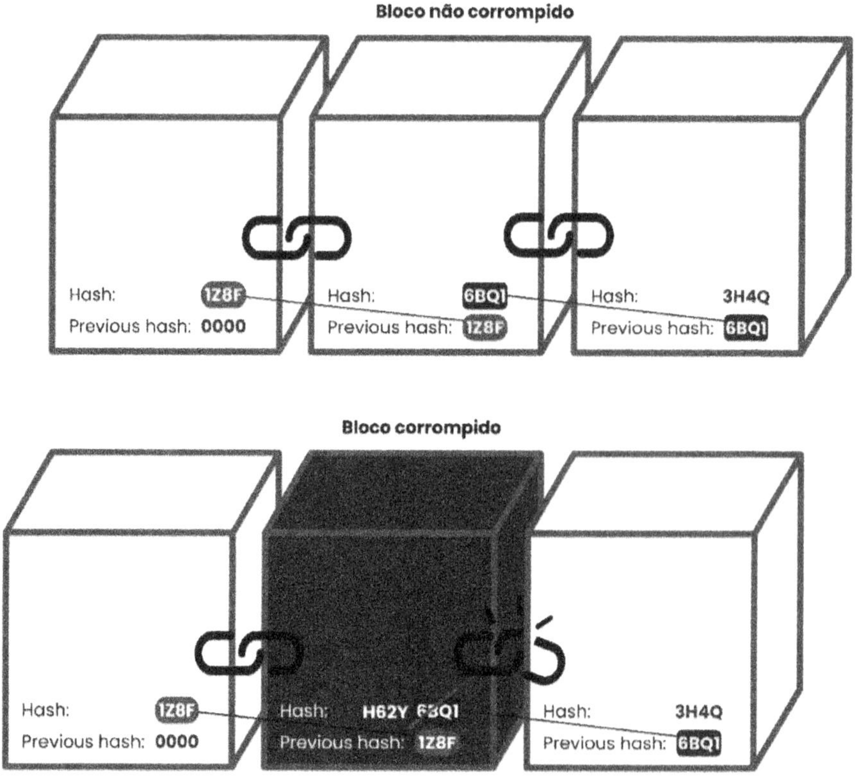

Fonte: Elaborado pela autora

Além disso, o fato de que a replicação (quase simultanêa) dos dados pelos vários nós das redes, tornando o banco de dados distribuído, torna o sistema resiliente. Destarte, ao se ter a informação distribuída entre todos os pontos da rede, a falha de um ou alguns dos "nós" em nada atinge os dados, que continuam armazenados em todos os demais pontos. Assim, aumenta-se a segurança na governança desses dados, uma vez que não se tem um único ou poucos pontos de ataques, ao nível de "*hardware*". Tal armazenamento sincronizado dos dados, pelos vários pontos da rede, é feito por meio de protocolos de consenso (algoritmos), os quais possibilitam aos vários nós concordarem, ou não (com base nos registros anteriores), com as informações acrescidas, sem a necessidade de um intermediário de confiança.

Em suma, eis os pontos-chave "da tecnologia *blockchain*", consoante a arquitetura do protocolo Bitcoin, e as razões para tanto furor ao entorno dela: transparência, desintermediação, imutabilidade e correção dos dados. No entanto, ainda que os benefícios prometidos sejam sem dúvida imensos, a sabedoria popular já nos alerta de que "quando a esmola é demais, o santo desconfia". Assim, é de se questionar se só há pontos positivos nisso tudo ou ainda se todo o prometido é de fato o que se verifica.

2.2.1. As várias tecnologias *blockchain*...

Antes, porém, é necessário esclarecer que existe uma imensa variedade de arquiteturas do que convencionamos chamar *blockchain*. É que, consoante sua estrutura de governança interna, poderemos ter plataformas de fato abertas, e distribuídas — tal qual o paradigmático sistema Bitcoin –, como plataformas em que os dados, apesar de escriturados de forma descentralizada, estão sob a tutela de uma única parte. Daí que, longe de constituir uma única tecnologia, com um rol predefinido de características, a *blochckain*, na verdade, é uma classe de tecnologia: *blockchains*, no plural, portanto.

Todavia, é de se esclarecer que nem sempre, ao se ouvir notícias de projetos sendo estruturados em *blockchain*, é exatamente de uma *blockchain* que se trata. *Blockchain*, como já salientado, refere-se ao modo como os dados estão estruturados, ou seja, em uma cadeia de blocos. Assim é que, ao se falar em projetos com utilização da tecnologia *blockchain*, muitas vezes está a se referir em verdade a projetos em DLT ("Distributed Ledger Technology"[61]), que podem ou não estruturar os dados em blocos cripotograficamente encadeados, cujos dados só podem ser adicionados.

Assim, é uma DLT que pode ser estruturada de várias formas. No entanto, dado o uso disseminado do termo *blockchain*, toma-se um termo pelo outro. Daí que se fala em *blockchains* (DLT's) públicas ou privadas, ou ainda permissionadas ou não permissionadas, consoante se mostre mais centralizada ou descentralizada em sua configuração tecnológica e estrutura de governança.

[61] Sistema de contabilidade distribuída.

Em consolidação feita pela OCDE[62], os dois principais critérios utilizados para catalogar os tipos de *blockchains* seriam: (1) disponibilidade de acesso público à plataforma (pública ou privada), e (2) o nível de permissões necessárias para que se adicionem informações ao *blockchain* (permissionada ou não permissionada).

FIGURA 6: Tipos de *blockchain*

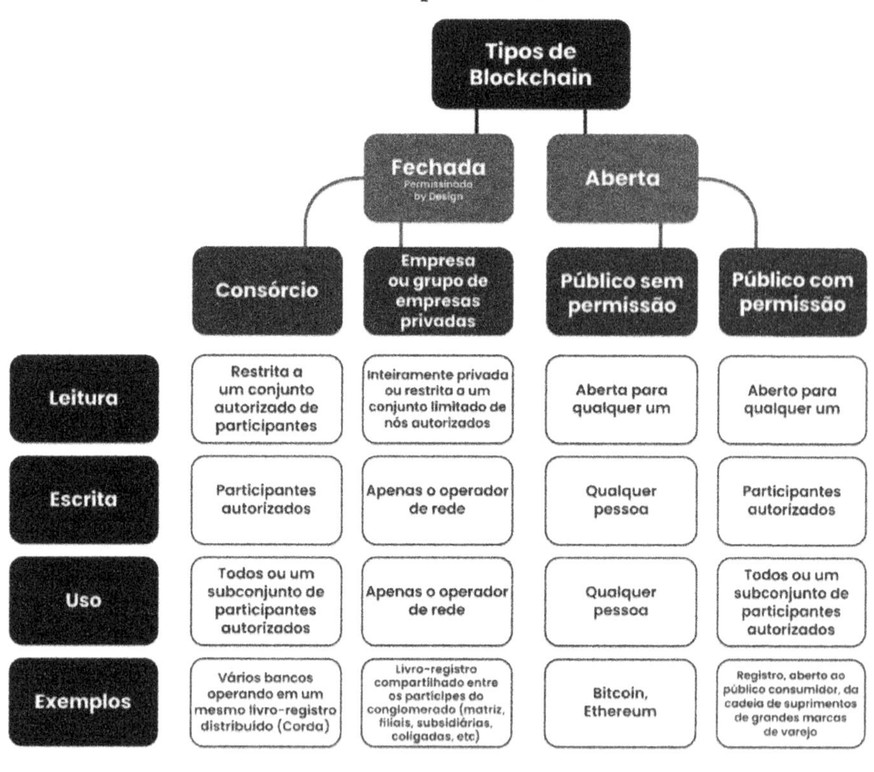

Tabela 1. Os principais tipos de Blockchain segmentados por modelos de permissão
Source: Hileman & Rauchs, 2017

Fonte: Elaborado pela autora

Falar-se em *blockchains* públicas ou privadas tem por critério o acesso às informações, aos dados registrados naquele sistema. Assim, *blockchains* públicas (como Bitcoin ou Etherium) seriam aquelas cujas informações

[62] OECD. *OECD Blockchain Primer*. 2018. Disponível em: <https://www.oecd.org/finance/OECD-Blockchain-Primer.pdf>. Acesso em: 15 dez. 2019.

estão "abertas", acessíveis para qualquer pessoa ler e visualizar. Já as *blockchains* privadas são aquelas cujos dados só podem ser visualizados por um grupo de pessoas predefinidas ou autorizadas (caso da Ripple, por exemplo ou da Libra), ou mesmo por uma única organização (ou conglomerado organizacional).

Agora, ao se referir a *blockchains* "permissionadas ou não permissionadas", o que se tem em conta é a possibilidade de fazer parte da rede, validando e/ou inserindo novas infomações. Assim, *blockchains* não permissionadas admitem que qualquer pessoa contribua para com a rede, validando e/ou adicionando dados ao livro razão. *Blockchains* permissionadas possibilitam apenas a um grupo seleto de usuários que "gravem", isto é, gerem transações: registrem-nas e/ou confirme-as, adicionando novos blocos à cadeia[63].

Em suma, o que se deve ter em mente é que inúmeras arquiteturas de DLT podem ser estruturadas consoante os fins intentados com o uso desse aparato tecnológico. Daí é que, para além da narrativa inicial, atrelada ao protocolo Bitcoin, em que o uso da "tecnologia *blockchain*" serviria para possibilitar a transferência de valores (criptomoedas) diretamente entre as pessoas envolvidas — e, nesse ponto, rebelde ao *status quo* por retirar a figura institucional do intermediador —, outras a ela estão sendo atribuídas. Vê-se hoje, e cada vez mais, a difusão do uso da "tecnologia *blockchain*" para fins outros, aderentes às estruturas institucionais hoje vigentes. Grandes varejistas de setores de vestuário ou mesmo supermercados, instituições financeiras consolidadas, ou mesmo as *fintechs* iniciantes, e ainda os próprios governos são exemplos de alguns atores que têm realizado projetos em *blockchain*, a fim de melhorarem a eficiência no desempenho de suas funções. Tal realidade é uma outra narrativa, diametralmente oposta à libertária, adotada pelos *cypherpunks*, que se erige no uso da tecnologia — ou cabedal tecnológico — que convencionamos chamar *blockchain* para perseguir maior eficiência, segurança e eficácia nas operações que hoje realizam. De libertária à aderente, e aperfeiçoada ao sistema posto, eis a amplitude de usos que têm sido vislumbrados a esse conjunto tecnológicos que conhecemos por *blockchain*.

[63] Isso no caso de se tratar de estrutura de escrituração em *blockchain*. Do contrário, os dados estarão contabilizados de outra forma, ainda que de forma distribuída.

2.2.2. Voltando às promessas das "*blockchains*"

Esclarecido que o termo *blockchain* se refere a uma classe de "tecnologias", e a fim de responder às questões inicialmente postas, voltemos os olhos de forma crítica aos propalados pontos-chave das *blockchains*.

I. *Blockchain* é sobre transparência. Se levarmos em consideração a governança inerente às *blockchains* privadas e não-permisisonadas, não parece existir em tal configuração uma transparência de fato (tomando por critério a visibilidade pública das informações ali registradas). Agora, se pensarmos em *blockchains* públicas e não permissionadas, aí sim podemos falar em maior transparência. No entanto, é interessante notar que a própria transparência permitida por essas tecnologias pode ser paradoxal. Afinal, quanto mais transparente for uma "rede *blockchain*", melhor será a oportunidade de procurar erros e vulnerabilidades no código computacional. Dito de outro modo, a transparência facilita a localização e a exploração de *bugs* para fins ilícitos[64].

II. *Blockchain* é sobre desintermediação. Os bancos de dados tradicionalmente são gerenciados por uma entidade central, confiável, que garante que todas as operações sejam executadas de acordo com o conjunto de regras inicialmente acordado e que protege o banco de dados contra modificações maliciosas. Já um banco de dados baseado em tecnologias *blockchain* não precisa de um administrador central que verificaria as transações. Todos os nós da rede trabalham juntos para garantir a integridade das informações. Eis a grande característica da *blockchain*: a desnecessidade de intermediários de confiança, permitindo às várias partes que interajam diretamente entre si (P2P). Pois bem, da mesma forma que salientamos em relação à transparência, a desintermediação só está de fato presente em redes de *blockchains* públicas e não permissionadas. Ademais, ainda que seja esse o caso, é de se pontuar que a falta de uma entidade central pode ter um impacto negativo no desempenho das redes *blockchains*. É que o desempenho dos bancos de dados baseados em *blockchains* verdadeiramente descentralizadas tende a ser mais lento que o dos bancos de dados tradicionais. As transações

[64] BAL, Aleksandra. *Taxation, Virtual Currencies and Blockchain*. Alphen aan den Rijn: Kluwer Law, 2019.

dos bancos de dados tradicionais são processadas uma única vez; já nas redes *blockchains*, elas devem ser processadas autônoma e independentemente por cada nó, o que significa que muito mais trabalho é feito para se atingir o mesmo resultado.

III. *Blockchain* é sobre imutabilidade. Diz-se que a imutabilidade é uma das características centrais das tecnologias *blockchains*. Enquanto as informações presentes em bancos de dados tradicionais (de estrutura mais centralizada) podem ser excluídas ou alteradas com relativa facilidade, uma vez validada uma transação, em uma *blockchain*, em tese, ela nunca mais poderá ser revertida ou modificada. Ocorre que tal afirmação não está inteiramente correta. Primeiro, porque a imutabilidade não é garantida em *blockchains* privadas que dependem do comportamento e da confiabilidade de seus validadores. Ademais, mesmo em *blockchains* públicas, se um número suficiente de participantes decidir agir contra as regras, não há como detê-los. Ou seja, sempre há a possibilidade, ainda que teórica, de um ataque de 50% + 1 (cinquenta por cento mais um), o que significa que um grupo que controla a maioria da energia (ou pontos) de mineração da rede poderia assumir o controle de toda a rede. Apesar de isso parecer extremamente improvável — sobretudo ante o custo energético que precisaria ser gasto, no caso do consenso *proof-of-work* —, é de se perceber que os principais *pools* de mineração atualmente controlam mais de 50% de todo o poder de computação da rede Bitcoin, o que torna a ameaça de um ataque de 50% +1 ainda mais real[65].

IV. *Blockchain* é sobre correção de dados. Trata-se da confiança quase "divina" no poder tecnológico. Todavia, embora os aplicativos de *blockchain* usem algoritmos pré-programados e lógica computacional, não se pode presumir que eles sempre produzirão registros legalmente corretos. Assim como qualquer aplicativo de *software*, a *blockchain* enfrenta o problema relativo à interface mundo digital vis-à-vis mundo físico: afinal, sempre há o elemento humano que programa o protocolo, bem como que realiza os *inputs* de informações na rede. E, nesse ponto, as *blockchains* podem estar sujeitas a manipulações.

[65] Informação disponível em: <https://blockchain.info/pools>. Acesso em: 16 set. 2020.

Em síntese, as propaladas características (transparência, desintermediação, imutabilidade e correção de dados) que impulsionam a euforia em torno das tecnologias *blockchains* só existem de fato quando a rede é estruturada de forma pública e não permissionada. Contudo, isso não significa que apenas no caso de *blockchains* públicas e não permissionadas ter-se-iam benefícios. Muito pelo contrário, essa flexibilidade de estruturações pode ser bastante útil a fim de suprir necessidades de alguns negócios em que o registro de informações em *blockchain* se mostre uma solução razoável e adequada, mormente quando estamos diante de cadeias altamente complexas, em que informações são oriundas de variadas fontes/partes que não confiam inteiramente uma nas outras.

2.3. Mas, e os *smart contracts*? Sobre as chamadas gerações de *blockchains*

Vimos, nos tópicos antecedentes, uma imensa gama de possibilidades de estruturação de plataformas *blockchains* (públicas, privadas, permissionadas e não permissionadas). Além disso, foi rapidamente pontuado que tal variedade teve por fundamento as inúmeras aplicabilidades (potenciais) vislumbradas para essa(s) tecnologia(s). Pois bem, o objetivo desta parte final do capítulo é colocar em perspectiva (histórica), digamos assim, esse exponencial desenvolvimento das chamadas tecnologias de registro distribuído.

Em que pese a miríade e complexidade mesmo de fenômenos atrelados ao surgimento e desenvolvimento da *blockchain*, fala-se em gerações dessa tecnologia. Mais especificamente, tem-se falado[66] em quatro

[66] Há autores que falam em apenas três (Swan, 2015); outros, em apenas duas (Gates, 2017); mas a maioria já fala em quatro (sendo essa última ainda em ascensão). Sobre o assunto: Bodkhe, Umesh et alli. Blockchain for Industry 4.0: A Comprehensive Review. *IEEE Access*, vol. 8, p. 79764-79800, 2020. Disponível em: <https://www.researchgate.net/publication/340476682_Blockchain_for_Industry_40_A_Comprehensive_Review>. Acesso em: 20 ago. 2020; Palacios, Ricardo Colombo; Górdon, Maria Sanchéz, Aranda, Daniel Arias. A critical review on blockchain assessment initiatives: A technology evolution viewpoint. *Journal of Software: Evolution and Process*. Maio 2020. Disponível em: <https://doi.org/10.1002/smr.2272>. Acesso em: 21 ago. 2020; Bovério, Maria Aparecida; Silva, Victor Ayres Francisco da. BLOCKCHAIN: uma tecnologia além da criptomoeda virtual. *Interface Tecnológica*, vol. 15, n. 1, 2018, p. 109-121; Swan, Melanie. *Blockchain*: Blueprint for a New Economy. Sebastopol, California: O'Reilly Media Inc., 2015; Gates, Mark. *Blockchain*: Ultimate Guide to Understanding Blockchain, Bitcoin, Cryptocurrencies, Smart Contracts

gerações de *blockchains*, o que tem por objetivo facilitar a compreensão dos principais pontos de evolução — relativamente à funcionalidade e às aplicabilidades — que esses mais de dez anos de existência do Bitcoin implementaram na tecnologia.

Blockchain 1.0 seria a "*blockchain* gênese", cujo uso está atrelado unicamente à realização de transações com as criptomoedas. Basicamente, aqui o cabedal de tecnologias que convencionamos chamar *blockchain* é utilizado para fins de confirmação de transações em um sistema de contabilidade distribuído. Estamos falando da *blockchain* do Bitcoin. A *blockchain* do Bitcoin é uma estrutura que permitiu a vinculação direta entre todos os pontos da rede (por isso, *peer-to-peer*). Ainda, tal infraestrutura de rede, conjuntamente a uma série de outros mecanismos (estruturação das informações em cadeia composta por diferentes blocos criptograficamente conectados em série — chamados *hashes*), poderia ser usada para resolver o problema de manutenção da ordem das transações e evitar o problema do duplo gasto.

Erigiu-se, em suma, um registro robusto e auditável, permitindo em última análise a validação e a contabilização, de forma descentralizada, das transações realizadas naquela plataforma. *Blockchain 1.0* é, portanto, sinônimo de criptomoedas. Não é apenas sobre Bitcoin, ainda que ele seja o primeiro e mais caricato exemplo, mas também das demais *altcoins* (outras criptomoedas que não sejam bitcoin). Por fim, é de se pontuar, que, nesse início, problemas de eficiência em termos de esforço computacional, longo tempo de resposta e falta de interoperabilidade e de flexibilidade foram mapeados como ameaças à adoção do *blockchain* em cenários mais amplos, ainda que manejados (ou em vias de) em outro momento do desenvolvimento dessa tecnologia.

A segunda geração de *blockchains* (*Blockchain 2.0*) tem por marco o lançamento, em 2013, da plataforma Ethereum. Essa nova geração incorporou um conjunto de recursos novos e promissores que possibilitaram a ampliação das vantagens do *blockchain* para outros campos além das criptomoedas (trocas). A Ethereum, assim como a Hyperledger, vem como a promessa de servirem de verdadeira plataforma de infraestrutura, sob a qual inúmeros projetos e/ou aplicabilidades poderiam ser

and the Future of Money. Breinigsville, Pensilvânia: Createspace Independent Publishing Platform, 2017.

erigidas (os chamados Dapps[67]). Essa nova geração de *blockchain* tem por objetivo, portanto, possibilitar uma gama mais ampla de cenários de aplicação do *blockchain*, de modo que esse "livro razão distribuído" registre, confirme e transfira outros ativos — ou suas representações digitais —, tais como contratos, propriedades, votos etc.

É aqui que os chamados "*smart contracts*", ou "contratos inteligentes", ganham cena. É de se destacar que, apesar de o termo ganhar notoriedade aqui, enquanto um dos recursos que a *Blockchain 2.0* ofertava, o conceito de *smart contracts* não tivera sua origem vinculada à tecnologia *blockchain*. O termo foi cunhado na década de 1990 por Nick Szabo, e se referia a um protocolo de transações computadorizado que executava os termos de um "contrato" quando certas condições são atendidas. Nesse sentido, as máquinas de bebidas (refrigerantes, águas etc.) que se encontam em estações de metrô, por exemplo, não deixam de ser estrutura tecnológica em que esses "*smart contracts*" (à la Szabo) têm lugar. Ao se inserir o valor correspondente ao produto que se intenta adquirir, na máquina, e assinalar (inserindo o número a que se refere) tal produto, as condições exigidas foram satisfeitas, de modo que automaticamente a bebida é direcionada para o compartimento em que se pode retirá-la (" execução dos termos").

No contexto do *blockchain* (2.0), *smart contracts* geralmente significa *código de computador armazenado em um blockchain e que pode ser acessado por uma ou mais partes*. Ademais, *esses programas costumam ser autoexecutáveis e usam propriedades de blockchain, como resistência à violação, processamento descentralizado e outros*[68]. Logo, os chamados "contratos inteligentes" nada mais seriam do que códigos, programas computacionais, autoexecutáveis, que, por serem "processados" em uma infraestrutura descentralizada (*blockchain*), trazem maior resiliência a mudanças. Assim, esses "contratos inteligentes" podem ser usados para codificar e automatizar processos de negócios que podem então ser compartilhados e executados entre várias partes, oferecendo maior confiança e confiabilidade

[67] Decentrelized Applications, constituindo verdadeira interface com os códigos em Blockchain.

[68] EUBLOCKCHAIN. *European Union Comission. Legal and Regulatory Framework of Blockchain and Smart Contracts*. A Thematic Report prepared by European Union Blockchain and Fórum. Setembro de 2019. Disponível em: <https://www.eublockchainforum.eu/reports>. Acesso em: 23 ago. 2020.

no processo, o que redunda, muitas vezes, em ganhos significativos de eficácia e eficiência. Da mesma forma, podem-se usar "contratos inteligentes" para se codificar de forma rígida acordos que envolvam transferência ou entrega de valores e outros tipos de ativos (como acordos de custódia ou pagamento mediante entrega de bens), ou até acordos mais complexos — dentro do limite de possibilidade que a lógica e a linguagem de programação permitem —, tornando-os mais transparentes, e de difícil (ou impossível) desistência para qualquer das partes.

Os principais usos que se viu implementados dos chamados "*smart contracts*" foram para tokenização de ativos e/ou bens ou direitos, assim como para emissões de novas criptomoedas e/ou outros ativos digitais (as chamadas Inicial Coin Offerings—ICOS's). É, portanto, também aqui, nessa segunda geração, que o "*boom*" das ofertas iniciais de *tokens*, popularizadas pelo anacrônico ICO's (Inicial Coin Offering) teve espaço, sendo arrecadados, em um curtíssimo espaço de tempo, milhões (ou mesmo bilhões[69]) de dólares em projetos muitas vezes frágeis ou mesmo inconsistentes. Muitos investidores neófitos, atraídos pela promessa de ganhos exponenciais, apostaram alto nessas ofertas iniciais de *tokens*. Infelizmente, acabou-se por testemunhar uma série de golpes e de "esquemas Ponzi"[70], que, justamente por serem lesivos à economia popular, acabaram repercutindo na mídia.

Além disso, outra das grandes promessas trazidas nesse contexto de *Blockchain 2.0*, e que fazem uso desses "contratos inteligente", são as chamadas organizações autônomas descentralizadas (DAO's) ou corporações autônomas descentralizadas (DAC's). Ora, da mesma forma que os acordos programáveis em contratos inteligentes, é possível se pensar em "codificar" as regras para estruturas organizacionais complexas (corporativas ou não), criando-se uma organização confiável, imutável

[69] O ICO da EOS arrecadou mais de 4 bilhões de dólares e o da Telegram 1,7 bilhões aproximadamente. Sobre os maiores ICO'S, vide: LIELACHER, Alex. Top 10 biggest ICOs (by Amount Raised). *Bitcoin Market Journal*. 01 ago. 2018. Disponível em: <https://www.bitcoinmarketjournal.com/biggest-icos/>. Acesso em: 03 ago. 2020.

[70] Esquema Ponzi, pirâmides financeiras ou scam são termos usados para se referia a operações fraudulentas de investimentos que envolvem a promessa de pagamento de rendimentos anormalmente altos ("lucros") aos investidores à custa do dinheiro pago pelos investidores que chegarem posteriormente, em vez da receita gerada por qualquer negócio real.

e resistente a adulterações, em que todos os membros são obrigados a cumprir as regras introduzidas por meio do(s) código(s), e cujas operações ocorrem de forma autônoma e sem controle centralizado ou mesmo sem intervenção de terceiros.

Já a geração 3.0 é vista como uma evolução da *Blockchain 2.0*, com ênfase particular em estender a tecnologia para mais aspectos da vida social. Convém fazer um parêntese aqui. É que, desde o início (Bitcoin), o mercado que esteve no centro dessa inovação tecnológica foi o financeiro. São justamente as atividades desempenhadas pelos intermediários de confiança no setor financeiro que o protocolo do Bitcoin objetivou substituir. Por consequência, foram as atividades afetas a esse setor as que receberam maior atenção e projetos — nas duas primeiras gerações —, sendo atualmente o nicho econômico em que a aplicação/uso de *blockchain* está mais maduro. Não por outra razão, aliás, que foram os riscos jurídicos conexos a esse eixo de atividade socioeconômica que despertaram as primeiras preocupações por parte dos agentes estatais, fundamentando as primeiras manifestações oficiais sobre os fenômenos "criptos", bem como as primeiras investidas regulatórias.

Daí é que, nesse terceiro momento de evolução da tecnologia (a *Blockchain 3.0*) que aplicações outras, em outros setores e cenários, começam a ser disseminados. Arte, saúde, cadeias de suprimentos e cidadania são alguns dos contextos em que se começam a desenvolver projetos com *blockchains*. É aqui também que as vantagens de se utilizar tal arcabouço tecnológico em atividades governamentais começam a serem vislumbradas, e alguns projetos nesse contexto começam a ganhar força. Termos como RegTech[71], CBDC's[72], tokenização de votos, de documentos públicos, de processos licitatórios, de verbas públicas etc. começam a ganhar corpo. Percebe-se nesse ponto que a tecnologia, cujo discurso inicial era de disruptura ao *status quo* — e, portanto, às instituições estatais (ou mesmo à instituição Estado) —, começa a ser por esse mesmo sistema posto adotada.

[71] RegTech é uma sigla oriunda de "Regulatory Technology", que, em tradução livre, seria "Tecnologia Reguladora". *Grosso modo*, RegTech significa o uso de novas tecnologias para facilitar o fornecimento de diversos requisitos regulatórios.

[72] Central Bank Digital Currencies, ou "Moedas Digitais dos Bancos Centrais", em tradução livre.

Ainda, é aqui no *Blockchain 3.0* que, de um ponto de vista mais tecnológico, começamos a testemunhar avanços. São lançadas novas redes que visam permitir a interoperabilidade entre plataformas, bem como o aumento da velocidade da rede, para fins de sua escabilidade. No entanto, os recursos essenciais das redes "*blockchains* inaugurais" — tais como imutabilidade, transparência e a desnecessidade de intermediários, obtida pela descentralização da rede e do consenso para validação — devem continuar a serem observados em (e/ou transplantados para) outros sistemas, construídos sobre a tecnologia *blockchain*. Eis a razão porque há quem, a partir de ponto de vista puramente tecnológico, afirme que a IOTA, Nano ou Byteball, por exemplo, não são realmente *blockchains*, mas sim tecnologias *post-blockchains*[73].

Por fim, a chamada *Blockchain 4.0*, atualmente em construção, tem como uma das características a inclusão de inteligência artificial como parte da plataforma em funções relacionadas a tomadas de decisões e atuações nos sistemas, reduzindo ainda mais a necessidade de gestão humana. Ademais, há quem[74] afirme que a *Blockchain 4.0* focará ainda em melhorar a eficiência de consenso, a escalabilidade, a eficiência de energia, e assim por diante, a fim de adaptar o *blockchain* ao real, ampliando sua usabilidade em ambientes tanto contemporâneos quanto futuros. Outro aspecto interessante é apresentado por Arenas e Fernandez[75], que defendem que essa nova geração será baseada no conceito de *blockchain* como serviço (BaaS), com base nos recentes desenvolvimentos levados a efeito pela IBM no Hyperledger e pela Microsoft no Ethereum.

Interessante conclusão é trazida por Palacios e Górdon. Consoante os referidos autores, a *Blockchain 4.0* será *não apenas BaaS, mas também amigável em massa, mais eficiente e com melhor desempenho*[76]. Corroborando

[73] Hays, Demelza. Blockchain 3.0 The Future of DLT?. *Crypto Research*, 17 jun. 2018. Disponível em: <https://cryptoresearch.report/crypto-research/blockchain-3-0-future-dlt/>. Acesso em: 23 ago. 2020.

[74] Ratanasopitkul, Pholapatara et al. Blockchain — revolutionize Green Energy Management. *Int Conf Util Exhib Green energy sustain Dev ICUE*. 2018. Disponível em: <https://doi.org/10.23919/ICUE-GESD.2018.8635666>. Acesso em: 23 ago. 2020.

[75] Arenas Rodelio; Fernandez, Proceso. CredenceLedger: a permissioned blockchain for verifiable academic credentials. *2018 IEEE Int Conf Eng Technol Innov ICEITMC*. 2018, p. 1-6. Disponível em:.<https://doi.org/10.1109/ICE.2018.8436324>. Acesso em: 23 ago. 2020.

[76] Palacios, Ricardo Colombo; Górdon, Maria Sanchéz, Aranda, Daniel Arias. A critical review on blockchain assessment initiatives: A technology evolution viewpoint. *Jounal of*

essa perspectiva, salientam que uma plataforma chamada *Unibright* afirma fornecer uma estrutura unificada para negócios integrados usando a tecnologia *blockchain* em que qualquer um que não conseguisse programar pudesse tornar a solução de negócios *online* usando apenas gráficos de fluxo de trabalho visuais.

Em síntese, é perceptível que a "evolução" da tecnologia *blockchain* foi no sentido de ampliação tanto dos nichos econômicos em que poderia ser aplicada quanto de sua adesão. Assim é que, de um uso mais restrito ao mercado financeiro, buscou-se expandir sua aplicabilidade para as mais vastas gamas de atividades socioeconômicas (principalmente na terceira e quarta gerações), inclusive aquelas inerentes a atividades eminentemente governamentais. Mais: o movimento atual é de se buscar superar os obstáculos tecnológicos e de interface para que as plataformas *blockchains* possam ter seu uso popularizado e difundido (massificado).

Contudo, para além dessa massificação de seu uso, não podemos nos esquecer de que estamos vivendo uma era de revoluções tecnológicas de convergências. Isto é, combina-se uma variedade de ferramentas tecnológicas a fim de se atingirem propósitos específicos. Daí que, em um ambiente complexo como esse, não há como se saber ao certo em que momento se está ou mesmo o que está por vir. Trabalha-se com cenários e com convergências, combinações, engenharias de tecnologias.

Assim, estamos sempre em processo de transformação, em meio ao devir, de modo que a simplificação apresentada acima é apenas no intuito de auxiliar nossa compreensão — dada a limitação de processamento cerebral humano — do movimento tecnológico até o momento em que a tecnologia *blockchain* esteja envolvida. Entretanto, dada a velocidade, mesmo exponencial, em que os agrupamentos e rearranjos de ferramentas tecnológicas têm ocorrido, é incerta a afirmação de que, hoje[77], seriam apenas essas quatro as gerações de *blockchains*. Daí não nos parece temerário afirmar ser praticamente certo que outras "gerações" já estão em latência, e tantas mais ainda surgirão depois, impulsionadas pelo sentido de propósitos a que vocacionadas.

Software: Evolution and Process. 30 maio 2002, p. 4. Disponível em: <https://doi.org/10.1002/smr.2272>. Acesso em: 23 ago. 2020.

[77] Estamos em meados de 2020.

FIGURA 7: Gerações de ***Blockchain***

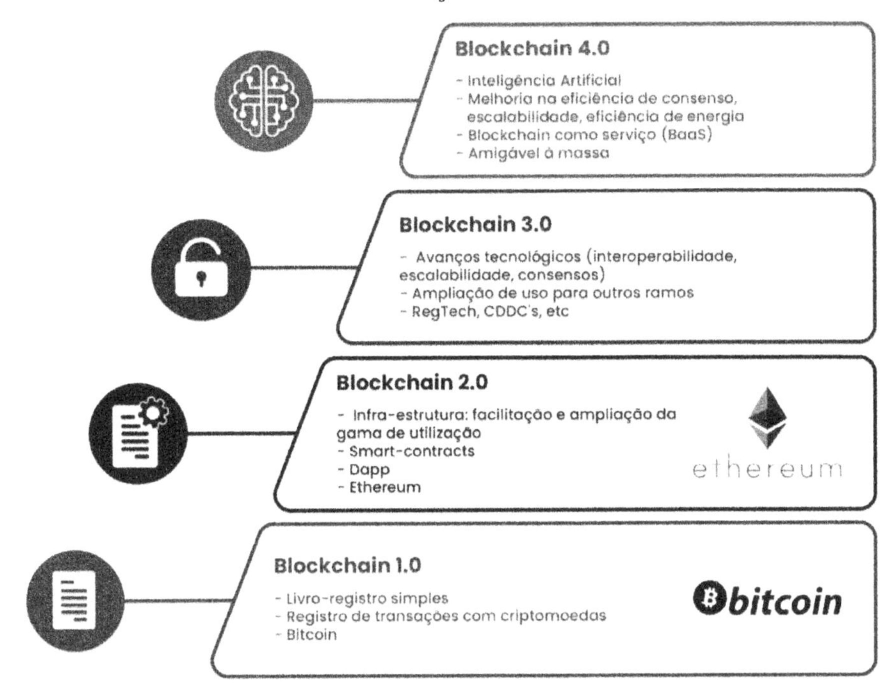

Fonte: Elaborado pela autora

Capítulo 3
Afinal, Criptomoedas, Criptoativos, *Tokens*, Moedas Virtuais: Do Caos a uma Tentativa de Organização

3.1. Uma primeira aproximação

"*Digital tokens are the basis for the largest get-rich-quickly mania*"[78].

A linguagem é o mecanismo social por meio do qual conhecemos o mundo que nos circunda. Dar nome aos fenômenos é o que os torna existentes ao homem. Como bem pontuado por Ludwig Wittgenstein, em seu *Tratado Lógico-Filosófico*, "os limites da minha linguagem são os limites do meu mundo"[79].

Não é sem razão, portanto, a relevância que se deve dar à semântica dos termos empregados. O ser humano é antes de tudo um ser social e, portanto, comunicacional. E, no âmbito de regulamentação jurídica, a atribuição de sentido aos termos sintáticos utilizados mostra-se em todo central. É por meio da subsunção das realidades captadas às categorias jurídicas (expressões sintáticas), representativas de "círculos semânticos" consensualmente estabelecidos, que se atribuirão as eventuais consequências jurídicas disso decorrentes.

[78] Em tradução livre: "tokens digitais são a base para a maior febre de 'como ficar rico rapidamente'". Girasa, Rosario. *Regulation of Cryptocurrencies and blockchain Technologies*: National and International Perspectives. London: Palgrave Macmillan, 2018, p. 45.
[79] Wittgenstein, Ludwig. Tractatus Logico-Philosophics. São Paulo: Edusp. 1994, p. 111.

Daí não se deve menosprezar a tentativa de compreender a que "realidade", ou "realidades", os termos "criptomoedas", "criptoativos", "*tokens*", "tokenização", que até pouco tempo nem sequer eram conhecidos, ou detinham compreensão restrita a círculos menores (normalmente conexos à área tecnológica), estão a se referir. Cada vez mais nos deparamos com uma gama de notícias em que tais termos parecem ser tomados de forma conjunta, como se de sinônimos se tratassem. No entanto, para bem compreender os limites das iniciativas regulatórias por parte de alguns Estados-membros, ou quiçá criticá-las, é relevante fazermos uma breve incursão quanto às eventuais balizas semânticas desses termos ordinariamente empregados.

Inicialmente, é de se destacar inexistir um acordo internacional relativamente a como os criptoativos devem ser definidos; por isso, traremos um breve compilado do que alguns organismos e/ou associações internacionais[80] veicularam sobre o assunto. Cumpre ressaltar desde já, no entanto, que nenhuma dessas iniciativas tem valor legal e vinculante sobre qualquer Estado. Porém, diante da relevância social e política desses entes, sobretudo em um cenário cada vez mais globalizado, a produção de tais documentos informativos e de orientação, chamados de *soft laws*, acaba por ser um verdadeiro norte em eventuais iniciativas internas[81]:

[80] Principalmente do cenário europeu, que tem demonstrado papel de liderança nas discussões relacionadas ao assunto.

[81] INTERNATIONAL ORGANIZATION OF SECURITIES COMISSION. IOSCO Research Report on Financial Technologies (Fintech). Fevereiro 2017. Disponível em: <https://www.iosco.org/library/pubdocs/pdf/IOSCOPD554.pdf>. Acesso em: 10 dez. 2019.

TABELA DE CONCEITOS

European Central Bank	"(...) a crypto-asset is defined as a new type of asset recorded in digital form and enabled by the use of cryptography that is not and does not represent a financial claim on, or a liability of, any identifiable entity". "(...) um criptoativo é definido como um novo tipo de ativo registrado em formato digital e operacionalizado pelo uso de criptografia que não é e não representa uma reivindicação financeira ou um passivo de qualquer entidade identificável" **European Central Bank. Crypto-Assets: Implications for financial stability, monetary policy, and payments and market infrastructures. Ocassional Papers.** Disponível em: https://www.ecb.europa.eu/pub/pdf/scpops/ecb.op223-3ce14e986c.en.pdf
European Banking Authority	Crypto-assets are a type of private asset that depend primarily on cryptography and distributed ledger technology as part of their perceived or inherent value. A wide range of crypto-assets exist, including payment/exchange-type tokens (for example, the so-called virtual currencies (VCs)), investment-type tokens, and tokens applied to access a good or service (so-called 'utility' tokens). "Criptoativos" são um tipo de ativo privado dependente principalmente da criptografia e da tecnologia de contabilidade distribuída como componentes à percepção de seu valor, ou mesmo a ele inerente. Existe uma ampla variedade de criptoativos, incluindo tokens de pagamento / tokens de câmbio (por exemplo, as chamadas moedas virtuais (VC)), tipo de tokens de investimento e tokens usados para acessar um bem ou serviço (os chamados 'tokens de utilidade') **European Banking Autority. Report with advice for the European Commission on crypto-assets.** Disponível em: https://eba.europa.eu/sites/default/documents/files/documents/10180/2545547/67493daa-85a8-4429-aa91-e9a5ed880684/EBA%20Report%20on%20crypto%20assets.pdf?retry=1
Organisation for Economic Co-operation and Development (OECD)	"(...) a cryptocurrency is an unregulated digital (or virtual) currency designed to work as a medium of exchange that uses strong cryptography to secure financial transactions, control the creation of additional units, and verify the transfer of values. It does not exist in physical form and is usually issued and controlled by its developers, and used and accepted among the members of a specific virtual community. In addition to cryptocurrencies, other types of digital assets have been created that also rely on blockchain technology. These are assets that use the distributed ledger technology for different purposes that cryptocurrencies, such as providing access to services (Ernst & Young, 2018). These other types of crypto-assets can be broadly categorised into payment tokens, utility tokens, asset-tokens, and hybrid-tokens". "(...) uma criptomoeda é uma moeda digital (ou virtual) não regulamentada projetada para funcionar como um meio de troca que usa criptografia forte para proteger transações financeiras, controlar a criação de unidades adicionais e verificar a transferência de valores. não existe na forma física e geralmente é emitida e controlada por seus desenvolvedores e usada e aceita entre os membros de uma comunidade virtual específica. Além das criptomoedas, foram criados outros tipos de ativos digitais que também contam com a tecnologia blockchain. São ativos que usam a tecnologia de contabilidade distribuída para diferentes finalidades que as criptomoedas, como fornecer acesso a serviços (Ernst & Young, 2018). Esses outros tipos de ativos criptográficos podem ser amplamente classificados em tokens de pagamento, tokens de utilidade, tokens de ativos e tokens híbridos ". **OECD. Working Party on Financial Statistics.How to deal with Bitcoin and other cryptocurrencies in the System of National Accounts?** Disponível em: http://www.oecd.org/officialdocuments/publicdisplaydocumentpdf/?cote=COM/SDD/DAF(2018)1&doclanguage=En:
Financial Conduct Authority	"We refer to cryptoassets as a broad term, and we have used the term 'tokens' to denote different forms of cryptoassets. There is no single agreed definition of cryptoassets, but generally, cryptoassets are a cryptographically secured digital representation of value or contractual rights that is powered by forms of DLT and can be stored, transferred or traded electronically. Examples of cryptoassets include Bitcoin and Litecoin (which we categorise as exchange tokens), as well as other types of tokens issued through the Initial Coin Offerings (ICOs) process (which will vary in type). Não existe uma definição acordada de criptoativos, mas geralmente, os criptoativos são uma representação digital, protegida por criptografia, de valor ou direitos contratuais, impulsionados por formas de DLT e que podem ser armazenados, transferidos ou negociados eletronicamente. Exemplos de criptoativos incluem Bitcoin e Litecoin (que categorizamos como tokens de troca), bem como outros tipos de tokens emitidos através do processo de Ofertas Iniciais de Moedas (ICOs) (que variam de tipo).] **Financial Conduct Authority. Guidance on Cryptoassets. Consultation Paper.** Disponível em: https://www.fca.org.uk/publication/consultation/cp19-03.pdf;

International Monetary Fund	"Crypto assets are digital representations of value, made possible by advances in cryptography and distributed ledger technology (DLT). The blockchain technology allows using distributed ledgers for generating and keeping records without the need for a central party (for example, a central bank) to administer the system. Crypto assets are denominated in their own units of account and can be transferred peer-to-peer without an intermediary. BLCA[Bitcoin-like Crypto asset] is often used in reference to all crypto assets. However, in this paper, it is used specifically to mean those crypto assets that are designed to serve as a general-purpose medium of exchange for peer-to-peer payments, with no issuer and no counterpart liability. A significant number of crypto assets other than BLCAs called "tokens" or "digital tokens" are being issued using initial coin offerings (ICOs). Digital tokens are defined as transferable units generated within a distributed network that tracks ownership of the units through the application of blockchain technology. Criptoativos são representações digitais de valor, possibilitadas pelos avanços na criptografia e na tecnologia de contabilidade distribuída (DLT). A tecnologia blockchain permite o uso de livros-razões distribuídos para gerar e manter registros sem a necessidade de uma parte central (por exemplo, um banco central) para administrar o sistema. Os criptoativos são denominados em suas próprias unidades de conta e podem ser transferidos ponto a ponto sem um intermediário. BLCA [tipo "Bitcoin"-token] é frequentemente usado como referência a todos os criptoativos. No entanto, aqui, o termo será usado especificamente para se referir aos criptoativos que são projetados para servir como um meio de troca de uso geral para pagamentos ponto-a-ponto, sem emissor e sem responsabilidade de contrapartida. Um número significativo de criptoativos que não os BLCAs chamados "tokens" ou "tokens digitais" estão sendo emitidos usando ofertas iniciais de moedas (ICOs). Os tokens digitais são definidos como unidades transferíveis geradas dentro de uma rede distribuída que rastreia a propriedade das unidades através da aplicação da tecnologia blockchain. **International Fund Monetary. Treatment of Crypto Assets in Macroeconomic Statistics.** Disponível em: https://www.imf.org/external/pubs/ft/bop/2019/pdf/Clarification0422.pdf.
Chamber of Digital Commerce	For the purposes of this report, digital tokens (or "tokens") are defined as transferable units generated within a distributed network that tracks ownership of the units through the application of blockchain technology. Depending on its attributes and functions, a token can be classified in various ways: as a security/equity, a currency/medium of exchange, a commodity, or a means of access to a network that provides utility to its users. A digital token can also be a hybrid that includes several of these characteristics, and some have suggested that a token may start representing one (or more characteristics) and then shift to encompass others. Para os fins deste relatório, tokens digitais (ou "tokens") são definidos como unidades transferíveis geradas em uma rede distribuída que rastreia a propriedade das unidades através da aplicação da tecnologia blockchain. Dependendo de seus atributos e funções, um token pode ser classificado de várias maneiras: como um título / patrimônio líquido, uma moeda / meio de troca, uma mercadoria ou um meio de acesso a uma rede que fornece utilidade a seus usuários. Um token digital também pode ser um híbrido que inclui várias dessas características, e alguns sugeriram que um token possa começar a representar uma (ou mais características) e depois mudar para abranger outras. **CHAMBER OF DIGITAL COMMERCE. Understanding Digital Tokens: Market Overviews and proposed guideline for Policymakers and practioners. Token Alliance - Chamber of Digital Commerce.** Disponível em: https://digitalchamber.org/token-alliance-paper/;
Financial Action Task Force	"A virtual asset is a digital representation of value that can be digitally traded, or transferred, and can be used for payment or investment purposes. Virtual assets do not include digital representations of fiat currencies, securities and other financial assets that are already covered elsewhere in the FATF Recommendations" "Um ativo virtual é uma representação digital de valor que pode ser negociada ou transferida digitalmente e pode ser usada para fins de pagamento ou investimento. Os ativos virtuais não incluem representações digitais de moedas, valores mobiliários e outros ativos financeiros que já são cobertos em outros lugares nas Recomendações do FATF" **FATF. Guidance for a Risk-Based Approach to Virtual Assets and Virtual Asset Service Providers.** Disponível em: https://www.fatf-gafi.org/media/fatf/documents/recommendations/RBA-VA-VASPs.pdf
International Organization of Securities Comissions (IOSCO)	"Tokenization is the process of digitally representing an asset, or ownership of an asset. A token represents an asset or ownership of an asset. Such assets can be currencies, commodities or securities or properties." "Crypto-assets are a type of private asset that depends primarily on cryptography and DLT or similar technology as part of kits perceived or inherent value, and can represent an asset such as a currency, commodity or security, or be a derivative on a commodity". "Tokenização é o processo de representar digitalmente um ativo ou propriedade de um ativo. Um token representa um ativo ou propriedade de um ativo. Esses ativos podem ser moedas, mercadorias ou valores mobiliários ou propriedades. ""Os ativos criptográficos são um tipo de ativo privado que depende principalmente de criptografia e DLT ou tecnologia semelhante como parte dos 'kits' percebidos ou valor inerente, e podem representar um ativo como moeda, mercadoria ou título ou ser um derivado de um produto" **INTERNATIONAL ORGANIZATION OF SECURITIES COMUSSION. IOSCO Research Report on Financial Technologies (Fintech). Fevereiro 2017.** Disponível em: https://www.iosco.org/library/pubdocs/pdf/

Fonte: Elaborada pela autora

Da análise dessas notas iniciais, percebe-se que, apesar de realmente inexistir um consenso internacional quanto aos conceitos de "criptoativos (*criptoassests*), criptomoedas ou *tokens*", alguns alinhamentos iniciais já são perceptíveis. Primeiro, o termo "criptoativos" refere-se a um espectro muito mais lato de realidades que seu precedente — ou representante inicial e mais popular — "criptomoedas". Destarte, o termo "criptoativos" é tomado como gênero, referindo-se de forma ampla a todo e qualquer ativo digital criptografado e assente em tecnologia distribuída de registro de dados (DLT). Já o termo "criptomoedas" seria uma de suas espécies, as quais [espécies] são identificadas consoante as funções desempenhadas pelos "criptoativos". Assim, em uma primeira aproximação, podemos falar em (i) criptomoedas quando os criptoativos desempenham funções inerentes a de meios de pagamento (congregando uma ou mais das características monetárias: unidade de conta, reserva de valor e meio de troca[82]); (ii) *cripto-securities/equities* quando os criptoativos desempenham funções reconduzíveis à noção de contratos de investimento (valores mobiliários); e (iii) *cripto-utilities* quando esses criptoativos constituem ativos que permitem o acesso a bens ou serviços (ou plataformas em que tais são disponibilizadas). Trata-se de catalogação que toma por critério as funções desempenhadas pelos "criptoativos".

Segundo, que o termo "token" é tomado, na maioria das vezes, como representações digitais e criptografada de ativos. E essas representações podem se referir tanto a ativos existente no mundo "real", físico — daí se falar em "tokenização de ativos" (verdadeiros "avatares" desses bens ou direitos) — quanto a ativos nativos e exclusivos do mundo virtual (nativos de *blockchain*), caso em que estaríamos diante dos "criptoativos" em sentido estrito, digamos assim. Usamos a locução "em sentido estrito", porque muitas vezes os termos "criptoativos" e *tokens* são tomados como sinônimos.

[82] Estou partindo do conceito económico "tradicional" de moeda, que aponta como seus dados característicos servir de "meio de troca", "unidade de conta" e "reserva de valor". Esclarecemos que, dado o escopo da presente obra, não trataremos da discussão sobre o próprio conceito de moeda. É que, a depender da premissa escolhida — conceito econômico ou jurídico —, as conclusões podem ser distintas. Sobre a questão, vide: KROSKA, Renata Caroline; Rodrigues, Alexandre Correa. Bitcoin: a maior bolha financeira do século? *Revista Jurídica da Escola Superior de Advocacia da OAB-PR*, ed. 8. Disponível em: <http://revistajuridica.esa.oabpr.org.br/bitcoin-a-maior-bolha-financeira-do-seculo/>. Acesso em: 23 ago. 2020.

Assim, parece ser possível, nessa primeira aproximação, identificar (tipologicamente[83]) os *tokens* (ou criptoativos) como títulos digitais ao portador, cujo direito ali representado é determinado pelos dados incorporados no *blockchain* a que estão conexos[84]. Dentro da ampla variedade de realidades aqui presentes — e possíveis —, e até a fim de melhor entendê-las, foram propostas algumas tentativas de classificação dos *tokens* ou criptoativos.

3.2. Algumas das propostas de catalogação dos *tokens* ou dos "criptoativos"

De início, é em todo prudente que tragamos a advertência feita por Roque Antônio Carrazza de que o ato de classificar é humano e, portanto,

[83] Vale pontuar a distinção entre "tipo" e "conceito", muitas vezes, tratado de forma equivocada em doutrina. Consoante Luis Eduardo Schoueri, a ideia de "tipo" foi sistematizada, em doutrina germânica, em oposição à de "conceito": enquanto um "conceito jurídico" permite uma definição exata, com contornos precisos e específicos, no "tipo" não cabe falar em definição, mas em descrição. Assim, esclarece que "[...] o conceito se define a partir de seus contornos, i.e., afirmando-se quais os pontos que ele não pode ultrapassar sob pena de fugir do conceito que se procura, enquanto o tipo se descreve a partir do seu cerne, i.e, daquilo que ele deve preferencialmente possuir. Schoueri, Luís Eduardo. *Direito Tributário.* 4ª ed. São Paulo: Saraiva, 2014, p. 269. Em suma, entende o autor supracitado que a pedra de toque aos "tipos" seria sua fluidez e unidade de pensamento, ao passo que aos "conceitos" seria a existência de limites expressos. Foi, porém, Mizabel de Abreu Machado Derzi quem aprofundou a ideia de "tipo" na nossa doutrina especializada. Demonstrou a confusão terminológica ao entorno do termo "tipo". Segundo ela,"tipos" "[...] além de serem uma abstração generalizadora, são ordens fluidas, que, colhem, através da comparação, características comuns, nem rígidas, nem limitadas, onde a totalidade é critério decisivo para a ordenação dos fenômenos aos quais se estendem. São notas fundamentais ao tipo, a abertura, a graduabilidade, a aproximação da realidade e a plenitude de sentido na totalidade". Derzi, Misabel de Abreu Machado. *Direito Tributário, Direito Penal e tipo.* São Paulo: Revista dos Tribunais, 1988, p. 48. No entanto, "a tipicidade é utilizada incorretamente no campo do Direito Penal e do Tributário, com mais frequência, em sentido oposto, como sinônimo de legalidade material rígida da hipótese de norma, do pressuposto ou fato gerador. [...] o estudo da tipicidade, como ordem fluida e transitiva do pensamento, ficou severamente prejudicado nos países de língua espanhola ou portuguesa". Derzi, Misabel de Abreu Machado. Mutações, Complexidade, tipo e conceito, sob o signo da segurança e da proteção da confiança. In: Torres, Heleno Taveira (coord). *Tratado de Direito Constitucional Tributário.* Estudos em homenagem a Paulo de Barros Carvalho. São Paulo: Saraiva, 2005, p. 262.

[84] Tasca, Paolo; Tessone, Claudio Juan. A Taxonomy of Blockchain Technologies: Principles of Identification and Classification. *Ledger Journal*, vol. 4, p. 1-39, 2019.

as classificações residem na mente do agente classificador, segundo critérios por ele preestabelecidos, tendo por fim facilitar a compreensão do assunto examinado[85]. Assim, inexistem classificações certas ou erradas, visto que classificar tem por função ser mais ou menos útil. É, portanto, a utilidade em se catalogar de uma ou outra forma que direciona o juízo de valor acerca das propostas apresentadas. Mais especificamente, "a questão a ser colocada está em saber se o critério eleito é suficiente para que se apreendem os diferentes regimes jurídicos a que cada grupo de figuras está submetido pelo ordenamento jurídico"[86].

Todavia, em que pese ser a utilidade o critério norteador, toda classificação, para que possa ser considerada científica, deve observar alguns princípios lógicos. Esclarece Vera Lúcia Dodebei que seriam três esses princípios lógicos. O primeiro é o princípio da completude, que determina que "a divisão do conceito deve ser completa, adequada e ordenada por complexidade crescente, isto é, enumerar todas as espécies de que o gênero se compõe, do simples ao complexo ou do abstrato ao concreto"[87].

O segundo é o princípio da irredutibilidade, segundo o qual a divisão deve garantir que, a cada dedução conceitual, os conteúdos sejam irredutíveis entre si, isto é, não se deve enumerar mais do que os elementos verdadeiramente distintos entre si, de maneira que nenhum esteja compreendido no outro. A autora fornece o seguinte exemplo: caso se tenha como gênero "homem" e se queira dividir esse gênero pelo local de nascimento, podem ser geradas, como espécies, "americanos", "brasileiros", "cariocas". Ocorre que aqui há há um erro, afinal, o conceito de "cariocas" está subordinado ao conceito de "brasileiros" e não pode ocupar o mesmo lugar na derivação conceitual[88].

O terceiro, e também mais importante, princípio é o da mútua exclusividade, que postula que "para cada derivação conceitual deve-se usar

[85] Carraza, Roque Antônio. *Curso de Direito Constitucional Tributário.* 22ª ed. São Paulo: Malheiros, p. 305.

[86] Amaro, Luciano da Silva. Conceito e classificação dos tributos. *Revista de Direito Tributário*, n. 55. São Paulo: RDT, 1991, p. 280.

[87] Dodebei, Vera Lúcia. *Tesauro:* linguagem de representação da memória documentária. Niterói: Intexto; Rio de Janeiro: Interciência, 2002, p. 82.

[88] Dodebei, Vera Lúcia. *Tesauro:* linguagem de representação da memória documentária, p. 82.

apenas uma característica do conceito"[89]. Isso quer dizer que se trata da propriedade em que a característica escolhida deve "ser consistente ou exclusiva", isto é, deve-se dividir um assunto apenas por um critério de divisão, para a seguir, e eventualmente, usar-se outro. Quando isso não acontece, tem-se uma "classificação cruzada", em que um assunto tanto pode estar numa classe como em outra ou outras — fato esse que compromete a cientificidade e utilidade do ato classificatório.

Com isso em foco, convém analisar, ainda que rapidamente, algumas das propostas classificatórias que têm sido feitas tanto por estudiosos do assunto quanto por entidades ou autoridades públicas em seus *reports* (relatórios) preparatórios a eventuais empreitadas regulatórias.

3.2.1. Algumas propostas "doutrinárias"

Don Tapscott e Alex Tapscott defendem a existência de ao menos sete classes de ativos baseados na plataforma *blockchain*[90], consoante, entre outros critérios, as funções por esses "criptoativos" exercidas. Seriam elas:

(i) ***Cryptocurrencies*** (criptomoedas): ativos utilizados como meios de pagamento. Ex.: Bitcoin, Zcash, Monero, Dash;

(ii) ***Protocol Tokens*:** tratar-se-ia de *tokens* que servem para o titular utilizar, ter acesso aos "protocolos" de determinada plataforma de *blockchain*. Ex.: Ether, ICON, Aion, COSMOS, NEO;

(iii) ***Utility Tokens*:** seriam ativos programáveis em *blockchain*, e requisitados dos usuários para que interajam com determinada rede ou aplicativo. Ex. Golem, BAT, Spank;

(iv) ***Securities Tokens*:** seriam representações criptográficas de ativos mobiliários (algo como "*cryptoequities*" ou "*cryptobonds*", por exemplo). Deteriam funções similares à dos ativos mobiliários existentes, servindo como ações, títulos mobiliários e documentos representativos de um investimento coletivo;

(v) ***Natural asset tokens* ou *commodity tokens*:** seriam *tokens* vinculados a ativos naturais do mundo real;

[89] Dodebei, Vera Lúcia. *Tesauro:* linguagem de representação da memória documentária, p. 83.

[90] Tapscott, Don e Tapscott, Alex. *Blockchain Revolution*: How the technology behind bitcoin is changing Money, business and the world. New York: Portfolio Penguin, 2016.

(vi) ***Cryptocollectibles*** (criptocolecionáveis): tratar-se-ia de *tokens* que representam, em termos criptográficos, um objeto virtual ou real único e colecionável. Os autores referem-se a dois tipos de criptocolecionáveis: aqueles que se referem a um ativo digital nativo e aqueles que se relacionam a um ativo ou bem tangível, como uma obra de arte. Ex. Cryptokitties, Rare Pepe;

(vii) ***Crypto Fiat Currencies* e *Stablecoins***: seriam as criptomoedas criadas ou suportadas por governos, com vinculação e lastro em ativos ou moedas reais. Já as *stablecoins*, segundo os autores, são criptomoedas que tentam manter o valor ao longo do tempo por meio de uma vinculação a algum ativo, como uma moeda real ou ouro, ou pela administração do preço por meio de permanentes alterações de sua oferta. Ex. Fedcoin proposal, Projeto Ubin Singapura e MakerDAO.

Percebe-se que tal proposta acaba por utilizar vários critérios de forma simultânea, acarretando a chamada "classificação cruzada", em que as espécies estariam em mais de uma categoria concomitantemente. Assim, por exemplo, os "criptocolecionáveis" estariam também dentro da classe dos "*natural assets*", caso representativo de bem tangível existente no "mundo real" (tais como quadros). Ainda, os "*crypto fiat currencies*" seriam uma espécie de "criptomoeda", com a peculiaridade de terem sido emitidas por entes governamentais, de modo a serem antes uma subespécie (de "criptomoedas") do que uma outra classe propriamente dita.

Michèle Finck aponta que, além das criptomoedas, outros criptoativos emergiram ao longo do tempo na forma de tokens ou moedas ("*coins*", na acepção adotada pela autora). Segundo a autora, um *token* ou "*coins*" seria em sua essência *um bem digital que é artificialmente tornado escasso e rastreado — ou rastreável — em uma blockchain ou em um protocolo baseado em blockchain*[91]. Prossegue, salientando que os *tokens* podem ter diferentes propósitos e representar qualquer coisa — de bens e serviços a direitos, incluindo direitos de voto.

[91] No original: "token is *essentially, a digital good that is artificially rendered scarce and tracked through a blockchain or blockchain-based application*". FINCK, Michèle. *Blockchain Regulation and governance in Europe*. Cambridge: Cambridge University Press, 2019, p. 16.

À semelhança de outros estudiosos, pontua inexistir, atualmente, uma terminologia comum em que se identificassem as classes/espécies de criptoativos[92]. Não obstante, pontua que, com o advento (e crescimento) das ofertas iniciais de criptomoedas, as chamadas ICO'S (Initial Coin Offerings), distinguir os projetos em que os *tokens* ou *coins* exerciam funções semelhantes aos de valores mobiliários daqueles projetos em que não exercem passou a ser imprescindível sob a ótica dos reguladores. É que, uma vez que se identificasse tal semelhança, é inafastável a observância da legislação regente do mercado de capitais e valores mobiliários. Daí que, segundo a autora, nesse momento, poder-se-ia verificar ao menos dois tipos de *tokens* ou *coins*. Seriam os *utility tokens* e os *securities tokens*[93]. *Securities* seriam aqueles *tokens* que se enquadrariam no conceito legal de ativos mobiliários do país em que emitidos. E *utilities*, os demais *tokens* que juridicamente não detivessem a natureza de *securities*.

Mais especificamente, sustenta a autora que os *utilities tokens* seriam aqueles *primariamente funcionais e consumíveis em sua natureza, de modo que eles asseguram a seus titulares o direito a acessar ou uma licença para utilizar um serviço online, ou ainda imbuir seus titulares de direito a voto ou outros direitos de decidir em relação ao protocolo*[94]. Para Michèle Finck, *"utility tokens são melhores inteligíveis como avatares de bens, serviços e direitos do mundo real"*[95].

O posicionamento da autora toma por base apenas um único parâmetro, e não distingue a origem do ativo representado naquele *token* ou *coin*. Ainda, é de se ter em conta que a autora menciona, mesmo que de forma breve, que tal proposta tem por pano de fundo justamente a aplicabilidade (ou não) do regime jurídico do mercado de capitais e valores mobiliários. Trata-se de uma abordagem possível, sem dúvida; no entanto, acaba por ser insuficiente, sob o ponto de vista de utilidade, ante o desenvolvimento (cada vez mais disseminado) de projetos de "moedas" (meios de pagamento e liquidação) oficiais, chamadas Cen-

[92] Nas palavras da autora: *"at this stage a common terminology for and conceptualization of different cryptoassets is still lacking"*. Finck, Michèle. *Blockchain Regulation and governance in Europe*, p. 16.

[93] Nas palavras da autora: *"at this stage a common terminology for and conceptualization of different cryptoassets is still lacking"*. Finck, Michèle. *Blockchain Regulation and governance in Europe*, p. 16.

[94] Finck, Michèle. *Blockchain Regulation and governance in Europe*, p. 17.

[95] No original: *utility tokens are best tought of as avatars of real-world goods, services or rights"*. Finck, Michèle. *Blockchain Regulation and governance in Europe*, p. 17.

tral Bank Digital Currencies (CBDC`s). Trata-se de um *token* que, a par de não estar no conceito de *securities*, não parece merecer o tratamento residual da categoria dos *utilities*, justamente ante a peculiaridade funcional (essencialmente, instrumentos de liquidação no sistema financeiro de pagamentos) de que estão imbuídas tais "novas" figuras.

John Hargrave, Navroop Sahdev e Olga Feldmeier definem *token* como sendo uma titularidade (representação) de uma parcela fracionária de valor de determinado ativo ou empreendimento. Eles propõem a seguinte classificação[96]:

(1) *Tokens* monetários (*currency tokens*), como o bitcoin, podendo ser usados para instrumento de troca (compra e venda) de bens do mundo real;
(2) *Tokens* de plataforma (*platform tokens*), como Ethereum, podendo ser usados como contraprestação para "rodar" transações numa plataforma *blockchain*;
(3) *Tokens* lastreados em ativos (*asset-backed tokens*) estão ligados a um ativo físico subjacente como propriedade imobiliária, arte ou colecionáveis.

Tal proposta parece possibilitar o que anteriormente mencionamos como "classificação cruzada", em que as espécies estariam em mais de uma categoria concomitantemente. Assim, por exemplo, caso um *currency token* (criptomoeda) fosse lastreado em algum ativo físico subjacente (as chamadas *stablecoin*), estar-se-ia ante um *currency token*, assim como uma *asset-backed token*. Além disso, é possível se aventar casos que ficariam ao largo de um qualquer enquadramento. Suponha-se que sejam emitidos *tokens* representativos de ativos intangíveis existentes "no mundo real", tais como o direito de propriedade intelectual: não estamos diante de qualquer uma das categorias proposta pelos autores, justamente por não se tratar de meio de troca, nem de unidade a ser utilizada como remuneração à utilização de uma plataforma (ou aplicabilidade em plataforma), tampouco de *token* lastreado em ativo físico — no caso, é ativo intagível.

[96] HARGRAVE, John; SAHDEV, Navroop; FELDMEIER, Olga. How Value is created in tokenized assets. In: *Blockchain economics*: implications of distributed ledgers: Markets, Communications Networks, and Algorithmic Reality. London: World Scientific Publishing Europe, 2018, p. 127-128.

Philipp Hacker e Chris Thomale, por seu turno, apontam que os *tokens* podem ser desenvolvidos de variadas formas. Sob o aspecto jurídico, e à semelhança do que já salientara Michèle Finck, consoante a forma como se dê a estruturação dos projetos, a aplicabilidade da regulação incidente sobre os valores mobiliários poderá, ou não, ser invocada[97].

Prosseguem os autores, salientando serem os *tokens* de três espécies distintas, cada um compartilhando algumas características dos outros, em diferentes graus: *tokens*-moeda (*currency tokens*), *tokens* utilitários (*utility tokens*) e *tokens* de investimento (*investment tokens*)[98]. Basicamente, os *currency tokens* são criados para funcionar como meio de pagamento de bens e serviços externos à plataforma que deu origem a eles. Os utility tokens são criados para assegurar acesso dos titulares a uma função provida diretamente pelo emissor do *token*. Já os *tokens* com componente de investimento seriam aqueles ativos que se enquadrariam na concepção, tradicional na doutrina norte-americana, de contrato de investimento[99].

Uma importante ressalva feita pelos autores refere-se à possibilidade de se identificar uma certa fluidez entre as características "típicas" de cada uma das três espécies de *tokens*. Mais especificamente, reconhece-se que mesmo os *tokens* utilitários (*utility tokens*) podem ter um componente de investimento, na medida em que podem ser negociados no mercado secundário depois de realizada a oferta inicial de *tokens*, sendo então vendidos com lucro em "bolsas de comercialização" de *tokens*[100].

[97] Conforme os autores, "*It is of utmost importance to realize that tokens can be designed in a variety of ways, which crucially impacts the applicability, or nonapplicability, of securities regulation*". Hacker, Philipp; Thomale, Chris. Crypto-Securities Regulation: ICOs, Token Sales and Cryptocurrencies under EU Financial Law. *European Company and Financial Law Review*, n. 15, nov. 2017, p. 645-696, 2018, p. 11. Disponível em: <https://ssrn.com/abstract=3075820>. Acesso em: 16 nov. 2019.

[98] Hacker, Philipp; Thomale, Chris. Crypto-Securities Regulation: ICOs, Token Sales and Cryptocurrencies under EU Financial Law. *European Company and Financial Law Review*, n. 15, nov. 2017, p. 645-696, 2018, p. 12.

[99] Nas palavras dos autores: "*are considered as assets promising investors positive future (crypto)cash flows*". Hacker, Philipp; Thomale, Chris. Crypto-Securities Regulation: ICOs, Token Sales and Cryptocurrencies under EU Financial Law. *European Company and Financial Law Review*, n. 15, nov. 2017, p. 645-696, 2018, p. 12.

[100] "*It must be stressed that even tokens that mainly aspire to serve as a utility token typically will have an investment component as tokens can be traded, and hence sold at a profit, at token exchanges (secondary markets) subsequent to the ICO. Most factually existing utility tokens hence represent a particular,*

É interessante essa ressalva feita pelos autores, identificando o caráter mesmo fluido dos tokens digitais. Destarte, para além de trazer a catalogação até o momento mais aceita — e que por isso mesmo se tem assentado como a mais usual —, os autores já colocam em evidencia um dos maiores desafios à classificação e, por conseguinte, atribuição de regime jurídico aos *tokens*. É que, ainda que emitidos para desempenharem uma determinada funcionalidade, acabam por terem aceitação social tal, que atribui a esses *tokens* papéis distintos daquele originariamente concebido, de forma a já se salientar o caráter mesmo fluido desses ativos digitais.

3.2.2. Propostas feitas pelos órgãos oficiais

Vale trazer para o debate algumas das propostas feitas por alguns agentes reguladores e organismos multilaterais. Um olhar, ainda que breve e seletivo, sobre as iniciativas tomadas por algumas dessas entidades e/ou organismos nos permite verificar se há uma tendência mais geral de como tais *tokens* têm sido catalogados para fins de eventual enquadramento regulatório.

Sobre o assunto, Sean Au e Thomas Power mencionam que, a despeito de não existir uma classificação global unificada de *tokens*, há sim um esforço despendido por vários órgãos reguladores pelo mundo[101]. Cumpre salientar que a *Securities and Exchange Commission — SEC* norte-americana e a *Financial Market Supervisory Authority — FINMA* da Suíça, por exemplo, dividem os *tokens* em três grandes categorias, consoante a função desempenhada:

(i) Criptomoedas e *tokens* de pagamento, quando desempenhassem funções similares às das moedas correntes, tais como o dólar o Euro ou o Ien, mas sem vinculação a governos. Seria o caso do Bitcoin, do Bitcoin cash e do Litecoin, que são *tokens* vocacionados a serem meios de pagamento).

and novel, hybrid type of finance-cum-consumption product. This Janus-faced nature of utility tokens raises intricate questions concerning their classification under traditional EU securities regulation". HACKER, Philipp; THOMALE, Chris. Crypto-Securities Regulation: ICOs, Token Sales and Cryptocurrencies under EU Financial Law. *European Company and Financial Law Review*, n. 15, nov. 2017, p. 645-696, 2018, p. 12.

[101] AU, Sean; POWER, Thomas. *Tokenomics*. The Crypto Shift of Blockchains, ICOs, and Tokens. Birmingham: Packt Publiching, 2018, p. 74.

(ii) *Tokens* de serviço, de utilidade (*utility tokens*), quando de título representativo de futuro acesso, do portador (adquirente inaugural ou cessionário), a um produto ou serviço de uma empresa. Os termos *user tokens*, *appCoins* ou *Apptokens* também podem ser utilizados para se referir a esse mesmo tipo de *token*.

(iii) *Security* ou *asset tokens* (*tokens* de ativos mobiliários). Trata-se de ativos digitais que representam, originariamente ou de forma lastreada, ativos que se subsumem ao conceito de contratos de investimentos do direito norte-americano. Isto é, são títulos representativos de direito de participação, de parceria ou remuneração, em companhias, consistente em fluxos de recebíveis, ou ainda, no direito ao recebimento de dividendos ou pagamento de juros. Sob o ponto de vista de sua função, esses *tokens* são análogos a ações, empréstimos ou derivativos ou, mais genericamente, a valores mobiliários.

No Reino Unido, a *FCA — Financial Conduct Authority* designou uma força-tarefa para examinar o tema da tokenização, assim como para propor sua possível (ou possíveis) regulamentação (ou regulamentações). De proêmio, já destacou tal "força-tarefa" inexistir uma definição única global de criptoativos. No entanto, de forma ampla, seria possível compreender "criptoativo" como uma representação digital criptograficamente segura de valor ou de direitos contratuais que usa algum tipo de DLT e pode ser transferida, armazenada ou negociada eletronicamente[102]. Ato contínuo, tal força-tarefa propôs a classificação dos *tokens* em três principais categorias, consoante a função por eles desempenhada. Seriam elas:

1) *Tokens* de troca (*Exchange tokens*): destinados e desenvolvidos para serem usados como meios de troca. Usualmente, são uma ferramenta descentralizada para comprar e vender bens e serviços sem os tradicionais intermediários. Esses *tokens* não estão usualmente abrangidos pelo perímetro regulatório da FCA;

[102] No original: "*a cryptoasset is a cryptographically secured digital representation of value or contractual rights that uses some type of DLT and can be transferred, stored or traded electronically*". FCA. CRYPTOASSETS TASKFORCE: Final Report. Disponível em: <https://assets.publishing.service.gov.uk/government/uploads/system/uploads/attachment_data/file/752070/cryptoassets_taskforce_final_report_final_web.pdf>. Acesso em: 15 mar. 2020.

2) *Tokens* de Valores Mobiliários (*Security tokens*): *tokens* que se enquadram na definição de "Investimentos Especificados"[103], como uma ação ou um instrumento de débito, por exemplo;
3) *Tokens* utilitários/de serviço (*Utility tokens*): concede aos detentores acesso a um produto ou serviço atual ou futuro, mas não assegura os mesmos direitos garantidos pelos "Investimentos Especificados". Embora os *utility tokens* não sejam Investimentos Especificados, eles podem configurar a definição de *e-money* (dinheiro eletrônico) em determinadas circunstâncias (tal como outros *tokens*).

Para a OECD, o termo tokenização descreve o processo de transferir direitos a um ativo no mundo real para uma representação digital — ou *token* — no *blockchain*[104]. A posse do referido *token* digital dá ao detentor o direito àquele ativo e a habilidade de negociá-lo e rastreá-lo digitalmente. Segundo a OECD, há três principais tipos de *token*:

1) *Tokens* de pagamento (*Payment tokens*): comumente conhecidos como criptomoedas, podem ser tanto uma reserva de valor como uma unidade de medida (*e.g.* Bitcoin);
2) *Tokens* utilitários, de utilidade (*Utility tokens*): *tokens* que representam um direito a um bem ou serviço, similares a um cartão presente (*e.g.* StorjCoin);
3) *Tokens* de valor mobiliário (*Security tokens*): asseguram ações ou valores mobiliários, como investimento numa empresa. O titular do *token* tem direitos sobre os futuros lucros da empresa (*e.g.* tZERO).

O Fundo Monetário Internacional (FMI), tendo em vista a necessidade de se contabilizar, nas estatísticas Macroeconômicas, essa nova categoria de ativos digitais (criptográficos), propõe a seguinte catalogação para os *tokens*: (i) BLCA's (*Bitcoin-like Crypto Assets*) e (ii)

[103] Os "investimentos especificados" são aqueles definidos pela FCA do Reino Unido e que são objeto de regulação aplicável a valores mobiliários.

[104] OCDE/OECD. *OECD Blockchain Primer*. 2018. Disponível em <http://www.oecd.org/finance/OECD-Blockchain-Primer.pdf>. Acesso em: 20 mar. 2020.

"*Digital Tokens*"[105]. O critério utilizado por esse organismo internacional é relativo à existência, subjacente àquele *token*, de um projeto patrocinado por uma empresa (ou conjunto de empresas).

Assim, BLCA's seriam ativos criptográficos projetados para servir como um meio de troca de uso geral para pagamentos ponto a ponto, e sem emissor e sem responsabilidade de contrapartida. Já os "*Digital Tokens*" têm sempre em sua origem um projeto específico, de modo a poder se compreendê-los como "unidades transferíveis [de representação de algo] geradas em uma rede distribuída que rastreia a propriedade dessas unidades através da aplicação da tecnologia *blockchain*"[106]. Ainda, propõe, o FMI, que essa última categoria seja subdivida da seguinte forma, consoante a função econômica desempenhada pelo *token*:

(a) *payment token*: aqueles destinados a se tornarem "BLCA's" e a serem usados universalmente (ou seja, não restritos a uma plataforma específica) como unidades de conta, reserva de valor e meios de pagamento (por exemplo, Litecoin).
(b) *utility token*: aqueles projetados para fornecer aos titulares acesso futuro a serviços fornecidos por meio de aplicativos baseados em DLT. Exemplos desses aplicativos seriam aqueles para armazenamento de arquivos, mensagens sociais e negociação, por exemplo, Ether, Binance coin e Filecoin
(c) *asset token*: aqueles que representam reivindicações de dívida ou capital por parte dos titulares do *token* relativamente a seu emissor. Eles geram interesse para o detentor ou prometem uma participação nos ganhos futuros da empresa emitente; e

[105] IMF COMMITTEE ON BALANCE OF PAYMENTS STATISTICS. Treatment of Crypto Assets in Macroeconomic Statistics. 24-26 out. 2018. Disponível em: <https://www.imf.org/external/pubs/ft/bop/2018/pdf/18-11.pdf>. Acesso em: 14 jun. 2020.

106 No original: Digital tokens are defined as transferable units generated within a distributed network that tracks ownership of the units through the application of blockchain technology". IMF COMMITTEE ON BALANCE OF PAYMENTS STATISTICS. Treatment of Crypto Assets in Macroeconomic Statistics. 24-26 out. 2018, p. 7. Disponível em: <https://www.imf.org/external/pubs/ft/bop/2018/pdf/18-11.pdf>. Acesso em: 14 jun. 2020.

(d) *hybrid token*: seriam os *tokens* híbridos que deteriam duas ou até mesmo as três "funções" acima elevadas (*payment, utility* ou *asset*)[107].

3.2.3. Proposta "VIVA" do UNTITLED INC.

É digno de nota, inclusive em um subtópico apartado, o estudo levado a cabo por Thomas Euler, que teve por foco estruturar de formal mais globa as propostas de classificação dos *tokens* criptográficos. A pesquisa realizada por ele em conjunto aos bolsistas do Untitled INC levou à constatação de ser possível catalogar os *tokens* em cinco dimensões possíveis, consoante os seguintes critérios: (i) principal propósito para que designado; (ii) utilidade a que destinado; (iii) enquadramento ("status") legal; (iv) suas fontes de valor (valor subjacente); e (v) camada técnica em que implementados[108]. Assim, é consoante a dimensão que se tem assentada a análise que se torna possível elencar os principais tipos de *tokens*. De forma mais detalhada, eis a catalogação sugerida, ao menos em sua primeira versão:

(i) Dimensão "Propósito". Conforme essa dimensão, perquire-se qual o principal objetivo do *token*. E aqui, os *tokens* podem ser considerados "criptomoedas", caso vocacionados a se constituírem meio de trocas econômicas, ou reserva de valor. Ainda, caso se destinem a habilitar acesso a uma rede específica e/ou catalisar seu crescimento, podemos falar em "*tokens* de rede". Mas, se apenas apresentarem uma maneira de se investir em uma entidade ou ativo, estaremos diante de "*token* de investimento".

(ii) Dimensão "Utilidade". O termo "*utility token*" já se tornou quase um senso comum, normalmente se referindo à categoria residual da já quase tradicional classificação trinária ("criptomoedas", "*security tokens*", e "*utility tokens*"). Mas aqui não se está a se

[107] IMF COMMITTEE ON BALANCE OF PAYMENTS STATISTICS. Treatment of Crypto Assets in Macroeconomic Statistics. 24-26 out. 2018, p. 8. Disponível em: <https://www.imf.org/external/pubs/ft/bop/2018/pdf/18-11.pdf>. Acesso em: 14 jun. 2020.

[108] EULER, Thomas. The Token Classification Framework: A multi-dimensional tool for understanding and classifying crypto tokens. *Untitled INC.* 18 jan. 2018. Disponível em: <http://www.untitled-inc.com/the-token-classification-framework-a-multi-dimensional-tool-for-understanding-and-classifying-crypto-tokens/>. Acesso em: 21 jun. 2020.

referir a tal uso da expressão. O intuito dos pesquisadores é tentar apontar qual as "utilidades" entregues aos proprietários dos *tokens*, principalmente em relação ao sistema/plataforma a que está conexo. Abstratamente, entendem os pesquisadores que há duas maneiras principais de se fornecer "utilidade" aos titulares desses *tokens*: permitindo-se acesso aos recursos da rede ou serviços nele (ou por ele) fornecidos, caso em que falaremos em "*tokens* de uso"; ou permitindo que os titulares do *token* contribuam ativamente com o trabalho do sistema, caso em que estaríamos ante "*tokens* de trabalho". Alguns *tokens*, no entanto, fazem os dois, podendo-se então catalogá-los como "*tokens* híbridos".

(iii) Dimensão "Status legal". A perspectiva jurídica é extremamente relevante, posto se referir a eventuais regimes jurídicos a que podem os emissores e/ou proprietário dos *tokens* estar sujeiros. É certo que, por se tratar de um ambiente extremamente volátil, e em que as discussões relativas às regulamentações estão sendo iniciadas, são esperadas constantes revisões e modificações, a demandar atenção dos estudiosos. Ademais, há o risco de as jurisdições apresentarem enquadramentos diferentes para um mesmo caso. De qualquer forma, é possível já se verificar uma tendência geral, sobre a qual vários países começam a se posicionar, dos *tokens* que não são claramente um "*token* de utilidade" (ou "*utility token*") — ou seja, um meio de acessar recursos de uma rede/serviço —, ou "criptomoedas", podendo facilmente ser classificados como um "*security token*" pelos reguladores. E a consequência disso é lhes exigir observância à legislação regente dos mercados de capitais. Muitas são as dúvidas que ainda pairam nessa dimensão, posto inexistir definições pelos sistemas jurídicos relativamente a essas realidades (o que seriam "criptomoedas", por exemplo). Assim, em razão de as estruturas legais atuais terem sido criadas antes da existência dos *tokens*, recorre-se, muitas vezes, ao uso da analogia para fins de definição de eventuais regimes jurídicos aplicáveis.

(iv) Dimensão "Valor subjacente". A maioria dos *tokens* é criada para ter um valor monetário; no entanto, as fontes de seu valor diferem consideravelmente. Alguns basicamente funcionam como representações de um ativo do mundo real, ao qual estão vinculados, falando-se em "ativos tokenizados" (ou "*tokens* baseados em ativos"). Outros exibem propriedades semelhantes às ações, pois estão ligadas ao sucesso do empreendimento emissor dos *tokens*, os chamados "*share-like tokens*" ("*tokens* semelhantes a ações"). Por fim, existem *tokens* vinculados ao valor de uma rede, e não uma entidade central, daí denominados de "*network value tokens*" ("*tokens* de valor de rede").

(v) Dimensão "Camada técnica". Essa última dimensão tem em foco as distintas camadas técnicas de sistemas baseados em *blockchain*, em que podem os *tokens* ser implementados. Caso sejam implementados no nível do protocolo *blockchain*, como *token* nativo da cadeia, estaremos diante de "*tokens* nativos do *blockchain*" ("*native tokens*"). Agora, se como parte do protocolo "criptoeconômico", que fica no topo da camada do *blockchain*, poderemos falar em "*tokens* de protocolo não nativo". Por fim, caso implementado no nível do aplicativo, seriam os chamados "*(d)App tokens*".

Visualmente:

FIGURA 8: Proposta Classificatória "VIVA" do UNTITLED INC

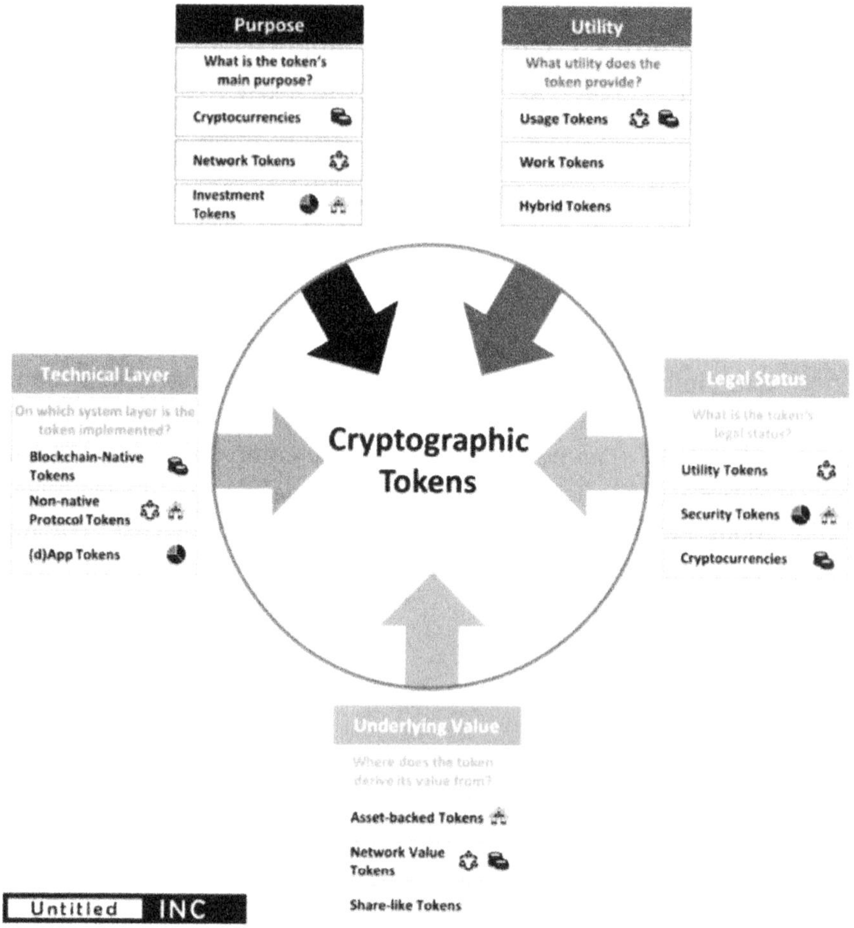

Fonte: Untitled Inc

É de se pontuar que essa proposta tem por escopo ser aberta, isto é, atualizável conforme se verifiquem novas e/ou distintas realidades e inovações nesse setor. A proposta está acessível em sítio eletrônico específico[109], estando aberta a toda e qualquer proposta de colaboração, o que torna tal pesquisa de certa forma um "organismo vivo" e em constante evolução. De qualquer forma, talvez a maior relevância dessa pesquisa

[109] Acessível pela seguinte URL: <http://www.untitled-inc.com/token-classification-framework/>. Acesso em: 20 ago. 2020.

resida em chamar a atenção para o fato de que a catalogação dos "*tokens*" pode ter por premissa ao menos cinco ambientes/dimensões possíveis, sendo necessário esclarecer em quais delas se está a basear o estudo e/ou análise em foco. Nosso foco de estudo é o jurídico, de modo que é nessa dimensão que estamos assentes.

3.2.4. O estabelecimento de algumas premissas

Pois bem, como se pode perceber no tópico anterior, várias foram as iniciativas propostas para se classificar os *tokens*. E os critérios utilizados tomaram por base em sua maioria a função exercida pelo *token*. Aliás, conforme já bem apontado pelo último estudo (mais global) apresentado no tópico antecedente, para fins jurídicos é justamente o exame da função exercida por cada *token* (e/ou criptoativo) o critério que se mostra mais relevante. É de se pontuar, aliás, que a importância do exame da função para o mundo jurídico não é nova. Norberto Bobbio já defendia — e muito antes dessa era tecnológica — a relevância da função e sua preponderância sobre a forma dos atos jurídicos[110].

Para os fins do presente estudo, é justamente esse enfoque funcional que será tomado por base. E assim o é porque a determinação de eventuais regimes jurídicos aplicáveis aos *tokens* relaciona-se à função por eles desempenhada. Ponto que já merece menção é aquele sublinhado, por algumas das propostas, relativamente à natureza "mutante", fluida dos *tokens*. Ou seja, um *token* pode apresentar mais de uma funcionalidade ou ainda funcionalidades que transmutam ao longo do tempo — ou uso. Daí que, como deixaremos assente no próximo tópico, parece-nos mais adequado olhar para a principal função a que está vocacionado o *token* analisado, *pari passu* aos riscos juridicamente gerenciados que aquela funcionalidade (ou funcionalidades) tende a atingir.

Ainda, entendemos que a questão preliminar à análise da tipologia dos "*tokens*" é a de se delimitar (ou ao menos tipificar[111]) o que se entende por "*token*". E aqui já nos deparamos com a primeira dificuldade em se compreender mesmo as propostas de classificação feitas. É que vários termos são usados de forma intercambiável, sem demarcação clara de definição a fim de se referir uma mesma "realidade".

[110] Bobbio, Norberto. *Dalla Struttura Alla Funzione*. Nuovi Studi di teoria Del diritto. Milano: Ed. Di Comunitá, 1976.

[111] Vide nota de rodapé nº 80.

O termo "*token*" podem ser entendido amplamente, incluindo qualquer espécie de unidade (ou representação de) criptográfica emitida em qualquer tipo de tecnologia de contabilidade distribuída (DLT). Além disso, pode-se utilizar o mesmo termo para se referir a uma realidade mais restrita, sendo *tokens* apenas aquelas "unidades" emitidas em redes *blockchain* abertas e não permissionadas. E é importante ter isso em conta, visto que, dependendo do contexto regulatório, jurídico ou comercial em que usado, o termo *token* pode assumir diferentes significados, de forma que, ao se empregá-lo cientificamente, devemos esclarecer a que universo dessas unidades criptográficas está a se referir ou tomar em consideração.

Abordagem interessante foi tomada em relatório elaborado pela *Token Alliance*, da *Chamber of Digital Commerce*. Ali, utilizaram o termo *token* como gênero, definindo-o como unidades transferíveis geradas ou emitidas em uma rede distribuída que contabiliza e rastreia a propriedade dessas unidades por meio da aplicação da tecnologia *blockchain*[112]. O ponto digno de nota é a distinção, em nosso entendimento feita adequadamente, entre a tipologia dos *tokens* já existentes no "mundo digital" ("*currencies* ou *payments*", "*utilities*", "*securities*" etc.) e a origem dos ativos a que esses *tokens* se referem (se de ativo nato à própria rede distribuída — "*blockchain native*"—, ou de ativo existente no mundo físico/real).

[112] No original: "For the purposes of this report, digital tokens (or "tokens") are defined as transferable units generated within a distributed network that tracks ownership of the units through the application of blockchain technology". Boring, Perianne; Kim, Amy Davine. Introducing: "Understanding Digital Tokens: Market Overviews & Guidelines for Policymakers & Practioners". An initial initial step toward self-regulation. *Chamber of Digital Commerce*. Disponível em: <https://digitalchamber.org/token-alliance-paper/>. Acesso em: 15 dez. 2019.

FIGURA 9: Tipologia dos *tokens*

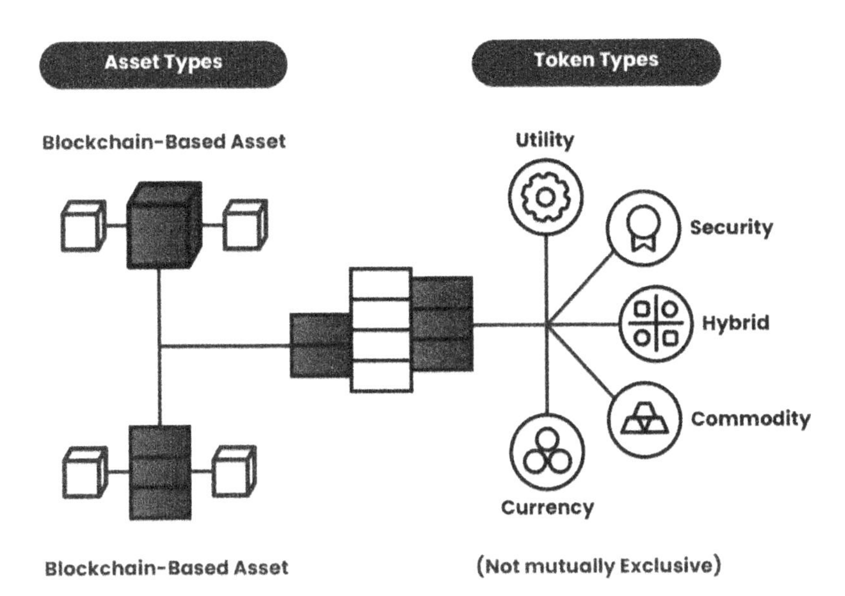

Fonte: Understanding Digital Tokens: Market Overviews and Proposed Guidelines for Policymakers and Practitioners. Token Alliance - Chamber of Digital Commerce

Interessa tal abordagem porque, ao olharmos as propostas apresentada no item anterior, é notória não só a falta de uma abordagem uniforme relativa à nomenclatura utilizada ("*tokens*", "criptoativos" etc.) para se referir ao conjunto de elementos que se intenta catalogar, mas também a ausência de definição da premissa de que se está partindo. Mais especificamente, para além da variedade de termos utilizados, não há, na maioria dos casos, uma referência explícita à origem dos "ativos" naqueles (ou por aqueles) *tokens* representados, tal qual proposta da Chamber of Digital Commerce.

Ocorre que tal "estado de coisas", caótico, acaba por tornar ainda mais confusas e incertas as discussões inerentes à classificação dessas unidades criptográficas, uma vez que o confronto entre uma e outra proposta pode, por vezes, esbarrar em críticas e debates que tomam por premissa realidades distintas, relegando tal diálogo a um vazio desconstrutivo. Assim, estabelecer uma ou mais referências semânticas para indicar a que realidades está a se referir parece condição necessária a toda discussão que se intenta travar. Afinal, como dizia Ludwig Wittgenstein, já referenciado no início do presente capítulo, *os limites da minha linguagem são os limites do meu mundo*[113].

Pois bem, em síntese bem elaborada por Shermin Voshmgir, do ponto de vista técnico, é possível representar qualquer ativo da economia existente em um *token* criptográfico; entretanto, ainda se carece de uma taxonomia e um quadro legal adequado que compreenda os plenos objetivos e potenciais desse novo substrato[114]. O descompasso entre a velocidade (acelerada) dos avanços tecnológicos e a de atualização (lenta) dos regulamentos jurídicos a eles relativos mais uma vez mais se revela. Contudo, como bem nos lembra ainda Shermin Voshmgir, estabelecer uma nomenclatura consistente e confiável para propriedades de *token*, assim como modelos de classificação, é imprescindível para se erigir uma base a partir da qual desenvolvedores, formuladores de políticas e investidores possam entender melhor como projetar, aplicar ou regular *tokens*[115].

Nesse sentido, merece menção a recente iniciativa da ISO (The International Organization for Standardization), organização não governamental e independente que visa estabelecer, em mercados relevantes, parâmetros técnicos mundiais. Tal organização lançou, em julho de 2020, a ISO 22739:2020 (en) "Blockchain and distributed legder

[113] WITTGENSTEIN, Ludwig. Tractatus Logico-Philosophics. São Paulo: Edusp. 1994, p. 111. nota.

[114] Nas palavras do autor, "*While it is technically possible to represent any asset of the existing economy as a cryptographic token, we still lack adequate taxonomy, and adequate legal framework that understands the full scope and potential of this new substrate with which we can issue any type of asset and access right, including completely asset classes*". VOSHMGIR, Shermin. *Token Economy.* How Blockchains and Smart Contracts Revolutionalize the Economy. Luxemburgo: Amazon Media, 2019, p. 144.

[115] No original: "Establishing a consistent and reliable taxonomy for token properties, as well as classification models, is imperative to laying a foundation from which developers, policy makers, and investors can make more sense of how to design, apply, or regulate tokens". VOSHMGIR, Shermin. *Token Economy.* How Blockchains and Smart Contracts Revolutionalize the Economy, p. 144.

technologies — Vocabulary[116]. Trata-se de uma proposta que visa trazer uniformidade semântica à utilização dos termos relacionados ao universo *blockchain* e "DLT". De acordo com a referida proposta, e ao que nos interessa nesse tópico, os termos *asset, crypto-asset, cryptocurrency, digital asset e token* podem ser assim compreendidos:

- *Asset* (ativo): qualquer coisa que tenha valor para seu possuidor — parte interessada[117].
- *Crypto-asset* (criptoativo): ativo digital implementado usando tecnologia criptográfica[118].
- *Cryptocurrency* (criptomoedas): criptoativo desenhado para trabalhar como meio de troca de valores[119].
- *Digital asset* (ativo digital): ativo que existe apenas na forma digital ou que constitua a representação digital de um outro ativo[120].
- *Token*: ativo digital que representa um conjunto de direitos[121].

Não devemos deixar de notar que se trata de iniciativa feita por corpo de técnicos (engenheiros, desenvolvedores, entre outros) que objetiva

[116] ISO (the International Organization for Standardization). ISO 22739:2020 Blockchain and distributed ledger technologies — Vocabulary. Julho 2020. Disponível em: <https://www.iso.org/standard/73771.html>. Acesso em: 21 jul. 2020.

[117] No original: "anything that has Value to a stakeholder". ISO (the International Organization for Standardization). ISO 22739:2020 Blockchain and distributed ledger technologies — Vocabulary. Julho 2020. Disponível em: <https://www.iso.org/standard/73771.html>. Acesso em: 21 jul. 2020.

[118] No original: "digital asset implemented using cryptographic techniques". INTERNATIONAL ORGANIZATION FOR STANDARDIZATION. ISO 22739:2020 Blockchain and distributed ledger technologies — Vocabulary. Julho, 2020. Disponível em: <https://www.iso.org/standard/73771.html>. Acesso em: 21 jul. 2020.

[119] No original: "crypto-asset designed to Work as a medium of value exchange". INTERNATIONAL ORGANIZATION FOR STANDARDIZATION.. ISO 22739:2020 Blockchain and distributed ledger technologies — Vocabulary. Julho 2020. Disponível em: <https://www.iso.org/standard/73771.html>. Acesso em: 21 jul. 2020.

[120] No original:"assets that exists only in digital form or with the digital representation of another asset". INTERNATIONAL ORGANIZATION FOR STANDARDIZATION. ISO 22739:2020 Blockchain and distributed ledger technologies — Vocabulary. Julho 2020. Disponível em: <https://www.iso.org/standard/73771.html>. Acesso em: 21 jul. 2020.

[121] No original: "digital asset that represents a collection of entitlements". INTERNATIONAL ORGANIZATION FOR STANDARDIZATION. ISO 22739:2020 Blockchain and distributed ledger technologies — Vocabulary. Julho 2020. Disponível em: <https://www.iso.org/standard/73771.html>. Acesso em: 21 jul. 2020.

trazer parâmetros globais voltados ao mercado econômico. Assim, e em que pese a relevância dessa figura organizacional no ambiente global, as documentações por ela elaboradas, para além de serem adquiridas mediante contraprestação pecuniária (o que, por vezes, obstaculariza o acesso a elas), não detêm observância jurídica obrigatória. De qualquer forma, é um início, o qual reforça a necessidade de estabelecermos uma linguagem mais padronizada para que nossas comunicações acerca do assunto progridam.

Portanto, é preciso que avancemos. E, justamente com o intuito de avançar no estudo do tema, apresentamos nossa proposta de catalogação dos *tokens*, tendo por foco suas consequências jurídicas. Esclarecemos desde já que usamos o termo *token*, por julgarmos que ele se mostra mais adequado para se referir a essas unidades transferíveis geradas em uma rede de registro distribuída.

3.3. Nossa proposta

Com base no que fora dito no ponto anterior (3.2), entendemos serem dois os momentos que devemos levar em conta a fim de "catalogar" os *tokens*. Um primeiro, em que devemos ter em consideração a origem do "ativo" subjacente àquela unidade criptográfica e que é por ela (unidade) representada. Isto é, se há lastro (daquela unidade criptográfica) em ativo pré-existente, ou não. E, um segundo, em que olhamos para o *token* no seu habitat digital, e tomamos por referência as funções por eles desempenhadas — ou propósitos (ao menos o seu principal), para que foram inicialmente concebidos.

Olhando para aquele primeiro momento, parece útil distinguirmos os *tokens* representativos de ativos pré-existentes "no mundo real" daqueles que só ganham vida no mundo digital. Propomos falar em ativos tokenizados[122] quanto ao primeiro caso, e criptoativos, no segundo. Dito de outra forma, "ativos tokenizados", quando diante de represen-

[122] Ativos que passaram pelo processo de tokenização. Sobre: GAN, Jingxing (Rowena) and TSOUKALAS, Gerry and NETESSINE, Serguei. Initial Coin Offerings, Speculation, and Asset Tokenization (March 16, 2018). Management Science, Disponível em: <https://ssrn.com/abstract=3361121>. Acesso em: 21 set. 2020; CHEVET, Sylve, Blockchain Technology and Non-Fungible Tokens: Reshaping Value Chains in Creative Industries (May 10, 2018). Disponível em: <https://ssrn.com/abstract=3212662>. Acesso em: 21 set. 2020; ROTH, Jakob and SCHÄR, Fabian and SCHÖPFER, Aljoscha, The Tokenization of Assets: Using

tações digitais desses ativos reais[123], pré-existentes no mundo físico (ainda que intangíveis), e "criptoativos", quando diante de ativos existente unicamente nesse ambiente digital — ativos unicamente virtuais[124], portanto.

O termo criptoativo, aliás, acentua justamente o que justifica a atribuição de valor a esses ativos virtuais: a sua tecnologia criptográfica. Daí porque discordamos da proposta apresentada pelo Parlamento Europeu, a pedido do ECON (Comissão de Assuntos Econômicos e Monetários), que coloca o termo "criptoativo" como gênero, sendo "criptomoedas" e *token* suas espécies. Reputamos que tal proposta acaba por não especificar quando estamos diante de ativos nativos de *blockchain* ou quando daqueles que foram tokenizados[125].

Realizar tais distinções constitui, aliás, verdadeiro imperativo a qualquer estudo que pretenda ser científico e útil. Partindo da premissa de que só é possível conhecer por meio da linguagem, é preciso que conheçamos as regras do discurso científico. E aqui ganha relevo o posicionamento dos neopositivistas lógicos, que, ao reduzirem a epistemologia à análise das condições necessárias à construção de proposições científicas, sustentaram que o discurso científico se caracteriza por

Blockchains for Equity Crowdfunding (August 27, 2019). Disponível em: <https://ssrn.com/abstract=3443382>. Acesso em 21 set. 2020.

[123] Nesse mesmo sentido, Rosario Girasa: "Tokens represent an asset, such as property or utility, or act as securities. They are fundable and may offer income or reward. The best known is Etherium with offers tokens whereas Bitcoin offers coins. They are generally tradable and usually reside on top of the blockchain thereby making unnecessary to modify the existing protocol or blockchain. They are created in ICO and may be considered as a security requiring registration and conformity to other laws and regulations as illustrated in the DAO litigations". GIRASA, Rosario. *Regulation of Cryptocurrencies and blockchain Technologies*: National and International Perspectives. London: Palgrave Macmillan, 2018, p. 45.

[124] E, entre os ativos nativos das redes distribuídas, há quem distingua aqueles que foram "criados" pelos protocolos, isto é, minerados daqueles que foram emitidos, concedendo a primeira espécie o termo "coin". GUIMARÃES, Courtnay. *Como nascem os tokens.* 14 ago. 2018. Disponível em: <https://medium.com/@courtnay/como-nascem-os-tokens-a348d9f74dc8>. Acesso em: 02 ago. 2020.

[125] HOUBEN, Robby; SNYERS, Alexandre. *Crypto-assets.* Key developments, regulatory concerns and responses. Report requested by the European Parliament's Committee on Economic and Monetary Affairs, p. 17 e ss.. Disponível em: <https://www.europarl.europa.eu/RegData/etudes/STUD/2020/648779/IPOL_STU(2020)648779_EN.pdf>. Acesso em: 21 jun. 2020.

proporcionar uma visão rigorosa e sistêmica do mundo. Daí que a linguagem científica caracteriza-se, entre outras condições, por sua precisão semântica; vale dizer, o cientista deve esforçar-se no sentido de afastar confusões significativas, depurando a linguagem ordinária (aquela mediante a qual se constitui o conhecimento comum ou vulgar) ou técnica (aquela por intermédio da qual se constitui o conhecimento técnico — médico, elétrico, jurídico, político, entre outros), substituindo os termos imprecisos por locuções, na medida do possível, unívocas. Nem sempre, porém, esse processo de depuração alcança êxito em afastar a plurissignificação dos vocábulos. Nessas ocasiões, empregaremos o que Rudolf Carnap, citado por Paulo de Barros Carvalho[126], chama de processo de elucidação, que nada mais é que, ao se utilizar a palavra, explicitar em que sentido está ela sendo empregada.

Por fim, é necessário alertar que tal depuração semântica dos vocábulos empregados, longe de constituir um rigorismo puro e simples, detém importantes implicações práticas[127]. Bem identificar as realidades que se intenta serem juridicamente tratadas é fundamental para encaixá-las ou em regulamentações já existentes, ou naquelas que sejam produzidas para tratarem especificamente dos *tokens*. Destarte, os legisladores devem ater-se ao espectro de relações socioeconômicas que pretendem que sejam disciplinadas por suas normas jurídicas. E, nesse ponto, a nomenclatura utilizada pode ser relevante a fim de identificar quais tipos de *tokens* estão sujeitos a uma determinada legislação em específico. Nesse ponto, é imprescindível olhar mais de perto os termos "digitais" e "virtuais".

Consoante bem pontuado por Aleksandra Bal, ao tratar da economia virtual vis-à-vis à economia digital, a primeira tem por característica se

[126] CARVALHO, Paulo de Barros. *Direito Tributário, Linguagem e Método.* 4a ed., rev. e ampl. São Paulo: Editora Noeses, 2011, p. 59.

[127] Nesse sentido, ao falar da miscelânea de termos utilizado para se referir à realidade dos criptoativos *tokens* digitais, T. Euler destaca que "*precision in language and terminology is the basis for an informed, nuanced dialogue and good analysis*" [precisão na linguagem e terminologia é a base ara um diálogo informado e diferenciado, e, para uma boa análise; *traduzido livremente*]. EULER, Thomas. The Token Classification Framework: A multi-dimensional tool for understanding and classifying crypto tokens. *Untitled INC.* Disponível em: http://www.untitled- inc.com/the-token-classification-framework-a-multi- dimensional-tool-for-understanding-and-classifying- crypto-tokens/>. Acesso em: 21 jun. 2020.

referir unicamente a bens e produtos que já são escassos digitalmente — isto é, só existem nesse ambiente e na forma digital. Já a economia digital abrange tanto esses bens e produtos virtuais quanto aqueles "produzidos" ou lapidados pela indústria "tradicional", porém, representados digitalmente[128]. Daí que, ao desenvolver uma normativa e se referir unicamente a criptoativos, o legislador pode dar ensejo à compreensão de que apenas a realidade virtual, inerente a esses ativos virtuais (criptoativos), é que estaria a ser objeto de regulamentação, embora eventualmente a intenção tenha sido disciplinar a realidade mais ampla dos *tokens*.

Já ao se olhar para o segundo momento (de catalogação dos *tokens*), são as funcionalidades que aquelas unidades criptográficas exercem (ou têm a potencialidade de exercer) no protocolo *blockchain* em que são emitidas que tomamos por parâmetro. Reputamos tal critério como útil ao escopo de se identificar quais os possíveis regimes jurídicos que possam ser aplicáveis[129].

[128] Nas palavras da autora: "*Castronova (2001) first used the term "virtual economy" to refer to artificial economies inside online games,especially when the artificially scarce goods and currencies of those economies where traded for real money. However, according to the Knowledge Map of Virtual Economy (2011), a report prepared by Lehdonvirta and Ernkvist or the World Bank, this term has a broader meaning and includes both exchanges of virtual goods and digital labour. The report mentions three main characteristics of virtual economy:*
- it is focused on commodities that are digitally scarce yet;
- demand arises from the increasing use of digital services in business and leisure;
- supply is created through the expenditure of human effort, and doing so requires relatively few specialized skills or resources.
Virtual economy builds on IT infrastructure (wireless networks, broadband connectivity, software and hardware) and on the digital economy. The latter includes traditional industries that produce content that can be represented in digital form (music, video and images)." BAL, Aleksandra. *Taxation of virtual currency*. Alphen aan den Rijn: Kluwer Law, 2019, p. 30-31.

[129] É que, consoante o exame da funcionalidade que afeta os *tokens* vis a vis os riscos jurídicos em que potencialmente incorram, poder-se-á identificar o(s) regime(s) jurídico(s) em que incursas as operações com esses *tokens* realizadas.

FIGURA 10: Catalogação em dois passos

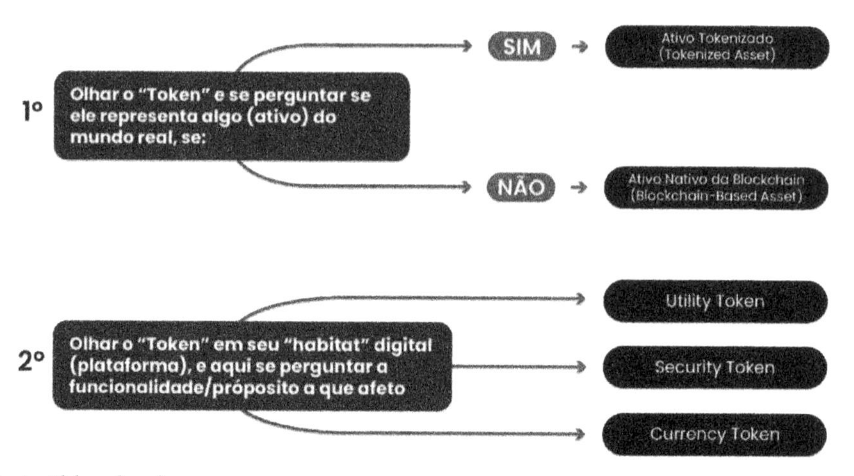

Fonte: Elaborado pela autora

Ressaltemos que nosso intento é avançar, ainda que timidamente, relativamente às propostas que até o momento têm se consolidado aqui e alhures, trazendo nesse momento, e no atual "estado da arte", uma classificação ao mesmo tempo útil, sob o ponto de vista jurídico, e científica — por observar as retromencionadas leis lógicas[130]. Advirta-se, ainda, que se trata de proposta inicial, e em muito resultante das discussões travadas no Grupo permanente de discussão em blockchain da Comissão de Gestão e Inovação da OAB-PR, que coordeno há mais de dois anos e meio. Logo, longe de ser estanque, o intuito é que a classificação ora apresentada seja apenas um ponto de partida, aberto a críticas e à dinamicidade inerente ao avanço tecnológico ora vivenciado.

Isso posto, cumpre salientarmos que as principais propostas assentes[131] focam na "função" desempenhada pelos *tokens* e criptoativos. Assim, consoante a função/aplicabilidade em que é utilizado o *token*, seria catalogado como "*currency ou payment*" ("criptomoeda" ou "*token* de pagamento"), "*security*" ("*token* representativo de valores mobiliá-

[130] No início do tópico 2.2.

[131] Entre as apresentadas no tópico anterior.

rios") ou "*utility*" ("*token* utilitário")[132], por exemplo, aplicando-se-o o(s) regime(s) jurídico(s) dessa classificação consequente(s). Ocorre que, para além do caráter híbrido e dinâmico referente a uma tal catalogação dos *tokens* e criptoativos, a análise unicamente "funcionalista" traz ao menos mais dois problemas.

Primeiro, ao se perquirir a "função" de um determinado *token* ou criptoativo, pressupõe-se que o mesmo já esteja em "ação", exercício, fato esse que acaba por afastar os projetos de "*tokens*" e "criptoativos" ainda em fase embrionária (potencial). Segundo, ao se utilizar unicamente tal critério, há um espectro imenso de possíveis funções que um mesmo *token* pode desempenhar, o que acaba por dificultar a catalogação (ainda que inicial) de um projeto ou *token* em uma determinada classe específica.

Daí preferirmos falar em *propósitos principais*. Isto é, compreender qual o propósito — ou propósitos — a que o projeto e/ou sistema visa(m) a atender. E, para que se possa fazer tal catalogação, o objeto a ser analisado é o "*whitepaper*" do *token* ou criptoativo em exame. É nesse documento que se encontra assentado o propósito (ou propósitos) a que o projeto se propõe(m). Isso quer dizer que é naquele documento que se tem um suporte físico oficial que expresse qual o objetivo do projeto desenvolvido — ou a ser desenvolvido.

É de se pontuar que, apesar de se poder visualizar um propósito inicial, isso não afasta a possibilidade de se utilizar o *token*, ou o criptoativo, em funções/usos estranhos a ele. Caso se trate de uma aplicabilidade anômala, tais casos esparsos deverão eventualmente receber o tratamento jurídico afeto à funcionalidade em específico que aquele *token* ou criptoativo está a desempenhar — na operação em concreto. No entanto, justamente por se tratar de ocorrências excepcionais, não terão o condão de desnaturar a classificação realizada — feita com base em ocorrências ordinárias.

[132] No guia Blockchain recentemente publicado pelo Tribunal de Contas da União, há menção de catalogação dos *tokens* justamente nas classes "*token* de pagamento", "*tokens* utilitários", e "tokens de ativos", representativos de valores mobiliários". BRASIL. Tribunal de Contas da União. Levantamento da tecnologia blockchain / Tribunal de Contas da União; Relator Ministro Aroldo Cedraz. — Brasília: TCU, Secretaria das Sessões (Seses), 2020, p. 17. Disponível em: <https://portal.tcu.gov.br/data/files/59/02/40/6E/C4854710A7AE4547E18818A8/Blockchain_sumario_executivo.pdf>. Acesso em: 17 set. 2020.

Caso distinto seria quando o excepcional torna-se ordinário e comum. Ou seja, caso a aplicabilidade real do *token* ou criptoativo acabe por ser distinta, de forma reiterada e disseminada, daquela projetada inicialmente (consoante o propósito constante no "*whitepaper*")[133]. Nesse caso, o *token* ou criptoativo deverá ser classificado na classe que de fato está (também) a pertencer — ainda que outro tenha sido o propósito inicialmente ventilado.

Poder-se-ia argumentar que tais situações poderiam ofender a lei lógica que determina que cada espécie pode pertencer unicamente a uma única classe. Todavia, caso os *tokens* e criptoativos tenham aplicabilidades múltiplas, todas disseminadas (ou seja, ordinariamente utilizadas com aquelas várias funções), estaríamos em realidade diante não de uma, mas de várias subespécies, cada uma alocada na classe correspondente. Eis os *tokens* ou criptoativos híbridos. Esta é a flexibilidade que a dinamicidade do avanço tecnológico se nos impõe.

Isso posto, esclarecemos que nossa proposta classificatória parte da classificação tríplice usualmente mais utilizada ("*currency* ou *payment*", "*utility*" e "*security*"); porém, avança propondo subdivisões em tais classes

[133] Tal fluidez na catalogação dos "*tokens*" ou criptoativos não passou despercebido pelos legisladores dos Estados Unidos ou de Malta. Consta, nas diretrizes recentemente lançadas pela SEC (U.S Securities and Exchange Commission), a fim de indicar os casos em que os criptoativos se enquadrariam no conceito de "contratos de investimento" e, portanto, valores mobiliários, a possibilidade de revisão desses enquadramentos, dada a fluidez das finalidades com que tais ativos poderão ser utilizados. Vide pontos 1 e 2 do tópico "C" do documento, em que há previsões no sentido de serem reavaliados os enquadramentos dos ativos nas condicionantes do "Teste de Howey", justamente para se verificar a continuidade das mesmas, e, por conseguinte, a classificação dos mesmos como valores mobiliários. U.S SECURITIES AND EXCHANGE COMISSION. Framework for "Investment Contract": Analysis of Digital Assets. Disponível em: <https://www.sec.gov/corpfin/framework-investment-contract-analysis-digital-assets>. Acesso em: 07 nov. 2019.
Da mesma forma, na legislação de Malta, primeiro país europeu a regulamentar o assunto, para que um criptoativo esteja sob a regência de legislação específica (VFAA), não deve apresentar características próprias de "instrumento financeiro", caso em que estaria sob a égide da legislação europeia de mercados financeiros. O enquadramento de um ativo virtual na legislação de ativos digitais é condicionado a uma declaração do responsável de que não se trata de "instrumento financeiro". No entanto, tal declaração é temporária e deve ser revista sempre que as características do ativo virtual mudar durante seu ciclo de vida, caso em que tal modificação deverá ser informada à autoridade regente do mercado financeiro e de capitais. Vide: MFSA. Virtual Financial Asset Framework, Disponível em: <https://www.mfsa.com.mt/fintech/virtual-financial-assets/>. Acesso em: 08 nov. 2019.

"tradicionais". Tais subdivisões buscam ser úteis no processo de enquadramento, dentro do contexto brasileiro, das operações com *tokens* em eventuais regimes jurídicos a elas aplicáveis. Ademais, advertimos que os "*whitepapers*", que seriam documentos "oficiais", digamos assim, em que os propósitos estão assentes, é que constituem o substrato a ser analisado. Ainda, é de se ter presente que estamos olhando para o *token*, ou criptoativo, em sua funcionalidade dentro do sistema.

É dizer, estamos nos referindo a *token*, por ser um termo mais genérico que engloba tanto os criptoativos (*tokens* nativos de *blockchain*) quanto ativos tokenizados (representações eletrônicas e criptografadas de ativos do mundo real)[134] — ainda que tal distinção inicial faça mais sentido quando no primeiro momento de catalogação.

De forma didática, eis os questionamentos que devem ser feitos a fim de tentar indicar a que classes os *tokens* pertencem e, por conseguinte, determinar a que regime jurídico poderão eventualmente estar sujeitos:

Figura 11: Propósitos iniciais

Qual é o **propósito inicial?**

CLASSIFICAÇÃO DOS TOKENS E CRIPTOATIVOS: PROPOSTA CRÍTICA E ANÁLISE DE CASOS PRÁTICOS.
Ebook oriundo do GPD de "Tokenização de Ativos". Coordenadoras: Dayana Uhdre e Renata Kroska.

Fonte: Elaborado pela autora

Avancemos nos pormenores de cada uma das três "classes" iniciais, e eventuais subespécies.

O primeiro ponto consiste em identificar a função de "*currency*", isto é, identificar se os *tokens* criados o foram com o propósito de exercer função de meio de troca, próprio meio de pagamento, (concomitan-

134 Verificar se se trata de um (criptoativo) ou outro (ativo tokenizado) depende de uma análise casuística. Ou seja, deverá se analisar o projeto a fim de poder pontuar se estamos diante de criptoativos ou ativos tokenizados.

temente às outras funções monetárias típicas, quais sejam reserva de valor e unidade de conta[135]). Nesse aspecto, é conveniente fazer uma ressalva. Na economia neoclássica, predominante nos cursos de economia, os meios de pagamento consistem "no conjunto de ativos possuídos pelo público que pode ser utilizado a qualquer momento para a liquidação de qualquer compromisso futuro[136]". Trata-se (de conjunto) formado pela moeda física, emitida pelo Estado, e pela moeda escritural, emitida pelas instituições bancárias por meio de concessão de créditos. Daí que, para a corrente econômica neoclássica, atualmente mais aceita, os "*curencies*" não seriam propriamente meios de pagamento, já que, para assim serem considerados, é necessário um reconhecimento estatal — por ora[137] inexistente. Isto é, consoante essa corrente econômica, só é meio de pagamento (moeda), o que o Estado reconhece como tal.

Contudo, existem outras teorias econômicas para definir moeda, entre elas a Escola Austríaca da Economia para a qual é meio de pagamento tudo aquilo que for aceito para essa finalidade. Para essa escola, os meios de pagamento surgem espontaneamente das transações no mercado e depois são reconhecidos pelo Estado[138]. Sob essa perspectiva, um *token* ou criptoativo, ao ser aceito no mercado, já seria meio de troca independentemente da chancela estatal.

Sem adentrar nos pormenores da discussão econômica que envolve o conceito dos meios de pagamento, é importante mencionar que o Fundo Monetário Internacional (FMI), em 2019, recomendou a inclusão dos criptoativos na balança comercial, embora não tenha pormenorizado expressamente como se deve fazê-lo[139]. Acatando tal orientação,

[135] Vale pontuar que a utilização da função "meio de pagamento", em vez das outras duas funções monetárias típicas (reserva de valores e unidades de conta), como critério identificador da espécie de criptoativo se dá em razão de ser ela a principal função (sob a ótica econômica) da moeda. GHIRARDI, Maria do Carmo. *Criptomoedas*. Aspectos Jurídicos. São Paulo: Almedina, 2020, p. 54.

[136] SICSÚ, João. *Economia Monetária Financeira*: teoria e política. 2a. edição. Rio de Janeiro: Elsevier, 2007, p. 4.

[137] Fala-se por ora porque os Central Bank Digital Currency (CBDC), projetos de moedas digitais oficiais, podem vir a ser estruturadas de modo a se tornarem verdadeiros meios de pagamento juridicamente reconhecidos como oficiais.

[138] MENGER, Carl. *The Origens of Money*. Auburn: Ludwig von Misses, 2009.

[139] INTERNATIONAL MONETARY FUND. Statistics Departament. Treatment of Crypto Assets in Macroeconomic Statistics. Disponível em: <https://www.imf.org/external/pubs/ft/bop/2019/pdf/Clarification0422.pdf>. Acesso em: 04 jan. 2020.

o Banco Central do Brasil, desde agosto de 2019, expressamente consolidou as "criptomoedas" em sua balança comercial, como ativos não financeiros produzidos, sendo a atividade de mineração de "criptomoedas" considerada atividade produtiva[140].

Por fim, ainda no que se refere ao ambiente de "*cryptocurrencies*", é de se indagar de que forma serão catalogadas as "moedas virtuais" emitidas por Estados soberanos. Trata-se de um assunto que ganhou repercussão nos últimos dois anos, mormente após o lançamento do projeto Libra, liderado pela *bigtech* Facebook. É que, ante o potencial de adesão da criptomoeda Libra pelos usuários do Facebook (e WhatsApp), discussões relacionadas ao monopólio monetário *vis-à-vis* manutenção da soberania estatal ganharam protagonismo. Eis o ambiente propício ao desenvolvimento de *stablecoins oficiais*, lastradas em moedas soberanas, ou mesmo CBDC's (Central Bank Digital Currencies)[141]. As chamadas *stablecoins* surgiram como resposta à volatilidade das criptomoedas. Ao se atrelar as unidades de criptomoedas a ativos (ou cesto de ativos), lastreando-as, portanto, em "algo de valor", a tendência seria a de se manter certa estabilidade nos valores daquelas unidades. Nessa lógica, seria possível aos Estados emitirem *tokens* representativos de suas moedas-fiat em circulação. Teríamos o e-euro, e-dólar, e-real, em suma,

[140] BANCO CENTRAL DO BRASIL. Estatísticas do setor externo. Documento disponível em: <https://www.bcb.gov.br/estatisticas/estatisticassetorexterno>. Acesso em: 04 jan. 2020.

[141] Sobre o assunto, vide: Ayuso, Juan; Conesa, Carlos. Una introducción al debate actual sobre la moneda digital de banco central (CBDC) (An Introduction to the Current Debate on Central Bank Digital Currency (CBDC)). *Banco de Espana Occasional Paper* N.. 2005. 11 mar. 2020. Disponível em: <https://ssrn.com/abstract=3617558>. Acesso em: 21 set. 2020; Arner, Douglas W.; Buckley, Ross P.; Zetzsche; Dirk Andreas; Didenko, Anton. After Libra, Digital Yuan and COVID-19: Central Bank Digital Currencies and the New World of Money and Payment Systems. *European Banking Institute Working Paper Series 65/2020, University of Hong Kong Faculty of Law Research Paper N.. 2020/036*. 16 jul. 2020., Disponível em: <https://ssrn.com/abstract=3622311>. Acesso em: 21 set. 2020. Sandner, Philipp; Gross, Jonas; Grale, Lena; Schulden, Philipp. The Digital Programmable Euro, Libra and CBDC: Implications for European Banks. *SSRN*, 29 jul. 2020. Disponível em: <https://ssrn.com/abstract=3663142>. Acesso em: 21 set. 2020; Hockett, Robert C. Money's Past is Fintech's Future: Wildcat Crypto, the Digital Dollar, and Citizen Central Banking. *Forthcoming in 2 Stanford Journal of Blockchain Law & Policy (2019)., Cornell Legal Studies Research Paper No. 19-05*. 11 dez. 2018. Disponível em: <https://ssrn.com/abstract=3299555 or http://dx.doi.org/10.2139/ssrn.3299555>. Acesso em: 22 set. 2020.

stablecoins oficiais. Já os CBDC's se referem a projetos em que a própria emissão já ocorre por meio de ativos criptográficos. Isso significa que a emissão da moeda oficial já se dá em ambiente inteiramente virtual, alçando o *token* à categoria de moeda-fiat.

Tanto em um (*stablecoins* oficiais) quanto em outro (CDBC's) caso, temos, no ambiente virtual (da rede *blockchain* ou correlata), um *token* emitido por ente oficial vocacionado a funcionar como moeda (pagamento, reserva de valor e unidade e conta). É de uma criptomoeda ("*cryptocurrencies*") que se trataria, portanto. Por se tratar aqui de criptomoedas oficiais, e nesse ponto opostas às criptomoedas privadas (bitcoin, tether etc.), propomos tal critério de "oficialidade" para fins de subcategorização da espécie "criptomoedas". Em suma, eis os questionamentos que devem aqui ser feitos:

FIGURA 12: Criptomoedas

Subespécies: **Criptocurrencies**

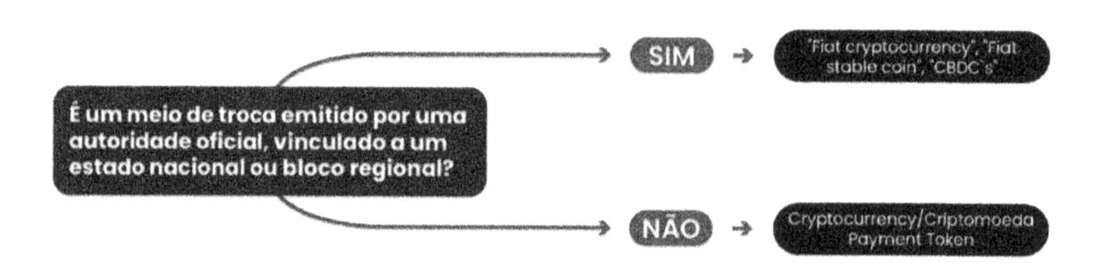

CLASSIFICAÇÃO DOS TOKENS E CRIPTOATIVOS: PROPOSTA CRÍTICA E ANÁLISE DE CASOS PRÁTICOS.
Ebook oriundo do GPD de "Tokenização de Ativos". Coordenadoras: Dayana Uhdre e Renata Kroska.

Fonte: Elaborada pela autora

Descartado se tratar de *currencies*, o próximo ponto consiste em identificar se o *token* tem por propósito o de ser um valor mobiliário (tal qual o chamado, no direito brasileiro, "contrato de investimento coletivo", inspirado no "Howie Test" norte-americano[142]). Para facilitar tal intento,

[142] O "Teste de Howey" é um teste criado pelo Supremo Tribunal Federal para determinar se certas transações se qualificam como "contratos de investimento". Se assim forem enquadradas, deverão observar o Securities Act de 1933 e o Securities Exchange Act de 1934, que impõem condições e requisitos à oferta pública desses títulos. Consoante o teste de Howey, uma transação é um contrato de investimento se presentes, cumulativamente, as seguinte

desenhou-se uma árvore (de decisões) buscando identificar os principais papéis comercializados na bolsa de valores brasileira. Caso a resposta seja afirmativa para alguma das questões, tratar-se-á de um *security token* o qual deve seguir as regulamentações da Comissão de Valores Mobiliários (CVM). Do contrário, se o uso for restrito a uma plataforma para troca por bens ou serviços, possivelmente trata-se-á de uma *utility*.

Pois bem, para facilitar o exame, trazem-se questionamentos aptos a auxiliar a identificação de figuras como ações, debêntures, bônus de subscrição, opções, *swaps*, mercado a termo e mercado de futuros — figuras essas tradicionais no mercado de ações.

características: (i) investimento de dinheiro, (ii) expectativa de lucro com o investimento, (iii) investimento (de dinheiro) em um empreendimento comum, (iv) lucro oriundo dos esforços de terceiros. MATTOS FILHO, Ary Oswaldo. *Direito dos Valores Mobiliários*. Vol. 1: Tomo 1. FGV Editora, 2015, p. 68.

FIGURA 13: *Securities Tokens*

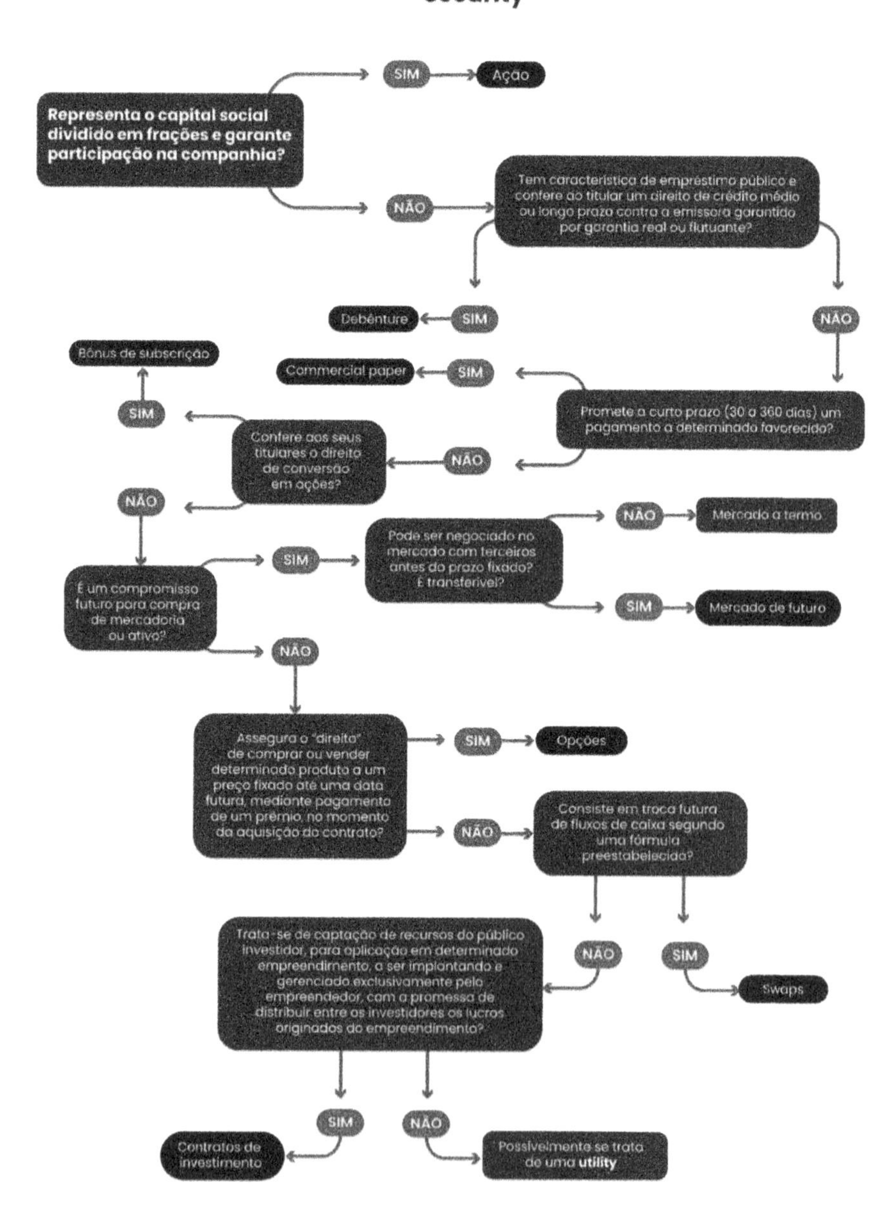

Fonte: Elaborado pela autora

Descartadas as hipóteses de que se trata de *criptocurrency* ou de *securitiy token*, por exclusão, diante de um *utility token*. Trata-se, pois, de uma categoria residual que pode possuir um ou mais propósitos específicos. As *utilities* possuem um ou mais propósitos específicos. Porém, se qualquer dos propósitos for recondizível a categoria "security", prevalecerá a legislação da CVM para a espécie existente. Seriam casos de *utilities*, por exemplo, *tokens* cujo propósito principal seja viabilizar projetos oferecendo, em contrapartida a valores recebidos, preferência na aquisição de produtos ou serviços, ou mesmo determinadas funcionalidades em plataformas, ou ainda fornecer direito a voto. Contudo, reitere-se, sempre que se verificarem critérios que potencialmente os reconduzam à categoria de contratos de investimentos, retoma-se sua análise como de *security token* se tratasse.

Figura 14: *Utility Tokens*

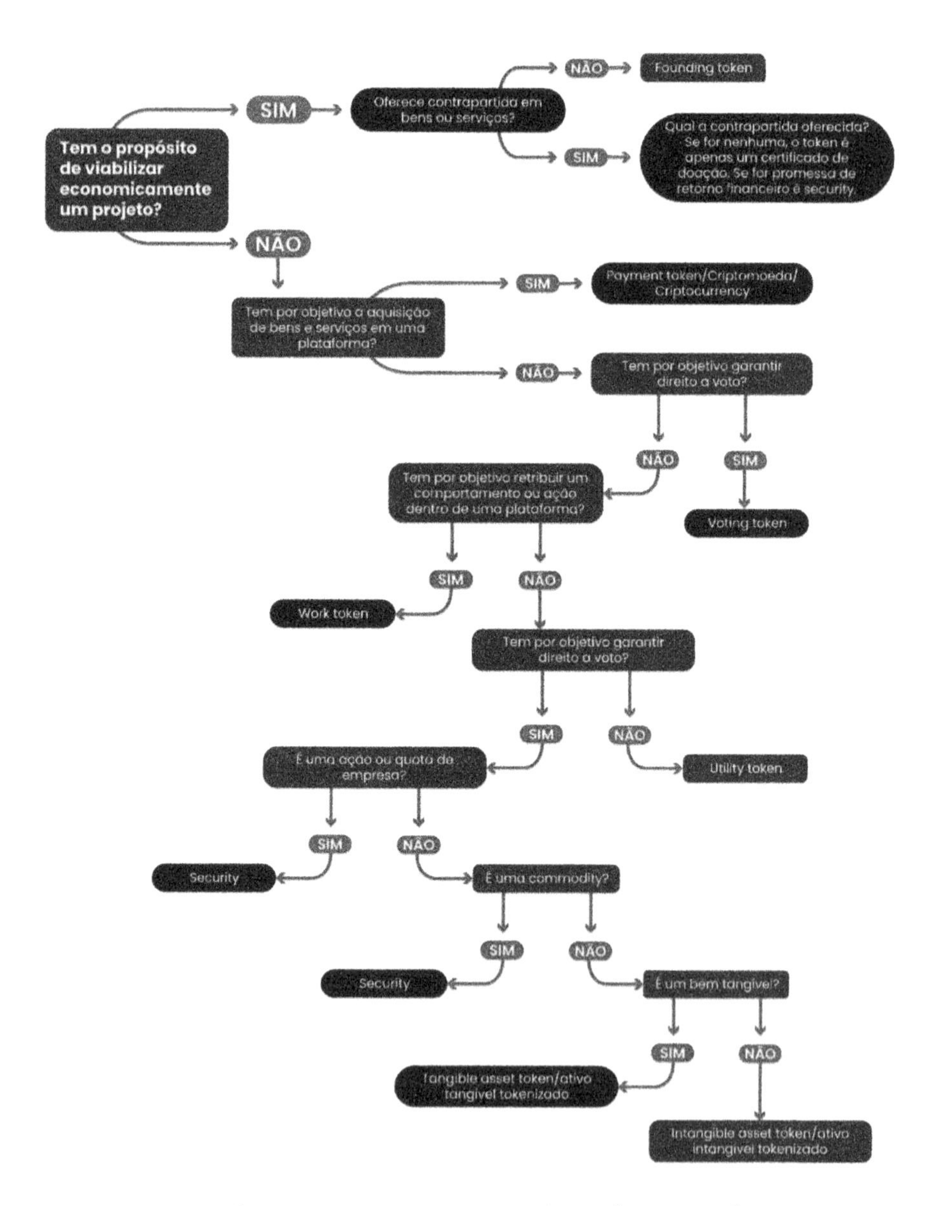

Fonte: Elaborado pela autora

Note-se que, na árvore das *securities*, não consta a hipótese de fundos de investimento que consistem em uma comunhão de recursos, constituídos sob a forma de condomínio, destinado à aplicação em ativos financeiros. Os fundos de investimento são regulados pela CVM, porém, não possuem personalidade jurídica. Cumpre pontuar que, por ora, não é possível a criação de fundos de investimentos em ativos criptográficos no Brasil, pelo menos não diretamente. Porém, indiretamente o é. É que a Instrução CVM nº 555, em seu arts. 98 e seguintes, permite a aquisição, por esses fundos, de cotas de fundos e derivativos estrangeiros que contenham criptoativos em seu cestos, desde que tais fundos (estrangeiros) sejam admitidos e regulamentados naqueles mercados[143].

A proposta, portanto, é identificar o escopo (ou escopos) principal (ou principais) dos *tokens* e, com isso, identificar a regulamentação relativa às operações com esses ativos virtuais aplicável. Tal método também permite, ao analisar os projetos existentes, identificar os potenciais riscos em que poderão incorrer, bem como indicar as potenciais regulamentações aplicáveis, o que pode conferir mais segurança ao investidor.

[143] COMISSÃO DE VALORES MOBILIÁRIOS. Instrução nº 555 e Ofício Circular nº 11/2018/CVM/SIN. Disponível em: <http://www.cvm.gov.br/export/sites/cvm/legislacao/oficios-circulares/sin/anexos/oc-sin-1118.pdf>. Acesso em: 22 ago. 2020.

Capítulo 4
Blockchain, Tokens e Criptoativos como uma Tecnologia Passível de Regulamentação?

Falar em regulamentação do "ecossistema" (ou "ecossistemas") *blockchain*(s) soa, em certa medida, contraditório ao propósito por essa tecnologia inicialmente encampado. Relembremos que a primeira aplicabilidade da tecnologia *blockchain*, o protocolo Bitcoin, teve por filosofia e ideário central justamente "fugir" das instituições tradicionais e oficiais (mormente bancos e o próprio Estado). Conforme vimos no capítulo 2, o contexto em que foi apresentado o *whitepaper* do Bitcoin, e estruturado o protocolo, era o de crise dos sistemas financeiros causada pela bolha dos créditos imobiliários dos EUA. Aliás, o bloco-gênese do Bitcoin trazia a seguinte mensagem: "The Times 03/Jan/2009 Chancellor on brink of second bailout for banks"[144], alusão à matéria do The Times de 03 de janeiro de 2009 e em clara crítica ao socorro financeiro dado pelos Estados às instituições financeiras tradicionais em colapso.

Isso quer dizer que o mote subjacente ao projeto Bitcoin ("*a peer-to-peer eletronic cash system*"[145]) foi o de possibilitar a transferência de

[144] "The Times 03/Jan/2009 Chanceler à beira de um segundo resgate para bancos". Matéria disponível em : <https://www.thetimes.co.uk/article/chancellor-alistair-darling-on-brink-of-second-bailout-for-banks-n9l382mn62h>. Acesso em: 03 ago. 2020.

[145] Nakamoto, Satoshi. Bitcoin: A Peer-to-Peer Electronic Cash System. Disponível em: <https://bitcoin.org/bitcoin.pdf>. Acesso em: 03 ago. 2020.

valores diretamente entre as pessoas, sem a presença dos intermediários de confiança, papel esse exercido por "agentes estatais", e que se revelaram não serem de fato confiáveis. Utilizamos a expressão entre aspas a fim de pontuar que não estamos nos referindo a agentes ou órgãos estatais em sentido estrito, mas em uma acepção mais ampla, incluindo os agentes privados que fazem parte do sistema financeiro hodierno. É que, por se tratar de eixo central à economia de um Estado, acaba por ser nicho mercadológico fortemente regulado, em que os operadores privados estão em quase simbiose[146] com o Estado regulador, o que acaba levando, no jargão popular, "a se tomar um pelo outro".

De encontro a esse "estado de arte", as criptomoedas nascem como uma ode libertária, dentro de um movimento maior de "empoderamento do ser"[147]. É proposta uma estrutura tecnológica apta a permitir que as trocas de valores ocorram diretamente entre partes que não se conhecem (P2P), sem a necessidade de intermediação por parte dos agentes financeiros tradicionais, à semelhança de uma transação "em dinheiro vivo". Aqui, as pessoas são seus próprios "bancos". E mais: a ideologia fundamentadora do *Bitcoin* é de tal monta radical-libertária que a própria unidade representativa desses valores (bitcoin) nem sequer existe, mesmo virtualmente[148]: impede-se qualquer investidura estatal de se "bloquear", ou "confiscar", tais "bens".

Essa extrema liberdade não tardou a mostrar seu lado negativo. A dificuldade de controle estatal e certo anonimato possibilitados pelas criptomoedas acabaram incentivando seu uso criminoso, sendo o caso "Silk Road" seu exemplo mais caricato. Não é de se espantar que a difusão de um instrumento digital (criptomoeda) apto a intermediar transações econômicas em tese incontroláveis pelos Estados (seja quem

[146] Ou ao menos assim deveria ser. A higidez do sistema financeiro — e monetário — de um país é estrutural à Economia. Vide os efeitos nefastos que a crise de 2008, desencadeada pelo abuso perpetrado por agentes pertencentes ao ecossistema financeiro, causou à economia mundial.

[147] Ideia subjacente a inúmeras reflexões sociológicas levada a efeito sobre a sociedade hodierna. Sobre o assunto, vide: Bauman, Zygmunt. *Modernidade Líquida.* Rio de Janeiro: Zahar, 2001; Naím, Moisés. *O Fim do Poder.* São Paulo: Leya, 2013; Lévy, Pierre. *Cibercultura.* São Paulo: Editora 34, 2010.

[148] O que existe são apenas registros, na *Blockchain* do Bitcoin, de transações feitas. Ou seja, o "ativo" representado pela palavra "bitcoin" não existe, sendo uma aceitação tácita de valor pelos aderentes ao sistema.

as celebram, ou os objetos negociados, ou mesmo alguma conexão com dada territorialidade) alarmasse as autoridades públicas. Estava-se diante de uma representação digital de valor facilitadora do cometimento de crimes, tais como lavagem de dinheiro, evasão de divisas e financiamento ao tráfico de entorpecentes e pessoas, e até o terrorismo.

Mas as preocupações, por parte das autoridades estatais, não paravam por aqui. É que, nesses mais de dez anos de existência, o ecossistema de criptoativos desenvolveu-se, ganhando não só em número de adeptos, como também em promessas de aplicações as mais variadas possíveis. A segunda onda dessa tecnologia (*blockchain*), então nascente, foi inaugurada com o lançamento da plataforma Ethereum. Tal projeto, capitaneado, entre outros, por Vitalik Buterin, tinha por pretensão tornar-se uma *blockchain* de base ao desenvolvimento de outros projetos em criptoativos. Eis o contexto em que a ascensão da ideia em torno dos smart contracts ganha fôlego.

Foi ainda, nessa segunda onda, que o *boom* das ofertas iniciais de *tokens*, popularizadas pelo seu anacrônico ICO's (Inicial Coin Offering), teve espaço, sendo arrecadados, em curtíssimo espaço de tempo, milhões (ou mesmo bilhões[149]) de dólares em projetos muitas vezes frágeis ou mesmo inconsistentes. Muitos investidores neófitos, atraídos pela promessa de ganhos exponenciais, apostaram alto nessas ofertas iniciais de *tokens*. Por se tratar de um mercado nascente e ainda carente de regulação, acabou-se por testemunhar uma série de golpes, "esquemas Ponzi"[150], lesivos à economia popular. A resposta estatal não tardou a aparecer, sendo publicados avisos, orientações ao público[151], bem como emitidas notificações aos emissores que atrelavam os ganhos dos seus *tokens* a lucros futuros para que parassem suas ofertas públicas, porque carentes da chancela estatal. Interpretou-se que, dadas as semelhanças

[149] O ICO da EOS arrecadou mais de 4 bilhões de dólares e o da Telegram 1,7 bilhões aproximadamente. Sobre os maiores ICO'S, vide: Lielacher, Alex. Top 10 Biggest ICO's (by Amount Raised). *Bitcoin Market Journal*, 01 ago. 2018. <https://www.bitcoinmarketjournal.com/biggest-icos/>. Acesso em: 03 ago. 2020.

[150] Vide nota de rodapé nº 70.

[151] Dos quais são exemplos os Comunicados nº 25.306/2014 e nº 31.379/2017 do Banco Central do Brasil (BACEN) e manifestações da Comissão de Valores Mobiliários (CVM), esta última disponível em: COMISSÃO DE VALORES MOBILIÁRIOS. *Initial Coin Offering*. 11 out. 2017. Disponível em: <http://www.cvm.gov.br/noticias/arquivos/2017/20171011-1.html>. Acesso em: 02 ago. 2020.

dessas ofertas iniciais com as de valores mobiliários, as condições impostas pela legislação de mercados de capitais devem ser observadas. Eis aqui mais um eixo de preocupações aos entes estatais.

Além disso, testemunhou-se a eclosão de um mercado voltado à realização de *trade* de criptomoedas, notadamente de bitcoins[152]. Mineradores, "*pool* de mineração", *exchanges*, "*traders* baleias" são alguns dos termos, referentes a partícipes, conexos a essa indústria emergente da qual passamos a costumeiramente ouvir. Trata-se, aqui, de mercado essencialmente especulativo, movimentando hoje um volume diário de aproximadamente U$132.115.101.764,00[153]. Estamos diante de manifestações de riquezas bilionárias, e que, como tal, devem (ou deveriam) estar afetas ao pagamento de tributos. Ademais, por se tratar de representações digitais de valor — as criptomoedas — vocacionadas a serem globais, pois não atreláveis a qualquer soberania, incrementam o risco de serem utilizadas para fins de evasão de divisas. Eis, portanto, mais fontes de preocupações dos Estados.

Mas nem só preocupações o avanço dessa tecnologia trouxe aos Estados. Foram também vislumbradas possibilidades. Em uma frente, testemunhamos o pioneirismo de alguns países em estabelecer ambiente regulatório adequado ao desenvolvimento de projetos em *blockchain* e/ou tecnologias correlatas. São os chamados países "*crypto-friendlies*", que vislumbraram desde cedo o potencial econômico e estratégico que tal mercado tem, atraindo para seus territórios os investimentos a ele relacionados. Por outro lado, é possível vermos iniciativas voltadas à utilização desse ferramental tecnológico para solução, ou aprimoramento, de atividades administrativas *lato sensu*. É o caso, por exemplo, das iniciativas que defendem "tokenizar" variadas informações estatais (desde registros públicos, perpassando por processos licitatórios, até as próprias verbas públicas) para fins de se lhes proporcionar maior segurança e transparência, além de minorar os custos administrativos envolvidos. Também é o caso das iniciativas em torno das chamadas Central Bank Digital *Currency* (CBDC[154]), verdadeiras moedas virtuais oficiais que

[152] A dominância de mercado dessa criptomoeda está estimada atualmente em mais de 60%. Consoante dados do site da CoinMarketCap, em 02 de agosto de 2020, ela já é de 61,3%. Disponível em: <https://coinmarketcap.com/charts/>. Acesso em: 02 ago. 2020.

[153] Disponível em: <https://coinmarketcap.com/charts/>. Acesso em: 02 ago. 2020.

[154] Em que pese não serem em todo novas essas iniciativas, posto já se ter notícias de projetos na Bolívia e no Uruguai que datam de mais de dois anos, é fato que ganharam fôlego

podem ser utilizadas a fim de otimizar as liquidações interbancárias, ou mesmo para revolucionar o mercado financeiro e monetário como um todo.

Aliás, relativamente a esse último ponto, têm-se visto inúmeras iniciativas dos Bancos Centrais pelo mundo a fim de sedimentar o terreno para lidar com esse novo sistema financeiro e monetário que tende a se instaurar. É de se pontuar que os estudos iniciais[155] acerca do impacto das transações com criptomoedas no cenário financeiro macro concluíram pela sua insignificância, em razão da sua pequena expressão *vis-à-vis* o volume global transacionados. No entanto, não podemos nos esquecer do componente comportamental. Os criptoativos são ferramentas tecnológicas que não só permitem a "modernização" do sistema financeiro[156] como ainda estão em consonância ao movimento maior de individualismo e "empoderamento do ser", de modo a não ser desprezível a possibilidade de disseminação em sua adoção — sobretudo quando entram em cena as gigantes de tecnologia[157]. Daí que a manutenção do controle da política monetária bem como da higidez do sistema financeiro se revelam preocupações a também serem administradas.

Ora, os pontos acima mencionados obviamente não esgotam as vicissitudes e oportunidades que o desenvolvimento, em progresso, do ecossistema cripto traz ou continuará a trazer. Hoje já é possível falarmos em gerações de *blockchains*[158] resultantes da convergência de outras

e importância após as investidas de *Big techs* no nicho de meios de pagamentos por meio de *coins* lastreadas em ativos (*"stable coins"*). Referimo-nos ao consórcio Calibra capitaneado pelo Facebook que tinha por objetivo inicial, ao lançar a Libra, exercer papéis que em muito se assemelhavam ao das moedas oficiais (meio de pagamento) e ao dos bancos centrais, razão pela qual causou mal-estar em todo o mundo.

[155] EUROPEAN CENTRAL BANK. Virtual currency Schemes. Outubro 2012. Disponível em: <https://www.ecb.europa.eu/pub/pdf/other/virtualcurrencyschemes201210en.pdf>; BANK FOR INTERNATIONAL SETTLEMENTS. Bis Annual Economic Report. Cryptocurrencies: looking beyond the hype. 17 jun. 2018. Disponível em: <https://www.bis.org/publ/arpdf/ar2018e5.htm>; INTERNATIONAL MONETARY FUND. Global Financial Stability Report April 2018: A Bumpy Road Ahead. Abril 2018. Disponível em: <https://www.imf.org/en/Publications/GFSR/Issues/2018/04/02/Global-Financial-Stability-Report-April-2018>. Acesso em: 02 ago. 2020.

[156] Sistema financeiro que, apesar de existente na era digital, ainda não havia ingressado nessa nova forma de existir: trabalha-se ainda com horário comercial, dias úteis etc.

[157] Referimo-nos ao projeto Libra, capitaneado pelo Facebook, por exemplo.

[158] Tal qual mencionado no item 2.3 do Capítulo 2. Ainda sobre o assunto: SRIVASYAVA, Abhishek et al. A Systematic Review on Evolution of Blockchain Generations. *ITEE*

tecnologias, e que embalam inúmeras outras potencialidades, assim como preocupações. Contudo, é nas duas primeiras (gerações[159]) que reside a maioria das investidas e discussões hoje presentes nas agendas estatais. E, consoante brevemente mapeamos linhas atrás, os pontos que têm chamado a atenção dos Estados-nações, e suas pretensões regulatórias, são de quatro ordens principais: (i) utilização das criptomoedas para fins criminosos (evasão de divisas, lavagem de dinheiro, financiamento ao tráfico e ao terrorismo); (ii) captação pública de valores e a necessária proteção dos investidores; (iii) higidez do sistema financeiro e monetário; e (iv) tributação dessas "manifestações de riqueza"[160].

Identificados, *grosso modo*, os principais desafios impostos aos Estados, os debates passam a ser sobre "como" enfrentá-los. De um lado, o objetivo central é minorar os riscos trazidos por uma tecnologia que nasceu para desafiar o *status quo*; de outro, é não "aniquilar" o efervescer de um ferramental tecnológico (ou conglomerado de) que se mostra potencialmente benéfico à evolução socioeconômica. E, no desempenho dessa missão — que está longe de ser simples —, vemos, para além de debates promovidos em arenas internacionais (OCDE, ONU, FMI BIS, FATF), a proposição de alguns diplomas legislativos, sejam inaugurais, sejam adaptativos, das normativas vigentes para reger essas novas realidades do universo dos "criptoativos".

Nosso objetivo aqui, é ingressar no debate relativo a essa regulamentação, compreendendo de que forma o Brasil, mesmo não estando na vanguarda do assunto, tem buscado lidar com os desafios impostos por essa realidade global. Nesse ínterim, faremos, neste capítulo, uma rápida incursão em algumas propostas formuladas alhures. Entendo que tal movimento nos possibilita, embora com algumas limitações, ter con-

Journal. vol. 7, issue 6, dez. 2018. Disponível em: <https://www.researchgate.net/publication/330358000_A_Systematic_Review_on_Evolution_of_*Blockchain*_Generations>. Acesso em: 02 ago. 2020. Relictum Pro. Blockchain 5.0: Here's Why We Need it Today. Disponível em:: <https://medium.com/@relictumpro/blockchain-5-0-heres-why-we-need-it-today-b25bfb288e6c>. Acesso em: 02 ago. 2020.

[159] Relacionadas, respectivamente, à rede Bitcoin e ao protocolo Etherium.

[160] Nesse sentido, vale a menção às 21 propostas em posse do Congresso americano e que, em grande parte, visam lidar justamente com essas ordens de preocupações. Sobre o assunto, vide: Brett, Jason. *Forbes*. Disponível em: <https://www.forbes.com/sites/jasonbrett/2019/12/21/crypto-legislation-2020-analysis-of-21-cryptocurrency-and-blockchain-bills-in-congress/#34b4ee9b56c1>. Acesso em: 03 ago. 2020.

tato com outras perspectivas, instrumentalizando-nos para um debate (e diálogo) mais produtivo quando em foco as perspectivas regulatórias brasileiras[161].

4.1. *Blockchain* como tecnologia passível de regulação?

Ao se falar em regulação, estamos em última análise tratando do delicado equilíbrio entre liberdade de iniciativa e intervenção estatal na economia. Em um Estado de cariz capitalista, tal qual é o nosso, cabe à iniciativa privada o protagonismo da atividade econômica[162]. No entanto, incumbe ao Estado o exercício direto de atividades econômicas cuja relevância do interesse público em causa exija um exercício mesmo monopolista, bem como, por meio da regulação, a direção, o planejamento e a supervisão das atividades econômicas, exercidas pelos particulares, também em razão de interesses públicos relevantes[163].

É de se pontuar, juntamente a Ana Prado Garcia, que tal atuação estatal no exercício de atividades econômicas (prestações) alterou-se ao longo do tempo. Isto é, consoante os momentos históricos e as exigências socioeconômicas em cena, um ou outro discurso ganhou maior espaço, ampliando-se ou diminuindo-se o papel a ser desempenhado pelo Estado[164]. De qualquer forma, em um cenário de capitalismo cada vez mais globalizado, impulsionado em grande medida pelo desenvolvimento tecnológico, o exercício, pelo Estado, de seu papel de agente normalizador e regulador face a eventuais externalidades negativas e/ou falhas de mercado presentes em tal *modus operandi* parece se mostrar relevante.

[161] Fala-se no plural, posto serem várias as propostas regulatórias atualmente em trâmite. Para além de cinco propostas legislativas específicas ao tema — duas na Câmara dos Deputados e outras três no Senado (propostas essas que serão analisadas na sequência) —, observamos propostas de modificações legislativas pontuais que possibilitem a adaptação do arcabouço frente a essas "novas realidades". Vide próximo capítulo.

[162] Consoante art. 170, I, III e IV da Constituição Federal.

[163] Conforme art. 173 e 174 da Constituição Federal.

[164] Conforme Lucas Antônio Leitão, a mencionada professora salienta que a "'evolução capitalista alastrou desigualdades'", e que "para cada período histórico há uma variante na atuação do Estado, pautada na tênue relação entre liberdade econômica e intervenção estatal". Leitão, Lucas Antônio. Desmistificando as criptomoedas e o blockchain: a (des)necessária intervenção estatal. *Fórum Administrativo — FA*, Belo Horizonte, ano 18, n. 214, p. 50-63, dez. 2018, p. 52.

Sem adentrar aos debates, e em que pese serem inúmeras as variáveis que influem na estruturação do regime regulatório[165], cumpre pontuar que sempre há um objetivo, ou objetivos, último(s)[166], fundamentado(s) em interesses públicos[167], a nortear(em) a atuação estatal. Assim é que a disciplina normativa imposta ao mercado de capitais, por exemplo, objetiva, entre outras coisas, minimizar as assimetrias informacionais e

[165] Nesse sentido, "*The further we go into the analysis of the roots of regulation, the clearer it becomes that it is not possible to summarise briefly the process and development behind regulation. Given the multiplicity of laws arising from the most diverse causes, with different processes and timing, we cannot settle on a single theory. As we move toward an increasingly globalised world, where standardisation will become the origin of law, in the future the 'primary' cause of the birth of legislation might be attributed to this. However, nowadays, the different theories, habits and customs around the world are the ingredients to study and seek at the heart of any regulation*". Em tradução livre: "Quanto mais avançamos na análise das raízes da regulação, mais claro se torna que não é possível resumir brevemente o processo e o desenvolvimento por trás da regulação. Dada a multiplicidade de leis decorrentes das mais diversas causas, com processos e tempos diferentes, não podemos estabelecer uma única teoria. À medida que avançamos em direção a um mundo cada vez mais globalizado, onde a padronização se tornará a origem da lei, no futuro a causa "primária" do nascimento da legislação pode ser atribuída a isso. Porém, hoje em dia, as diferentes teorias, hábitos e costumes ao redor do mundo são os ingredientes a estudar e buscar no cerne de qualquer regulamentação". PERANI, Giovani. *Blockchain*: Is Self-Regulation Sufficient?. Dissertação (LLM. in Comercial Law). Law School. Queen Mary University of London, London, p. 10.

[166] Nesse sentido: "When being drawn up, every regulation has a principal aim which must be considered. For example, the main purpose of financial regulations is to prevent financial instability, and thus, one of its targets is to minimise or eliminate direct losses to innocent bystanders and minimise the economic impact of a systemic financial crisis". Tradução livre: "Ao ser elaborado, todo regulamento tem um objetivo principal que deve ser considerado. Por exemplo, o principal objetivo da regulamentação financeira é prevenir a instabilidade financeira e, portanto, uma de suas metas é minimizar ou eliminar as perdas diretas para transeuntes inocentes e minimizar o impacto econômico de uma crise financeira sistêmica". PERANI, Giovani. *Blockchain*: Is Self-Regulation Sufficient?. 2017. Dissertação (LLM. in Comercial Law). Law School. Queen Mary University of London, London, p. 10.

[167] "There are several reasons why governments may regulate a particular activity or behaviour. In general, the main purpose comes down to matters regarding public safety or economic interests. *The technical justification, however, remains the pursuit of public interest*".
Em tradução livre: "Existem várias razões pelas quais os governos podem regulamentar uma determinada atividade ou comportamento. Em geral, o objetivo principal se resume a questões de segurança pública ou de interesse econômico. *A justificativa técnica, no entanto, continua sendo a busca do interesse público*" (Grifou-se). PERANI, Giovani. *Blockchain*: Is Self--Regulation Sufficient? Dissertação (LLM. in Comercial Law). Law School. Queen Mary University of London, London, p. 9.

a estruturação de eventuais esquemas Ponzi[168] em detrimento da economia popular. É de detecção e minoração de riscos que se está, em última análise, a tratar.

Tais papéis estatais têm por pressuposto o exercício legítimo de suas soberanias — soberanias essas atreladas, em grande medida, aos seus limites territoriais. Ocorre que, consoante pontuado no primeiro capítulo desse livro, o desenvolvimento tecnológico vivenciado nas últimas décadas tem catalisado o desmantelamento dessa noção de materialidade, territorialidade e tangibilidade das operações. No caso específico da *blockchain* não permissionada e aberta[169] (tal qual a plataforma Bitcoin), as operações, além de existirem apenas no ambiente virtual, podem ser feitas entre pessoas localizadas em qualquer localidade no mundo. Daí se falar que seriam informações (das transações realizadas) existentes em todos os pontos da rede e, ao mesmo tempo, em local nenhum.

Essa ausência de nexos que conectem tais operações a uma dada territorialidade acabou por impulsionar a defesa, por parte de alguns, da impossibilidade de os Estados imiscuírem-se, normatizando ou regulamentando, as relações levadas a cabo nesse ambiente cibernético[170]. Trata-se, aliás, de discurso já feito quando do advento da Internet, sendo icônica a Declaração de Independência do Ciberespaço, que assim proclamava:

> Governos do mundo industrial, vocês, gigantes cansados de carne e aço, eu venho do ciberespaço, a nova casa da mente. Em nome do futuro,

[168] Vide nota de rodapé nº 66.

[169] Sobre a catalogação das blockchains, vide Capítulo 2 (item 2.2.1).

[170] *"The presumption underlying this movement was that, since cyverspace is not anchoreed in territorial space, States would be unable to exercise territorial competente. The same argument is now being repeated in relation to permissionless blockchains, a network based on nodes replicated around the globe"*. FINCKE, Michèle. *Blockchain.* Regulation and Governance in Europe. Cambridge: Cambridge University Press, 2018, p. 37. No mesmo sentido: *"These concerns about the regulability of blockchain resonate with academic debates concerning the regulability of the internet which took place when it first emerged. Cyber-libertarians claimed that the internet's distributed, global nature rendered it essentially ungovernable by nation states and beyond the effective reach of law, owing to the possibility for anonymous participation and the high degree of mobility of participants in cyberspace, enabling them to relocate freely to other areas of cyberspace"*. YEAUNG, Karen. Regulation by Blockchain: the Emerging Battle for Supremacy between the Code *of* Law and Code *as* Law. *The Modern Law Review Limited*, vol. 82, n. 2, p. 207–239, 2019, p. 214.

> peço ao passado que nos deixe em paz. Você não é bem vindo entre nós. Você não tem soberania onde nos reunimos. Não temos governo eleito, nem é provável que o tenhamos, portanto, dirijo-me a vocês com nenhuma autoridade maior do que aquela com sempre dita pela própria liberdade. Eu declaro que o espaço social global que estamos construindo é naturalmente independente das tiranias que vocês procuram nos impor. Você não tem o direito moral de nos governar nem possui quaisquer métodos de aplicação que tenhamos motivos verdadeiros para temer (tradução livre)[171].

Trata-se de verdadeira expressão poética do ciberliberalismo que ganha agora mais força com a tecnologia *blockchain*. É que parece existir uma certa crença difundida de que, em razão de não existir um único ponto de controle nas redes *blockchains* pública e não permissionadas, estariam elas imunes à regulação e/ou à coerção estatal. No entanto, como bem nos lembra Jack Goldsmith e Tim Wu, se tem algo que os desafios regulatórios impostos pela Internet nos mostrou foi que, em realidade, não há uma completa descentralização da rede, existindo pontos de controle — os chamados pontos de acesso regulatórios — aos quais se pode impor o cumprimento de determinações normativas[172]. E assim o é porque, como bem pontua Lawrence Lessing, nunca estamos unicamente no cyberespaço, nunca estamos "lá", mas antes no mundo real e no ciberespaço ao mesmo tempo[173].

[171] No original: "*Governments of the Industrial World, you weary giants of flesh and steel, I come from Cyberspace, the new home of Mind. On behalf of the future, I ask you of the past to leave us alone. You are not welcome among us. You have no sovereignty where we gather. We have no elected government, nor are we likely to have one, so I address you with no greater authority than that with which liberty itself always speaks. I declare the global social space we are building to be naturally independent of the tyrannies you seek to impose on us. You have no moral right to rule us nor do you possess any methods of enforcement we have true reason to fear*". Barlow, John Perry. A Declaration of Independence of Cyberspace. Disponível em: <https://www.eff.org/pt-br/cyberspace-independence>. Acesso em: 09 set. 2020.

[172] Goldsmith, Jack; Wu, Tim. *Who controls the Internet?*. Oxford: Oxford University Press, 2006.

[173] No original: "You are never just in cyberspace; you never just go there. You are always both in real space and in cyberspace at the same time". Lessing, Lawrence. *Code and other Laws of Cyberspace*. New York: Basic BOOKS, 1999, p. 21.

Com isso, queremos dizer que o mundo *bit* e *bytes* tem partícipes em carne e osso; daí que, embora as operações ocorram em ambiente inteiramente digital, as pessoas (naturais e jurídicas) nelas envolvidas têm inafastável presença física (ainda que ficta, caso das pessoas "legais"). Assim, não é o ciberespaço, mas as transações realizadas — ainda que de forma indireta — por pessoas "reais" é que acabam sendo o foco de normalização estatal. Não obstante, não podemos nos esquecer também que as operações ocorrem no ambiente cibernético, o qual igualmente é regido por suas próprias leis, codificadas em comandos programados — e por vezes reprogramáveis.

Vale pontuar então que o que de fato presenciamos é, antes de tudo, uma intrigante e complexa trama entre as normas do mundo real — jurídicas, sociais ou mesmo econômicas —, cujo foco são os comportamentos humanos sociais, *vis-à-vis* àquelas afetas ao mundo cibernético — códigos. Daí que um primeiro passo para uma compreensão mais holística e crítica dos potenciais pontos de acessos regulatórios parece ser o de se buscar olhar esse intricado relacionamento entre regulação e código.

4.1.1. Regulação e Código

Blockchains são essencialmente códigos de software. Inafastável assim analisar, ainda que brevemente, essa dimensão regulatória dos códigos, e mais especificamente, como se pode dar a interação entre essa dimensão e a regulação estatal tradicional. Há inúmeros relatos em doutrina salientando a complexidade da trama que envolve o relacionamento entre códigos e as leis. É certo que, sob uma determinada ótica, como bem nos lembra Lawrence Lessing, o código é lei. Consoante o autor, o código do ciberespaço, conformado por sua arquitetura tecnológica (*hardware* e *software*), é uma lei, posto se tratar de uma compilação de regras de condutas sociais aceitas pelos participantes.

Quem ingressa no sistema tecnologicamente estruturado aceita as regras e instruções por esses algoritmos impostas, e consoante elas se comporta. Daí porque defende Lessig existir um novo agente regulador da sociedade, principalmente quando se tratar de operações levadas a efeito no ciberespaço, qual seja o código. Assim, da mesma forma que no "espaço real" as pessoas reconhecem as leis jurídicas como agentes reguladores da sociedade; no ciberespaço, deve-se entender que um "código" diferente regula a sociedade: o código do ciberespaço. Trata-se de conjunto de *hardware* e *software* que, ao mesmo tempo que erige (constrói) o ciberespaço, também o regula, assim como as transações que naquele ambiente poderão ser levadas a efeito[174]. E justamente por estarmos vivenciando uma era em que a tecnologia cada vez mais tem sido utilizada, fazendo parte do nosso cotidiano e hábitos sociais, essa faceta normativa imposta pelos algoritmos acaba por ganhar mais espaço, paralelamente às outras dimensões normativas sociais mais "tradicionais" (tal como a moral, a ética e a jurídica).

E é essa intersecção entre essas várias camadas normativas que os entes reguladores não podem deixar de ter em conta ao se encarar as mudanças perpetradas com e pelo avanço tecnológico. Levando em consideração a primazia do sistema jurídico para fins de disciplina das relações socioeconômicas mais relevantes, é nos efeitos que sob ela impinge a dimensão regulatória dos algoritmos que nos focaremos. Pois bem, códigos podem ser utilizados para tangenciar a disciplina legal vigente. Mas podem também se mostrar verdadeiros instrumentos de otimização de *compliance*, ao possibilitar a implementação de uma autorregulação consentânea à disciplina jurídica vigente, ou mesmo automatizar a observância da regulamentação imposta (*code as law*[175]). Por outro ângulo, as leis podem subverter, relegando-os à ilegalidade, ou legitimar a elaboração e adoção dos algoritmos.

Utilizando-se de uma abordagem analítica sobre o assunto, Michèle Finck sintetiza em cinco frases-resumos as várias facetas do relacionamento entre regulação legal e código tecnológico: "Código como Lei", "Lei compelindo o Código", "Código como evasão à Lei", "Código pode ajudar a Lei" e "Código necessita da Lei"[176]. "Código como Lei" signi-

[174] Lessig, Lawrence. *Code:* Version 2.0 — Code and Other Laws of Cyberspace. New York: Basic Books. 2018 (E-book).

[175] *Code as law*", traduzível como "código como lei", tratar-se-ia, *grosso modo*, de programação do regramento jurídico posto em código de instruções autoexecutáveis. Sobre o assunto, vide: De Filippi, Primavera; Wright, Aaron. Decentralized Blockchain Technology and the Rise of Lex Cryptographia. *SSRN*, mar. 2015. Disponível em: <https://papers.ssrn.com/sol3/papers.cfm?abstract_id=2580664>. Acesso em: 13 set. 2020. Ainda: De Filippi, Primavera; Wright, Aaron. *Blockchain and the Law* — The Rule of Code. Cambridge: Harvard University Press, 2018.

[176] No original: *"Code as law", "Law Constraining Code", "Code as Law Avoidance", "Code Can Help Law"*, e *"Code Needs Law"*. Fincke, Michèle. *Blockchain.* Regulation and Governance in Europe. Cambridge: Cambridge University Press, 2018, p. 39-45.

fica dizer, conjuntamente a Lessig, que os algoritmos podem ser tão normativos quanto o ordenamento jurídico: afinal, o código são comandos impostos aos partícipes da rede, pressupondo decisões, as quais são feitas com base na escolha de determinados valores. "Lei compelindo o Código" nos recorda que não apenas de forças de mercado ou de exigências sociais é forjado um código: os desenvolvedores tendem a observar a regulamentação jurídica aplicável. Exemplo dessa dinâmica é a Lei Geral de Proteção de Dados europeia (GDPR), que basicamente estabelece regras e restrições à codificação de *softwares* para fins de preservação aos dados pessoais dos usuários[177].

"Código como evasão à Lei" se refere ao uso intencional dos algoritmos para fugir à disciplina legal eventualmente aplicável. Alerta a autora que o que se mostra problemático é a junção do uso do código para esse fim de contorno à lei, com a aceitação social de tal postura, caso em que o algoritmo se torna uma poderosa arma para evitar a regulamentação legal socialmente não aceita[178]. Daí concluir a autora que, apesar do possível uso do aparato tecnológico para contornar o regramento legal, resta incerto se, ante a tendência (natural e humana) de os cidadãos observarem as regras jurídicas impostas, uma tal utilização tergiversada de fato seria implementada em larga escala, comprometendo o Estado de Direito[179].

Por fim, as expressões "Código pode ajudar a Lei" e "Código necessita da Lei" descrevem a relação de implicação e reforço mútuos entre o aspecto regulatório tecnológico e legal. De um lado, a tecnologia se mostra um instrumento útil para a implementação de políticas e decisões regulatórias estatais. É o que estamos denominando "RegTech[180]": uso da tecnologia da informação para aprimorar o processo regulatório, tornando-o mais (ou mesmo todo) digital. De outro, o estabelecimento de diretrizes normativas claras pelos Estados, ao pavimentar um

[177] Fincke, Michèle. *Blockchain*. Regulation and Governante in Europe. Cambridge: Cambridge University Press, 2018, p. 40.

[178] A autora traz o exemplo da pornografia na internet. Tendo em vista a tolerância social relativamente a tal assunto, os Estados optaram por se focarem no combate apenas da pornografia infantil, comportamento repudiado pela sociedade como um todo.

[179] Fincke, Michèle. *Blockchain*. Regulation and Governante in Europe. Cambridge: Cambridge University Press, 2018, p. 42.

[180] Assuto que será rapidamente tratado em parágrafos adiante.

ambiente de "segurança jurídica", potencializa o desenvolvimento de pesquisas e de projetos tecnológicos em *blockchains*. Ademais, uma tal chancela estatal facilita a própria aceitação social em larga escala das inovações por esse aparato implementadas.

Karen Yeaung, por seu turno, sistematiza, de forma divertida, em três categorias principais essas interações entre os sistemas legais e os sistemas *blockchain* (tecnológico): "batalha do gato e rato", "as alegrias do casamento" e "a coexistência desconfortável com suspeitas mútuas"[181]. *Grosso modo*, esclarece a autora que são as tentativas hostis de evasão ao regramento posto (código da lei) pelos códigos (lei dos códigos) que provocam a contínua interação "gato e rato". Isso significa que, ao se utilizar das redes *blockchains* para intencionalmente escapar aos deveres e obrigações legais consideradas relevantes (rato), um tal agir furtivo não passará imune a reações dos Estados: as autoridades buscarão meios de garantir a aplicabilidade do regime legal estatuído (gato). Pontua ainda que, consoante a centralidade do interesse público potencialmente atingido, mais premente é a necessidade de se garantir o *status quo* normativo, para não subverter a própria noção de Estado de Direito. Por fim, a autora alerta que, tal espécie de interação não tende a ocorrer de modo unívoco em que um lado se sagra vencedor, mas antes de forma contínua, cíclica, em que as autoridades legais nacionais procurarão "fechar as brechas" que alguns usuários do *blockchain* tentam explorar para escapar às demandas legais[182].

Já a segunda categoria, "as alegrias do casamento", pode ser compreendida como a busca por um "alinhamento eficiente". De um lado, a tecnologia *blockchain* pode ser usada para apoiar e tornar mais eficiente a aplicação da lei convencional. É dizer, os sistemas *blockchain* podem ser configurados de forma tal a auxiliar na garantia de observância das

[181] Yeaung, Karen. Regulation by Blockchain: the Emerging Battle for Supremacy between the Code *of* Law and Code *as* Law. *The Modern Law Review Limited*, vol. 82, n. 2, p. 207–239, 2019, p. 219-220.

[182] *This battle is unlikely, however, to take the form of a single, monumental winner-take-all 'fight for survival'; more likely is a series of on-going 'cat and mouse' interactions in which national legal authorities seek to close off loop-holes that some blockchain users attempt to exploit to evade the law's substantive demands*". Yeaung, Karen. Regulation by Blockchain: the Emerging Battle for Supremacy between the Code *of* Law and Code *as* Law. *The Modern Law Review Limited*, vol. 82, n. 2, p. 207–239, 2019, p. 219-220.

normas legais. Estes são referidos pela doutrina especializada pelo termo "RegTech" (como abreviação de "Regulatory Technology", ou "Tecnologia Regulatória"). Como observado em relatório do Government Chief Scientific Adviser do Reino Unido:

> [...] também há oportunidades de tirar proveito das possíveis interações entre o código jurídico e o código técnico. Por exemplo, a influência regulatória pública poderia ser exercida por meio de uma combinação de códigos jurídicos e técnicos, em vez de por meio de códigos jurídicos, como atualmente. Em essência, o código técnico pode ser usado para garantir a conformidade com o código legal e, assim, reduzir os custos de conformidade legal. Isso poderia fornecer um "caso de uso" para o uso de tecnologia para melhorar a regulamentação, chamada RegTech[183].

Seria a utilização do que se está convencionalmente a chamar de *code as law* (código como lei): programação em código de instruções autoexecutáveis em consonância ao regramento jurídico posto. É o que os professores Primavera de Fillipi e Aaron Wright nominaram *lex criptographica*[184]. Trata-se de "codificar", em *smart contracts* autoexecutáveis, as normas jurídicas que regerão as relações socioeconomicas que doravante seriam levadas a cabo por organizações autonomas descentralizadas (DAO[185]). Tal cenário daria azo a sistemas descentralizados de normas jurídicas capazes de serem lidos, interpretados e aplicados de forma autônoma por algum "objeto inteligente", tais como

[183] No original: *"there are also opportunities to take advantage of the potential interactions between legal and technical code. For example, public regulatory influence could be exerted through a combination of legal and technical code, rather than through legal code as at present. In essence, technical code could be used to assure compliance with legal code, and in so doing, reduce the costs of legal compliance. This could provide a 'use case' for the use of technology to enhance regulation, so-called RegTech".* UK GOVERNMENT CHIEF SCIENTIFIC ADVISER. *Distributed Ledger Technology: Beyond Blockchain.* London: Government Office for Science, 2016. Blackett Review. Disponível em: <https://assets.publishing.service.gov.uk/government/uploads/system/uploads/attachment_data/file/492972/gs-16-1-distributed-ledger-technology.pdf>. Acesso em: 13 set. 2020.

[184] De Filippi, Primavera; Wright, Aaron. Decentralized Blockchain Technology and the Rise of Lex Cryptographia. *SSRN*, mar. 2015, Disponível em: <https://papers.ssrn.com/sol3/papers.cfm?abstract_id=2580664>. Acesso em: 13 set. 2020. Ainda, De Filippi, Primavera; Wright, Aaron. *Blockchain and the Law* — The Rule of Code. Cambridge: Harvard University Press, 2018.

[185] Anacrônico em inglês: Decentralized Autonomous Organization (DAO).

robôs ou qualquer outro agente eletrônico. Algumas críticas podem ser endereçadas a tal propositura de codificar completamente a regulação jurídica, tais como a complexidade das relações humanas, muitas vezes não passíveis de redução a códigos, ou mesmo a mutabilidade das condições em que são firmadas as premissas regulatórias "codificadas". No entanto, é inegável tratar-se de ferramental que se pode mostrar bastante profícuo em áreas que demandem a automação e gestão de processos, como, por exemplo, na retenção e recolhimento de tributos incidentes em operações de consumo[186].

Ainda consoante Karen Yeaung, o que caracteriza esse segundo eixo de relacionamento é o mútuo apoio entre o código da lei (*code is law*) e o código como lei (*code as law*). Tal apoio tem por fundamento o reconhecimento da predominância do código legal sobre o código tecnológico, tanto que esse encampa aquele, inexistindo qualquer batalha — tal qual a de "gato e rato" visualizada no contexto anterior. Isso significa que nenhuma "batalha formal pela supremacia" entre essas duas modalidades regulatórias surge porque a rede técnica intencionalmente observa a lei jurídica posta, buscando impor a autoridade da lei aos relacionamentos e negociações que ocorram na rede *blockchain*. No entanto, é possível prever ocasionais tensões informais, pelo menos em circunstâncias em que os direitos e obrigações legais não são passíveis de pronta tradução na linguagem binária do código técnico, ou em que as interações entre as partes na rede falham em refletir os seus direitos e obrigações decorrentes dos instrumentos jurídicos em que se baseiam. Mas, mesmo assim, a tendência é que tais intercorrências busquem soluções baseadas no código legal positivado, em prol da longevidade do relacionamento aqui em jogo.

[186] Sobre o assunto, vide: AINSWORTH, Richard Thompson; SHACT, Andrew, Blockchain (Distributed Ledger Technology) Solves VAT Fraud. *Boston Univ. School of Law, Law and Economics Research Paper*, n. 16-41, 17 out. 2016. Disponível em: <https://ssrn.com/abstract=2853428>; Acesso em: 07 set. 2020. AINSWORTH, Richard Thompson; ALWOHAIBI, Musaad; CHEETHAM, Mike; TIRAND, Camille. A VATCoin Solution to MTIC Fraud: Past Efforts, Present Technology, and the EU's 2017 Proposal. *Boston Univ. School of Law, Law and Economics Research Paper*, n. 18-08, 26 mar. 2018. Disponível em: <https://ssrn.com/abstract=3151394>. Acesso em: 07 set. 2020. Impende noticiar a realização pela Comissão Europeia, em dezembro de 2019, de um ciclo de palestras e discussões sobre a temática relativa à utilização de *blockchains* para fins de arrecadação fiscal. Disponível em: <https://ec.europa.eu/taxation_customs/events/vat-digital-age_en>. Acesso em: 20 mar. 2020.

Daí conclui a autora que, nesse contexto, a interação dinâmica resultante entre os dois sistemas pode ser descrita como "alegrias do casamento": um relacionamento contínuo e dinâmico que ocasionalmente acarreta desacordo e discórdia, mas que, em última análise, busca fornecer suporte mútuo e colaboração de longo prazo para o benefício de ambos os parceiros. Entretanto, salienta que, por tal estabilidade estar assente na disposição de um dos parceiros em aceitar e submeter-se à autoridade superior do outro, a dinâmica daí resultante é talvez mais apropriadamente descrita como as "alegrias do casamento patriarcal". Por fim, pontua a autora a influência que a regulamentação jurídica relacionada às atividades no ambiente *blockchain* pode ter para fins de incentivo de projetos nesse ambiente, assim como na sua adoção pelos usuários finais. Afinal, o reconhecimento legal da validade das transações realizadas em sistemas de *blockchain* reduz as incertezas jurídicas e, por conseguinte, aumenta sua atratividade para usuários potenciais.

Já a terceira categoria de relacionamento ("coexistência desconfortável com suspeitas mútuas"), que fica no meio do caminho relativamente às duas interações iniciais, tem por escopo utilizar a tecnologia *blockchain* para "melhorar as fricções transacionais"[187]. A motivação aqui é a de utilizar o ferramental tecnológico para empreender novas formas de cooperação sem os encargos processuais, custos e formalidades das normas jurídicas convencionais. E, consoante defende a autora, os sistemas jurídicos convencionais serão hesitantes e cautelosos em responder a essa utilização dos sistemas *blockchain*, o que acaba por resultar em uma dinâmica de relacionamento de "coexistência incômoda", caracterizada por "suspeitas mútuas"[188].

Esclarece inicialmente a autora que muito do entusiasmo pela *blockchain* surge de seu potencial para permitir novas formas de cooperação social eficaz e confiável entre estranhos, sem os encargos processuais e os custos demandados pela lei convencional, encargos e custos

[187] No original, a expressão empregada pela autora é "Alleviating Transactional Friction". YEAUNG, Karen. Regulation by Blockchain: the Emerging Battle for Supremacy between the Code *of* Law and Code *as* Law. *The Modern Law Review Limited*, vol. 82, n. 2, p. 207-239, 2019, p. 224.

[188] YEAUNG, Karen. Regulation by Blockchain: the Emerging Battle for Supremacy between the Code *of* Law and Code *as* Law. *The Modern Law Review Limited*, vol. 82, n. 2, p. 207-239, 2019, p. 229.

esses em grande monta relacionados à existência dos "intermediários de confiança". Cumpre recordar que as origens do Bitcoin (protocolo), primeira e mais célebre aplicabilidade da *blockchain*, correlacionam-se à perda de confiança no sistema financeiro global, pós-crise de 2008. Foi nesse contexto que ganhou espaço, nas comunidades *cypherpunks*, a discussão sobre a possibilidade de se desenvolver um sistema de câmbio de moedas, e de meios de pagamento, que evitasse o sistema financeiro convencional, afastando a atual dependência das principais instituições financeiras e instituições legais convencionais, bem como os custos e a ineficiência a ele relacionados, mas que ao mesmo tempo garantisse a "segurança" das transações financeiras. E o uso da rede *blockchain* mostrou-se vantajosa em justamente permitir a remessa de "representações de valores" entre estranhos, de forma direta, transparente e segura, e com menores custos e sem muitas das ineficiências relacionadas a esse ambiente financeiro tradicional.

E, como vimos no capítulo 2, o uso da *blockchain* mostrou-se potencialmente vantajoso em inúmeras outras aplicabilidades (para além das criptomoedas), visto se tratar de tecnologia que possibilita, de forma segura, a coordenação social, naturalmente complexa, diretamente entre estranhos, e sem a necessidade de se invocar os formais processos jurídicos — normalmente lentos, demorados, trabalhosos, incertos e caros — para se fazer cumprir os direitos e obrigações legais[189]. Vale pontuar que, mesmo em países considerados economicamente estáveis e altamente desenvolvidos, com sistemas jurídicos bem estabelecidos, o atraso e as despesas associadas aos procedimentos legais formais dificultam seu uso corrente, sendo, na prática, acessível apenas para as camadas mais ricas e poderosas[190].

[189] Nas palavras da autora: "*In other words, one significant advantage of blockchain to effect social coordination between strangers (including but not limited to cryptocurrency applications) is its capacity to avoid many of the weaknesses associated with conventional law to guarantee the security of transactions, particularly given that invoking the formal legal processes to enforcing legal rights and obligations is typically slow, time-consuming, labour intensive, uncertain and costly*". YEAUNG, Karen. Regulation by Blockchain: the Emerging Battle for Supremacy between the Code *of* Law and Code *as* Law. *The Modern Law Review Limited*, vol. 82, n. 2, p. 207–239, 2019, p. 225.

[190] THE BACH COMMISSION ON ACCESS TO JUSTICE. The Crisis in the Justice System in England and Wales. Interim Report. London: the Fabian Society, 2016. Disponível em: <https://www.fabians.org.uk/wp-content/uploads/2016/11/Access-to-Justice_final_web.pdf>. Acesso em: 14 set. 2020.

Consequentemente, um importante impulsionador da inovação em aplicações de *blockchains* é o desejo de se evitar as deficiências procedimentais, econômicas e temporais do sistema legal convencional, e que pode plausivelmente ser considerado como um objetivo legítimo, exceto se de fuga deliberada à observância do sistema jurídico se tratar (primeira categoria de relacionamento). E a resposta do sistema legal convencional a essas aplicações depende de identificar se a intervenção legal em aplicabilidades e/ou sistemas *blockchains* seria considerada necessária, ou desejável, e mesmo pragmaticamente viável. Eis a dinâmica de relacionamento aqui sujacente: em que a convivência entre os sistemas legais e as diretrizes estabelecidas pelo código acaba por ser marcada por tênue equilíbrio, descrito, por Karen Yeaung, como de "desconfiança mútua".

Exemplo ilustrativo dos desafios enfrentados pelos sistemas jurídicos convencionais, face às inovações — inerentes ao ambiente *blockchain* — presenciadas, é o caso do que convencionamos chamar de ICO's (ofertas iniciais de moedas). Tratam-se, tais ICO's, de figura intermediária aos conhecidos institutos de *crowdfunding* e de IPO's ("ofertas iniciais públicas de ações"). São vocacionados — esses ICO's — à capitalização de empreendimentos iniciantes, principalmente tecnológicos, por meio de "ofertas iniciais de criptoativos", emitidos em plataformas DLT, representativos de bens, serviços e/ou direitos. Um tal uso da ferramenta *blockchain* tem por finalidade possibilitar maior capilaridade na arrecadação de valores, ao ampliar a possibilidade de participação em rodadas de investimentos aos pequenos e médios investidores. Pelos mecanismos legais tradicionais (*crowdfunding* e IPO's), tais tipos de investimentos, dados as exigências feitas pelos órgãos reguladores e os custos a essas exigências atrelados, acabava por ser opção viável apenas a grandes empreendimentos (ou, ao menos, projetos mais robustos), e acessível apenas a grandes investidores (*private equity funds, venture capitals* etc.).

A resposta dada pelos sistemas jurídicos convencionais à disseminação das ICO's deu-se de forma experimental e fragmentada, consubstanciando verdadeira zona cinzenta regulatória. É de se pontuar que as controvérsias em torno das ICO's estão enraizadas no reconhecimento de que as condicionantes impostas pela legislação de valores mobiliários visam, em última instância, fornecer proteção substantiva ao público investidor, e não devem ser prontamente contornadas pelos empresários que usam *blockchain* para financiar seus empreendimentos — por vezes bastante arriscados. Daí que presenciamos os reguladores dos principais mercados financeiros responderam, inicialmente, às ICO`s adotando uma abordagem amplamente cautelosa de "esperar para ver", em vez de tratá-los, todos, como sujeitos a ou livres de regulamentação, tais como se tratasse de títulos de ações ordinárias. No Brasil, a exemplo da Securities and Exchange Comission dos EUA (SEC), a Comissão de Valores Mobiliários (CVM) emitiu avisos, afirmando essencialmente que a oferta e venda de *tokens* digitais poderiam estar sob a regência da disciplina de títulos e valores mobiliários, mas seriam avaliadas caso a caso. Monitoramento, diálogos e tensões mútuas, eis a tônica da interação entre o código da lei e o código como lei, que nessa terceira "categoria" se delineia.

É perceptível, portanto, a complexidade e multifacetariedade do relacionamento entre o código "tecnológico" e o "código legal", que vai desde desconexão total (uso do ferramental tecnológico para intencionalmente fugir aos reclames legais), passando por uma tensa coexistência, até um casamento profícuo (em que se faz uso da tecnologia para implementar as regras legais).

4.1.2. *Blockchain*, regulação estatal: algumas premissas e tendências

Uma intricada trama envolve o código e a regulação jurídica no ambiente *blockchain*. E mais, a chancela e a tutela estatal das operações por intermédio desse ferramental tecnológico levadas a efeito mostram-se necessárias e inafastáveis; afinal, é a própria preservação do Estado de Direito que está em jogo. Em um ambiente assaz complexo, parece profícuo analisar, ainda que brevemente, as possibilidades e desafios regulatórios consoante os vários cenários possíveis. Isto é, compreender que ao fim e ao cabo são de relações sociais e econômicas de variadas ordens que se está a lidar (financeira, penal, tributária). Daí que as perguntas estruturais que os entes estatais devam se fazer seriam "o que se regular (e se há de se regular)?", e "como?"

Pois bem, no que tange a "o que se regular", é preciso assentar desde já que, exceto se de regulamentação especificamente técnica que estivermos falando[191], o foco dos entes estatais volta-se às próprias operações socioeconômicas em ambiente *blockchain* travadas. Mais especificamente, a ingerência estatal na iniciativa privada justifica-se na medida em que o fim colimado por tal investida se paute na proteção de relevantes interesses públicos. Aliás, o direito não deixa de ser, em uma última análise, verdadeiro sistema normativo pautado em mapeamento de riscos socioeconômicos.

Relacionar-se em sociedade traz inúmeros riscos às esferas de interesses das partes envolvidas. Alguns deles, por se mostrarem deveras relevantes a uma dada sociedade, recebem tutela jurídica, caracterizada pela garantia dada pelo aparelho coercitivo estatal. Assim é que o sistema financeiro, central ao funcionamento de toda atividade econômica, por exemplo, recebe, em regra, cuidadoso tratamento jurídico. Daí que os seus operadores — instituições financeiras em sentido amplo —, além de deverem ser agentes autorizados a tanto pelo Banco Central do Brasil, devem observar inúmeras diretrizes normativas (tanto do Banco Central quanto da Comissão de Valores Mobiliários). Afinal, são de riscos relacionados à poupança popular, assim como à higidez do sistema monetário que estamos, entre outros, a tratar.

Quer-se com isso dizer que muitos dos riscos identificados com a disseminação do uso dos criptoativos já são objeto de tratamentos jurídicos, ainda que voltados ao "mercado tradicional". Estamos a olhar, repita-se, para operações, transações socioeconômicas e seus riscos inerentes. E muitas dessas operações, agora realizadas com a utilização de *tokens* e "criptoativos", nada mais seriam do que novas formas de se fazer o que já se faz. Assim, parece intuitivo concluir que a essas operações com criptoativos sejam aplicáveis os regramentos jurídicos regentes daquelas operações tradicionais, dada a similitude de riscos envolvidos. Trata-se, ademais, de próprio corolário do princípio da isonomia.

[191] Tais como de padrão tecnológico a ser observado na estruturação de *blockchains*. Por se tratar de delineamento que exige conhecimentos técnicos específicos, normalmente ficam a cabo de associações ou instituições especializadas, em verdadeira manifestação autorregulatória. No caso das redes *blockchains*, merecem menção as iniciativas levadas a efeitos pela IEEE (Instituto de Engenheiros, Eletricista e Eletrônicos), que buscam delinear *standards* técnicos para plataformas de *blockchain*, consoante o uso/aplicabilidade intentado. Disponível em: <https://standards.ieee.org/search-results.html?q=blockchain>. Acesso em: 13 set. 2020.

Dessa forma, há quem defenda mesmo a desnecessidade de se elaborar disciplinas jurídicas específicas às transações com criptoativos: bastaria mero trabalho de interpretação e subsunção dos fatos (operações com *tokens*) às normas positivada.[192] Realmente não temos de inventar a roda. Muitas vezes estaremos, de fato, apenas diante de novas formas de se realizar operações já atualmente realizadas e cujos riscos já foram objeto de tratamento jurídico pelo sistema posto. Aos operadores jurídicos caberia, portanto, focar na análise das operações socioeconômicas com esses *tokens* realizadas que potencialmente tenham implicações jurídicas. E, para identificar se tais operações têm implicações jurídicas, devemos reconhecer os riscos jurídicos[193] atrelados às transações, em exame, com aqueles *tokens* realizadas. Tais identificações indicarão os eventuais regimes jurídicos aplicáveis e deverão tomar por critério as funcionalidades desempenhadas pelos *tokens* no caso em concreto.

Não podemos deixar de ter em mente que, quando falamos de *tokens*, é de ferramental tecnológico que estamos a tratar. E, em sendo ferramenta, constitui mero instrumento para realização de determinados objetivos. Presente, portanto, o inafastável o componente humano: vontade vocacionada a um objetivo em específico. E esse objetivo pode ser lídimo ou não. Daí que o que a *blockchain*, enquanto instrumental tecnológico, tem propiciado é de um lado, renovadas oportunidades ao cometimento de comportamentos socioeconômicos reprováveis (evasão de divisas, lavagem de dinheiro, financiamento ao tráfico e ao terrorismo), e, de outro, aumento da dificuldade de os Estados adequadamente minorarem e administrarem os riscos inerentes a esses comportamentos desconformes. Mas, trata-se de comportamentos desconformes, e portanto riscos, já mapeados pelo ordenamento jurídico posto. O que está em jogo é apenas a maior sofisticação no aparato em mão daqueles que intentam se desviar das diretrizes jurídicas já traçadas pelo ordenamento jurídico em vigor.

[192] LOPES, Fernando. Bitcoin não pode ser regulamentado porque já é regulamentado. Disponível em: <https://www.conjur.com.br/2020-ago-06/fernando-lopes-regulamentacao-bitcoin>. Acesso em 08 ago. 2020.

[193] Sobre o assunto, vide: COLLOMB, A., DE FILIPPI, P., & SOK, K. Blockchain Technology and Financial Regulation: A Risk-Based Approach to the Regulation of ICOs. *European Journal of Risk Regulation*, 10 (2), 263-314, 2019.

E é aqui que devemos resgatar o que foi dito na parte introdutória deste capítulo. O paulatino desenvolvimento do mercado de criptoativos, ainda que afeto nesse primeiro momento apenas ao nicho financeiro, já trouxe quatro principais focos de preocupações aos Estados. Trata-se da identificação de quatro potenciais riscos jurídicos atrelados ao uso desses ativos virtuais. Riscos esses que desvelam potencial inadequação do aparato regulatório em vigor para lidar com tais "novas situações". Seriam eles: (i) utilização das criptomoedas para fins criminosos (evasão de divisas, lavagem de dinheiro, financiamento ao tráfico e ao terrorismo); (ii) captação pública de valores e a necessária proteção dos investidores; (iii) higidez do sistema financeiro e monetário; e (iv) tributação dessas "manifestações de riqueza".

Note-se que todos esses riscos identificados são objeto de tutela jurídica, justamente porque — mesmo antes da era dos *tokens* — eram (e são) comportamentos humanos passíveis de ocorrerem. Os criptoativos apenas constituem novo ferramental, que potencializa a ocorrência desses riscos. Daí que, nesse ponto, o argumento relativo à desnecessidade de implementação de novas disciplinas jurídicas faz parcial sentido. Parcial porque remanesce o desafio de ao menos se esclarecer as interpretações que devam ser dadas às operações mais recorrentes com esses ativos virtuais realizadas. Parcial também porque, por vezes, será necessário adaptar o regramento posto, que tinha por cenário algumas formas conhecidas de se realizar os comportamentos reprováveis — e por isso objeto de regramento —, a essas novas ferramentas tecnológicas — facilitadoras desses mesmos comportamentos desconformes.

No entanto, há pontos em que tal afirmação não parece fazer tanto sentido. Situemos mais uma vez que o foco nesse momento centra-se no mercado financeiro, por ser esse o nicho em que a tecnologia *blockchain* por ora tem se mostrado mais madura. E, mesmo aqui, já presenciamos operações novas e que merecerão atenção e eventual regramento específico por parte dos entes competentes — por exemplo eventuais condições para a emissão pública de *tokens* virtuais, operações essas até então inexistentes. Em assim sendo, o que se imaginar quando os projetos ainda incipientes em outros nichos mercadológicos começarem a dar frutos? Daí que parece ser inafastável o desenvolvimento de novos diplomas específicos para tratar de realidades — operações — ainda não visualizáveis — e por isso, sequer dimensionáveis — *pari passu* a eventuais adaptações das normativas regulatórias que se façam necessárias.

Compreendido que é de operações e transações com criptoativos que as regulamentações tratam, o ponto passa a ser de que forma poderão os agentes o fazer. Cumpre relembrar que o direito posto é constantemente desafiado pelas mudanças sociais perpetradas pelos avanços tecnológicos: desde o advento da prensa de impressão até as impressoras 3D e *blockchain*, passando pela Internet, inúmeros e de variadas ordens foram os debates relativos a como se adaptar, ou reestruturar (parcialmente), a ordem jurídica então vigente. As experiências passadas nos demonstram que o sistema jurídico, apesar de sofrer profunda influências desses avanços tecnológicos, permaneceu hígido. Quer-se com isso dizer que de certa forma é até esperado esse desconforto relacionado ao período adaptativo do direito ao meio social em transição, embora o que distinga o atual movimento — dos que lhe precederam — seja mesmo a velocidade com que as novidades tecnológicas estão a ocorrer, a demandar maior esforço e velocidade adaptativa pelos entes estatais.

A primeira década de existência da *blockchain* foi marcada por uma relativa ausência de regulamentação pelos Estados e/ou demais envolvidos (autorregulamentação). Exceto por avisos aqui e alhures, apenas nos últimos dois ou três anos é que um debate mais profundo, bem como estudos e algumas propostas de regulamentação específica ganharam terreno. Muito desse vácuo inicial poderia ser explicado tanto pelo desconhecimento, em um primeiro momento, da própria tecnologia nascente, e da ausência, naquele instante, de repercussões sociais e jurídicas relevantes a demandarem maiores preocupações e esforços. Porém, já não é mais assim. O caso "Silk Road "(2015), o *boom* das ofertas iniciais de criptoativos (ICO`s), entre 2017 e 2018, o estouro de inúmeros esquemas de pirâmides financeiras por meio desse ferramental tecnológicos, são alguns dos acontecimentos em que os riscos jurídicos inerentes ao uso — cada vez mais disseminados — da *blockchain* mostraram-se presentes, demandando posicionamentos por parte dos entes estatais.

E, nesse cenário de debates e formulações de políticas regulatórias, devem estar envolvidos todos os agentes que exerçam papéis centrais na salvaguarda dos interesses jurídicos potencialmente atingidos pelos riscos jurídicos que esse novo ferramental pode impingir. Estados, mercados, programadores, desenvolvedores, cidadãos, todos devem ter voz nessa arena de construção, capitaneada (construção) pelo primeiro.

Inúmeras são as questões a serem resolvidas, e/ou decididas, a fim de se adaptar ou mesmo erigir regulamentos jurídicos específicos às operações socioeconômicas nesse ambiente travadas. Devem os Estados proibir, tolerar, orientar, vigiar ou impor pesadas condicionantes ao exercício das atividades conexas ao mercado de criptoativos? Ou ainda, como dar concretude às decisões inicialmente tomadas? Eis as perguntas que rondam as discussões em todo o mundo.

E mais uma vez nos parece que os debates devem se orientar consoante os (vários) cenários apresentados a análise. Isso quer dizer que, da mesma forma que o atual sistema jurídico vigente é composto por inúmeras respostas, conexas aos riscos jurídicos mapeados *vis-à-vis* os interesses públicos e/ou interesses privados legítimos que dada ordem jurídica intenta proteger, inúmeras serão as "soluções" dadas, por esse mesmo sistema, às mudanças pelo atual cabedal tecnológico propiciadas. Daí que, consoante deixamos já assente, o foco das investidas regulatórias são as operações socioeconômicas levadas a efeito por esse novo ferramental tecnológico. Identificados os riscos jurídicos atrelados a essas "novas" transações econômicas, assim como o eventual regime jurídico que se lhes seriam aplicáveis, o ponto é perceber se tais diretrizes normativas seriam suficientes para lidar com essas novidades impostas pelo uso da *blockchain*.

Caso se identifique a suficiência do ordenamento posto para lidar com um dado cenário, é de se verificar se se mostra profícuo, ou não, publicar orientações que esclareçam a aplicabilidade daquele regime normativo às atividades em causa. É o caso, por exemplo, dos *Guidelines* ("guias") publicados pela Lituânia[194] e pela Suíça[195] para fins de orientar

[194] INFORMATION COMISSIONER'S OFFICE. ICO Guidelines Lithuania. Disponível em: <https://finmin.lrv.lt/uploads/finmin/documents/files/ICO%20Guidelines%20Lithuania.pdf>. Acesso em: 15 set. 2020.

[195] FINMA. FINMA publishes ICO Guidelines. 16 fev. 2018. Disponível em: <https://www.finma.ch/en/news/2018/02/20180216-mm-ico-wegleitung>. Acesso em: 15 set. 2020. Em meados de setembro de 2020, porém, o Senado Suíço aprovou o chamado "*Blockchain Act*", que implica na alteração de inúmeros diplomas legais a fim de expressamente preverem suas aplicabilidades às operações — especialmente financeiras — com criptoativos. Tais mudanças entrarão em vigor no início de 2021. ALLEN, Mathew. Swiss Law Reform makes Crypto respectable. *Swissinfo*. 10 set. 2020. Disponível em: <https://www.swissinfo.ch/eng/swiss-law-reforms-make-crypto-respectable/46024124>. Acesso em: 15 set. 2020.

os empreendedores que se utilizavam de plataformas de tecnologia distribuídas (DLT`s) para emissão e oferta inicial de criptoativos. Do contrário, isto é, concluindo-se pela insuficiência do aparato normativo para lidar com essas operações em *blockchain*, é de se decidir pela viabilidade de simplesmente se adaptar às normativas jurídicas — regentes dos riscos inicialmente mapeados — para fins de adequadamente lidar com essas novas transações, ou se é mesmo necessário elaborar regramento jurídico específico.

Ainda, em se decidindo por um e/ou outro caminho, devem os atores identificar de que forma se o(s) implementará(ão). Regulação endógena, em que os próprios agentes de mercado se responsabilizam por implementar as diretrizes legais; ou exógena, em que os entes públicos — ou seus representantes (delegatários, concessionários etc.) — impõem o regime jurídico, o fiscaliza, e eventualmente penaliza os responsáveis por sua inobservância. Atualmente, muito das disposições estatais — seja no caso de autorregulação ou não — são vocacionadas para os intermediários de confiança, por serem tais agentes pontos de acesso regulatórios eficientes. Veja o caso das instituições financeiras, dos cartórios de registros (delegatários de serviço público), entidades privadas autorizadas a exercer atividades econômicas etc. É de se ponderar que, a depender da rede *blockchain* estruturada (permissionada e privada[196]), tal lógica de imposição é plenamente replicável, afinal identificável os partícipes e operadores da rede.

Mas, tomando por base uma rede *blockchain* não permissionada e pública, a exemplo do Bitcoin, problemas de imposição das diretrizes legais elaboradas começam a aparecer. Em um ambiente que permite transações diretamente entre as partes (P2P), sem a necessidade de um intermediário de confiança, partes essas que, além de identificáveis apenas por pseudônimos, potencialmente podem se encontrar em qualquer localidade do mundo, mostra-se no mínimo desafiador a imposição de eventuais diretrizes normativas, tal qual o *modus operandi* atualmente estabelecido. De qualquer forma, e apesar do amplo espectro de arquiteturas e aplicabilidades em *blockchains* já testemunhadas (públicas *versus* privadas, permissionadas *versus* não permissionadas, ou mesmo hídridas), e conjeturando as que ainda estão por vir, é digna de menção a identificação por Michàle Finck de potenciais pontos de acesso regulatórios.

[196] Caso da Corda, R3, Hyperlegder, por exemplo.

Mais especificamente, a autora elenca seis pontos de acesso regulatórios, que, com maiores e/ou menores vantagens, poderiam ser explorados pelos agentes reguladores. Seriam eles: (a) provedores de acesso de internet (ISPs); (b) mineradores; (c) desenvolvedores do software-base; (d) usuários finais; (e) novos e antigos intermediários; (f) governos na condição de participante do *blockchain*. Na escolha dos eventuais destinatários regulatórios, os Estados deverão ter em consideração, entre outras coisas, as limitações técnicas e/ou possibilidade de se circunscrever aos eventuais bloqueios de acesso a um determinado sítio da internet (caso dos provedores de acesso, ou mesmo dos mineradores), a facilidade em se mudar e buscar eventual jurisdição mais favorável ao exercício da atividade (mineradores, desenvolvedores de *softwares* ou mesmo alguns dos intermediários), a governança inerente aos sistemas *blockchains* (influenciadores e/ou tomadores de decisões *versus* suas legitimidades), e a própria predisposição cultural de espontaneamente se observar as regras impostas (usuários finais)[197].

Ainda, não se deve perder de vista a possibilidade de se utilizar o próprio aparato tecnológico para a implementação das regras jurídicas adaptadas e/ou elaboradas. Há projetos inclusive que intentam que os próprios criptoativos, identificados como verdadeiros *securities tokens*, e que possam ser transacionados em várias jurisdições distintas, adaptem-se, automaticamente, às diretrizes legais dos países a que se relaciona cada uma das transações[198]. *Conditio sine qua non* a tal aplicabilidade é o desenvolvimento de acordos e diretrizes legais que esclareçam os regimes jurídicos a que são submetidas as transações com dadas espécies de criptoativos. Daí se depreende que o desafio maior é antes de natureza jurídica — e mais especificamente de política jurídica — que tecnológica.

Por fim, e tocando o tema de desafios de políticas regulatórias, é de se mencionar que, dado o alcance potencialmente global das transações socioeconômicas realizadas em ambiente *blockchain*, fato esse somado à intangibilidade dos ativos por essa rede transacionados e a ausência, mutas vezes, de nexos que as atrelem a um dado território soberano,

[197] FINCKE, Michèle. *Blockchain*. Regulation and Governance in Europe. Cambridge: Cambridge University Press. 2018, p. 45-56.

[198] SATHAYE, Deepa. Automatic Regulatory Compliance with Ethereum. Disponível em: <https://medium.com/fluidity/automatic-regulatory-compliance-with-ethereum-892f01ef9eaa>. Acesso em: 23 set. 2020.

muitos serão os debates acerca da própria competência de jurisdição sobre as operações[199]. Para além da necessidade de assentar novos acordos político-sociais entre os entes de direito internacional, tomando por base novos critérios de conexões, parece profícuo — senão mesmo necessário — estabelecer padrões mínimos (*standards*) regulatórios para que se evite dupla regulação, ou o que é pior, vácuos regulatórios, potencializadores de conflitos ou de comportamentos reprováveis.

Em suma, são inúmeros os pontos subjacentes à regulamentação das operações nesse novo ambiente e por esse novo ferramental, que é a *blockchain*, realizadas. Pressionados pela necessidade de se garantir a segurança (jurídica) dos empreendedores e consumidores desse novo nicho — afeto à própria noção de Estado de Direito —, bem como de se minorar os riscos relacionados à facilitação do cometimento de ilícitos (evasão de divisas, lavagem de dinheiro, financiamento do tráfico e terrorismo), ao desequilíbrio do sistema monetário e financeiro e à justa arrecadação de tributos *pari passu* à constatação de insuficiência dos ferramentais estatais para bem desempenharem esse papel (que secularmente lhes é atribuído), discussões aqui e alhures sobre a regulamentação da tecnologia *blockchain*, e mais especificamente de suas aplicabilidades, têm sido levadas a efeito pelos Estados. A fim de se identificar tendências nesse intento, perpassaremos pelo estudo, embora breve, de algumas propostas que começam a se fazerem presentes em alguns países pelo mundo. O cenário brasileiro será objeto de análise em capítulo específico.

[199] Sobre competência de jurisdição e espaço cibernético, vide: Menthe, Darrel C. Jurisdiction In Cyberspace: A Theory of International Spaces, *MTLR: Michigan Technology Law Review*, vol. 4, p. 69-103, 1998. Disponível na URL: <http://www.mttlr.org/wp-content/journal/volfour/menthe.pdf>. Acesso em: 05 ago. 2020; Zekos, Georgios I. State Cyberspace Jurisdiction and Personal Cyberspace Jurisdiction. *International Journal of Law and Information Technology*, vol. 15, Issue 1, Spring 2007, p. 1-37; Handl, Guther; Zekoll, Joachim; Zumbansen, Peer. Beyond Territoriality. Transnational Legal Authority in an Age of Globalization. *Queen Mary Studies in International Law*, vol. 11, 2012; Schultz, Thomas. Carving up the Internet: Jurisdiction, Legal Orders, and the Private/Public International Law Interface. *European Journal of International Law*, vol. 19, Issue 4, set. 2008, p. 799-839. Disponível em: <https://academic.oup.com/ejil/article/19/4/799/349335>. Acesso em: 05 ago. 2020.

4.2. Algumas propostas de regulamentação pelo mundo

Notamos a miscelânea de realidades que atualmente podem ser agrupadas na temática tratada (capítulo 3). Além disso, percebemos a variedade de abordagens que se tem aventado para se buscar regulamentá-las (as realidades). Logo, não é de se espantar a diversidade de tratamentos que se tem dado a tal categoria pelos diversos ordenamentos jurídicos.

De qualquer forma, é em todo útil termos uma visão panorâmica de algumas das propostas de normatização, ou de esclarecimentos normativos, idealizados pelo mundo. Afinal, estamos diante de uma realidade mundial[200] que desconhece limitações fronteiriças, de forma a clamar, cada vez mais, por um olhar mais global, a fim de se atingir uma (necessária) maior harmonia entre as regulamentações dos Estados. Esclareça-se que não temos qualquer pretensão de ser exaustivos — tarefa, aliás, que não caberia nos propósitos desse livro[201]. Nossa intenção aqui é apenas termos alguns exemplos de propostas ou abordagens regulatórias.

Escolhemos Estados Unidos da América, União Europeia, Suíça, Malta, Liechstein e Japão. Os dois primeiros, por ordinariamente liderarem as instâncias de discussões relacionadas a temas globais e ditarem as tendências que normalmente são seguidas pelo mundo ocidental. Os demais, por terem propostas pioneiras e interessantes, que vão desde modificações nas legislações regentes dos meios de pagamento (caso do Japão), passando por esclarecimentos (*guidelines*) interpretativos (Suíca) até diplomas legislativos específicos regentes do assunto (Malta e Liechstein). Vale notar que, consoante já assente linhas atrás, é no ecossistema cripto conexo ao "mercado financeiro" que se centra a maior parte dos direcionamentos normativos, haja vista ser nesse nicho que se concentra a maior parte dos projetos com e aplicabilidades da tecnologia *blockchain*.

4.2.1. Estados Unidos da América

Não há uma regulamentação exaustiva e compreensiva acerca dos meandros e aspectos inerentes aos criptoativos nos E.U.A. Atualmente,

[200] Em realidade, o mundo está se tornando global: os problemas afetam a todos de forma simultânea (meio ambiente, terrorismo etc.), assim como os desafios que lhe são impostos.

[201] Sobre um panorama mais completo, vide: THE LAW LIBRARY OF CONGRESS. Regulation of Criptocurrency around the world. Report. Global Legal Research Center, jun. 2018.

existem 21 (vinte e duas) propostas legislativas em tramitação no Congresso Americano que visam normatizar vários aspectos relacionados a criptoativos e à tecnologia *blockchain*. Mais detidamente, são três os principais eixos temáticos em que podemos inserir essas propostas legislativas: (i) minorar os riscos de utilização dos criptoativos para fins ilícitos (evasão de divisas, tráfico ilícito de entorpecentes e sexual, lavagem de dinheiro, financiamento de atividades terroristas); (ii) regulamentar e/ou esclarecer a disciplina jurídica aplicável às operações com criptoativos; e (iii) utilização da tecnologia *blockchain* na própria administração pública[202].

Em que pesem tais propostas legislativas, que podem ou não vir a ser implementadas, a realidade atual com que se deparam os partícipes do mercado de criptoativos naquele país é de uma possível regulamentação multilateral, oriunda de interpretações extensivas feitas por várias "autoridades reguladoras". E mais, regulamentações multilaterais essas oriundas inclusive de autoridades de níveis estatais distintos (federal e/ou estadual), o que pode implicar — e acaba por — em sobreposições normativas. O *State Banking*, por exemplo, regulamenta as trocas de criptomoedas e dinheiro consoante as leis locais de trocas. Já o IRS (Internal Revenue Service) manifestou entendimento no sentido de que as criptomoedas devem ser tratadas como propriedade, sujeitas, portanto, ao ganho de capital pelo regime a essa espécie de ativo atrelado[203]. Ainda, a FinCEN (Treasury's Financial Crimes Enforcment Network) tem monitorado as transferências de Bitcoin e de outras criptomoedas, dentro de seu âmbito de competência, qual seja, o de coibir o crime de lavagem de dinheiro, tendo se manifestado, já em 2013, sobre a aplicabilidade a essas operações de trocas de moedas virtuais da US Bank Secrecy Act (Lei de Sigilo Bancário Americano)[204].

[202] Sobre o assunto, vide: Brett, Jason. Crypto Legislation 2020: Analysis Of 21 Cryptocurrency And Blockchain Bills In Congress. *Forbes*. Disponível em: <https://www.forbes.com/sites/jasonbrett/2019/12/21/crypto-legislation-2020-analysis-of-21-cryptocurrency-and-blockchain-bills-in-congress/#671dea9b56c1>. Acesso em: 20 ago. 2020.

[203] Em 2014, o IRS editou o Notice 2014-21, que definiu expressamente, na seção 04, as moedas virtuais como "propriedade". INTERNATIONAL REVENUE OFFICE. Notice 2014-21. Disponível em: <https://www.irs.gov/pub/irs-drop/n-14-21.pdf>. Acesso em: 20 ago. 2020.

[204] US DEPARTMENT OF THE TREASURY, FINANCIAL CRIMES ENFORCEMENT NETWORK, Guidance on the Application of FinCEN's Regulations to Persons Adminis-

No entanto, é entre a SEC (Securities and Exchange Commission) e a CFTC (Commodity Futures Trading Comission) que um certo embate parece se concentrar. A SEC tem mostrado forte atuação no combate às ofertas iniciais de criptoativos (ICO's) não registradas. Em julho de 2017, o órgão publicou a sua então aguardada orientação acerca de seu envolvimento, ou não, nesse mercado nascente de criptoativos[205]. Mais especificamente, sua atenção volta-se à oferta de *tokens* que apresentem natureza jurídica de valores mobiliários (também conhecidos como "*security tokens*"). Destaque-se que o órgão utiliza o teste de Howey[206] a fim de atestar se tratar de *security token*, já tendo afastado tal natureza relativamente ao bitcoin e a etherium. É de se pontuar a importância desse posicionamento da SEC, posto ter orientado um número significativo de decisões de outros reguladores fora dos Estados Unidos — inclusive a CVM brasielira.

Já a CFTC toma alguns criptoativos, como o bitcoin por exemplo, por *commodities*[207], o que atrairia sua supervisão, e as sujeitariam a Commodity Exchange Act (CEA). Em realidade, a CFTC tem sido apontada como a autoridade reguladora federal emergente — ainda que no mercado à vista tenha uma competência limitada —, voltada a evitar e punir fraudes e manipulações e distinguir entre o que seria mercado à vista e futuro. De todo modo, sua tendência tem sido de uma abordagem de "Regulação Responsável", que envolve ao menos os seguintes aspectos: (i) educação dos consumidores; (ii) afirmação da autoridade legal; (ii) inteligência, expertise de mercado, com o monitoramento e reco-

tering, Exchanging or Using Virtual Currencies. FIN-2013-G001, 18 mar. 2013. Ainda, ver: Blemus, Stéphane. Law and Blockchain: a legal perspective on current regulatory trends worldwide. *Revue Trimestrielle de Droit Financier (Corporate Finance and Capital Markets Law Review) RTDF*, n. 4, -dez. 2017. Disponível em: <https://papers.ssrn.com/sol3/papers.cfm?abstract_id=3080639>. Acesso em: 20 ago. 2020.

[205] SECURITIES AND EXCHANGE COMMISSION. Report of Investigation under 21(a) of the Securities Exchange Act of 1934: The DAO. Release n. 81207; SECURITIES AND EXCHANGE COMMISSION. Investor Bulletin: Initial Coin Offerings, 25 jul. 2017.

[206] De forma simples, a aplicação do Teste de Howey visa identificar se um ativo detém natureza de valor mobiliário. E sua aplicação exige a resposta positiva a três elementos: a) investimento de recursos; b) empreendimento coletivo; c) com expectativa de obtenção de lucros que decorram de esforços de terceiros (nunca do próprio investidor).

[207] COMMODITY FUTURES TRADING COMMISSION. In the Matter of Coinflip, Inc d/b/a Derivabit and Francisco Riordan. CFTC Docket. n. 15-29, 17 set. 2015.

lhimento de dados; (iv) reforço regulatório, objetivando evitar fraudes, abusos, manipulações; e (v) coordenação entre as autoridades governamentais envolvidas.

Merece menção ainda a recente regulamentação, levada a efeito pela CFTC, relativa ao mercado futuro de bitcoins. Optou-se pela autocertificação do contrato, por parte dos ofertantes. Isto é, os ofertantes autocertificam de que os contratos a serem travados, com esses novos produtos, observaram as condições e requerimentos da CEA. Antes de listarem esses contratos, os interessados devem: ou (i) submeter uma autocertificação escrita à CFTC em que se garante que o contrato a ser travado observou as regras do CEA e as regulamentações da CFTC; ou (ii) voluntariamente submeter o contrato para aprovação da CFTC[208]. Esclareça-se que, em linhas gerais, o CEA alicerça-se nos postulados de proteção aos consumidores, transparência, boa-fé, minimização de riscos, *compliance* e sanções aos infratores.

Por fim, exemplo pioneiro no intento de normatizar localmente o "mercado" de transações com criptomoedas é o BitLicence do Estado de Nova York. Desde junho de 2015, o Departamento de Serviços Financeiros do Estado de Nova York (NYDFS)[209] exige que qualquer pessoa que objetive realizar atividades econômicas voltadas à movimentação e/ou custódia de moedas virtuais no, ou com residentes do Estado de Nova York deve obter uma licença específica (a BitLicence), para que as realize de forma legal. Trata-se de um regime[210] que recebeu inúmeras críticas, mormente em razão do alto custo direto e indireto[211]

[208] Tanto a Chicago Mercantile Exchange quanto a CBOE Future Exchange optaram por submeter seus contratos à aprovação da CFTC.

[209] New York State Department of Financial Services (NYDFS).

[210] Maiores informações são acessíveis em: DEPARTMENT OF FINANCIAL SERVICES. Virtual Currency Businesses. Disponível em: <https://www.dfs.ny.gov/apps_and_licensing/virtual_currency_businesses>. Acesso em: 18 ago. 2020.

[211] Ao se falar em custos diretos e indiretos, queremos nos referir à própria taxa de submissão (U$ 5.000,00), ao custo relacionado com a estruturação e organização das informações solicitadas pelo NYDFS, que podem chegar a U$ 100.000,00, bem como à profundidade de dados pessoais solicitados (que acaba sendo percebida como se de invasão de privacidade se tratasse). Sobre o assunto, vide matérias disponíveis em: EVERYTHING YOU need to know about NYSDF BitLicense. *CIPHERTRACE*, 25 jun. 2019. Disponível em: <https://ciphertrace.com/new-york-bitlicense/>. Acesso em: 18 ago. 2020. NELSON, Danny. BitLicense at 5: despite architect Lawsky's hopes, few states copied NY rules. *Coindesk*, 24 jun. 2020.

para que os empreendimentos a ele se adequassem. O resultado pode ser visto no pífio número de aderentes a ele — em cinco anos apenas 25 (vinte e cinco) negócios obtiveram a licença[212] —, *versus* a debandada de empresas para outros Estados americanos, bem como pela utilização, por outros Estados americanos, enquanto parâmetro regulatório[213] do modelo elaborado pela *Uniform Law Commission (ULC)*[214] — o *model Virtual Currency Business Act* (VCBA[215]) —, e não o *BitLicence.*

4.2.2. União Europeia (UE)

É perceptível, no âmbito da União Europeia, uma preocupação em se monitorar a evolução do uso da tecnologia *blockchain*, a fim de de se propor, eventualmente, adequações normativas — minorando-se os riscos jurídicos detectados — em alguns nichos em que o mercado cripto desenvolva-se, ou mesmo sua adoção estatal (eleições ou a emissão de Central Bank Digital Currencies, por exemplo). Nesse sentido, por iniciativa da Comissão da União Europeia, foi instaurado um fórum especifico de observações, discussões, e estudos que visam subsidiar eventuais

Disponível em: <https://www.coindesk.com/bitlicense-influence-state-crypto-legislation>. Acesso em: 18 ago. 2020.

212 Informação disponível em: BITLICENSE Recipients. *Coindesk*, 24 jun. 2020. Disponível em: <https://www.coindesk.com/bitlicense-recipients>. Acesso em: 18 ago. 2020.

213 Os Estados de Califórnia, de Hawaii e Oklahoma, por exemplo, já adotaram o VCBA. Fonte: UNIFORM LAW COMISSION. Virtual-Currency Businesses Act, Regulation of. Disponível em: <https://www.uniformlaws.org/committees/community-home?CommunityKey=e104aaa8-c10f-45a7-a34a-0423c2106778>. Acesso em: 18 ago. 2020. Já o Estado de Louisiana utilizou tal *standard* como parâmetro a elaboração de seus legislação. NELSON, Danny. BitLicense at 5: despite architect Lawsky's hopes, few states copied NY rules. *Coindesk*, 24 jun. 2020. Disponível em: <https://www.coindesk.com/bitlicense-influence-state-crypto-legislation>. Acesso em: 18 ago. 2020.

214 A Uniform Law Commission (ULC), também chamada de Conferência Nacional de Comissários sobre Leis Estaduais Uniformes, é uma associação americana não incorporada e sem fins lucrativos. Estabelecido em 1892, a ULC tem como objetivo fornecer aos estados dos EUA modelos de legislação bem pesquisada e elaborada para trazer clareza e estabilidade a áreas críticas da lei estatutária em todas as jurisdições. A ULC promove a promulgação de atos uniformes em áreas do direito estadual onde a uniformidade é desejável e prática. Para acesso a mais informações, vide site institucional: <https://www.uniformlaws.org/home>. Acesso em: 18 ago. 2020.

215 UNIFORM LAW COMISSION. Virtual-Currency Businesses Act, Regulation of. Disponível em: <https://www.uniformlaws.org/committees/community-home/librarydocuments?communitykey=e104aaa8-c10f-45a7-a34a-0423c2106778>. Acesso em: 18 ago. 2020.

propostas de convergência regulartórias no âmbito da União Europeia. Trata-se do EU *Blockchain* Observatory and Forum, que foi criado como um projeto piloto do Parlamento Europeu, sendo atualmente administrado pela Direção-Geral de Redes de Comunicações, Conteúdo e Tecnologia (DG CONNECT) da Comissão Europeia, contando ainda com parceiros tecnológicos (ConsenSys AG) e acadêmicos (*Universidade de Southampton, Knowledge Media Institute na Open University, University College London* e a *Lucerne University of Applied Sciences*). O Observatório e Fórum de Blockchain da União Europeia estabelece como seu objetivo principal *acelerar a inovação em blockchain e o desenvolvimento do ecossistema de blockchain dentro da UE, e assim ajudar a cimentar a posição da Europa como líder global nesta nova tecnologia transformadora*[216]. Nesse sentido, proclama serem suas missões: *(i) monitorar iniciativas de blockchain na Europa, (ii) produzir uma fonte abrangente de conhecimentos em matéria de blockchain; (iii) criar um local (fórum) atraente e transparente de compartilhamento de informações e opiniões; e (iv) fazer recomendações sobre o papel que a UE pode aqui desempenhar*[217].

Resultados dessa iniciativa podem ser visualizados pela produção de inúmeros relatórios, que tratam dos mais variados (e importantes) assuntos conexos ao tema[218]. *"Blockchain Innovation in Europe", "Blockchain and Cyber Security", "Blockchain Use Cases in Healthcare", "Governance Of and With Blockchains", "Blockchain and the Future of Digital Assets", "Blockchain in Trade Finance and Supply Chain", "Legal and Regulatory Framework of Blockchains and Smart Contracts", "Blockchain and Identity", "Blockchain and GPDR"*, são alguns dos assuntos que foram objeto de estudos e consolidados nesses mencionados relatórios.

No que tange ao tema específico de regulação, merece menção o relatório "*Legal and Regulatory Framework of Blockchains and Smart*

[216] No original: "The European Union Blockchain Observatory and Forum aims to accelerate blockchain innovation and the development of the blockchain ecosystem within the EU, and so help cement Europe's position as a global leader in this transformative new technology". EUBLOCKCHAIN. About. Disponível em: <https://www.eublockchainforum.eu/about>. Acesso em: 27 ago. 2020.

[217] EUBLOCKCHAIN. About. Disponível em: <https://www.eublockchainforum.eu/about>. Acesso em: 27 ago. 2020.

[218] EUBLOCKCHAIN. Reports. Disponível em: <https://www.eublockchainforum.eu/reports>,. Acesso em: 27 ago. 2020.

Contracts"[219], publicado em 27 de setembro de 2019. É reconhecido, no bojo desse documento, que a tecnologia *blockchain* traz inúmeros desafios jurídicos justamente por suas características natas de descentralização, "anonimato", imutabilidade e automatização, que dificultam a identificação dos envolvidos (e, portanto, responsáveis), bem como a jurisdição relacionada a eventuais conflitos. No entanto, é salientado que, apesar de existentes, tais obstáculos não são de todo insuperáveis, sendo pontuados oito recomendações aos Estados-membros para que os tenham em mente quando no exercício do mister regulatório.

Primeira, a de se definir claramente quais *blockchains* e *smart contracts* estariam sujeitos à legislação europeia, para só a partir de então poder compartilhar quais definições estariam a cargos dos reguladores da UE e/ou dos Estados-membros (estruturação dos âmbitos de competências), fazendo-se uso de definições tecnológicas simples, porém úteis. Segunda, comunicar, da forma mais ampla possível, eventuais interpretações legais relativas a operações com criptoativos pelos Estados-membros construídas. Terceiro, buscar fazer uso de abordagens regulatórias adequadas a cada um dos casos em tela, seja apenas esclarecendo eventual aplicação — ao caso — de arcabouço legislativo existente, seja emendando diplomas legais positivados de modo a acolher as situações que envolvam operações com criptoativos, ou seja ainda estruturando novos regimes normativos específicos às transações com *tokens*. Quarta, buscar a harmonização entre as legislações dos Estados, bem como das interpretações que a elas devem ser dadas. Quinta, estabelecer os diálogos entre os partícipes do ecossitema cripto e os formadores de políticas públicas a fim de se compreender a tecnologia e seus eventuais riscos. Sexta, trabalhar primeiro em casos de aplicabilidades de maior impacto, por exemplo, em questões regulatórias sobre ativos digitais, e esclarecimentos sobre *blockchain vis-à-vis* GDPR (General Data Protection Regulation). Sétima, relativamente aos casos de uso menos maduros (de menores impactos), monitorar os seus desenvolvimentos, incentivando-se aqui a autorregulação. Oitava, fazer do uso do próprio *blockchain* como ferramenta reguladora (ex: métodos para quebrar o "pseudônimo"

[219] EUBLOCKCHAIN. Reports. Disponível em: <https://www.eublockchainforum.eu/reports>. "Estrutura legal e regulamentar de blockchain e contratos inteligentes". Acesso em: 16 jun. 2020.

em *blockchains* e identificar os efetivos partícipes da rede)[220]. É inegável a efervescência de tal cenário de observações, discussões e estudos. A tendência é que tal espaço incentive e lidere as iniciativas institucionais que serão levadas a cabo no âmbito da União Europeia. No entanto, do ponto de vista oficial e institucional, o que já lá temos em aplicação é a Diretiva (UE) 2018/843, que trata de normativas antilavagem de dinheiro e financiamento ao terrorismo.

4.2.2.1. *Diretiva (UE) 2018/843*

De proêmio, insta salientar que o trânsito de capitais é condição inerente à estruturação do livre mercado da União Europeia, fim primeiro e catalisador da conformação de referida comunidade, que, antes de tudo, é econômica. Daí que, consoante o artigo 114 do Tratado de Funcionamento da União Europeia (TFUE), as matérias afetas à referida estruturação devem ter uma harmonia mínima. No caso do mercado de capitais, o instrumento escolhido foram as Diretivas[221]. Trata-se de uma espécie normativa que vincula os resultados a serem alcançados, deixando aos Estados-membros a competência para regulamentarem a forma[222] e meio de os atingir[223]. Trata-se, portanto, de atos normativos

[220] LYONS, Tom Lyons; COURCELAS, Ludovic; TIMSIT, Ken. Legal and regulatory framework of blockchains and smart contract. *UE Blockchain Observatory and Forum.* Thematic Report, set. 2019, p. 33-35. Disponível em: <https://www.eublockchainforum.eu/reports>. Acesso em: 27 ago. 2020.

[221] O art. 288 do TFUE elenca quais seriam os atos jurídicos de que se valem as instituições da União Europeia a fim de exercerem suas competências. Trata-se do que se convencionou chamar de fontes secundárias da União Europeia, e sujeitas, portanto, a controle de validade material e formal face ao direito primário (constituído pelos tratados constitutivos, bem como os de modificação ou revisão que lhe seguirem; pelos princípios gerais de direito e pela Carta dos direitos fundamentais da União Europeia), a ser exercido pela Corte de Justiça Europeia. Basicamente, seriam tais fontes secundárias: (i) os regulamentos; (ii) as diretivas; (iv) as decisões; (v) as recomendações; e (vi) os pareceres; sendo que apenas os três primeiros possuem natureza de verdadeiros atos legislativos (art. 289 do TFUE).

[222] Quer-se com isso dizer que as diretivas podem ser transpostas por meio de "actos normativos internos com solenidades muito diversa, ainda que a matéria fiscal tenda em maior ou menor grau a ficar reservada aos parlamentos nacionais, por força do princípio da legalidade". VASQUES, Sérgio. mposto sobre o Valor Acrescentado. Reimpressão. Coimbra: Editora Almedina, 2019, p. 77.

[223] Cf. art. 288, § 3º: "A directiva vincula o Estado-Membro destinatário quanto ao resultado a alcançar, deixando, no entanto, às instâncias nacionais a competência quanto à forma e aos meios".

de aplicabilidade indireta ou mediada, justamente porque dependem de ato jurídico complementar, a ser adotado pelas instâncias nacionais, que transponham as Diretivas à esfera interna, para que então tenham densidade normativa suficiente a regular as relações jurídicas naqueles territórios firmadas.

É de se ressaltar, porém, que tal ausência de eficácia direta das diretivas tem sido flexibilizada em alguns casos específicos, e desde que verificadas algumas condicionantes. Tem o Tribunal de Justiça da União Europeia (TJUE) entendido pela possibilidade de os particulares invocarem a aplicabilidade direta de dispositivos das diretrizes, face unicamente aos Estados-membros[224], se o limite temporal para a implementação das mesmas já tiver expirado, e se as normas em questão forem suficientemente claras, precisas e incondicionais[225]. As mesmas consequências podem ser obtidas caso a transposição da diretiva fosse feita de modo deficiente[226]. Ainda, esclarece o TJUE que a aplicação de normas nacionais consideradas incompatíveis, *prima facie*, com as Diretivas só poderia ser afastada caso as mesmas não pudessem, de forma alguma, ser interpretadas em conformidade às disposições dos Tratados[227].

Pois bem. A higidez de um sistema financeiro e de capitais que permita o fluxo adequado, livre e lícito de capitais é estrutural ao erigi-

[224] Isto é, tem-se aceito apenas o efeito direto vertical, não sendo possível aos particulares invocarem perante outros particulares a aplicabilidade direta de disposições de Diretiva (cf. Acórdão *Marshall vs Southampton and South West Hampshire AHA*, de 26 de fevereiro de 1986). Contudo, como lembrado por João Félix Pinto Nogueira, o Tribunal tem admitido tal efeito horizontal "no que tange a defesa por excepção, isto é, quando alguém invoque como fundamento da sua pretensão uma norma nacional que seja contrária a uma directiva" (cf. Acórdãos *Verbond van Nederlandese Ondernemmingen*, de 1º de fevereiro de 1977, e *Marleasing*, de 17 de maio de 1977). Nogueira, João Félix Pinto. Direito Fiscal Europeu — O paradigma da proporcionalidade. Wolters Kluwer Portugal. 2010, p. 170.

[225] Cf. Acórdãos *Van Duyn*, de 4 de dezembro de 1974, *Ratti*, de 5 de abril de 1979, *Ursula Becker*, de 19 de janeiro de 1982. TJUE. Disponível em: <https://eur-lex.europa.eu/legal-content/pt/ALL/?uri=CELEX:61974CJ0041>, <https://eur-lex.europa.eu/legal-content/PT/TXT/?uri=CELEX%3A61978CJ0148>, e <https://eur-lex.europa.eu/legal-content/PT/TXT/?uri=CELEX%3A61981CJ0008>. Acesso em: 28 set. 2020.

[226] Cf. Acórdão *Verbond van Nederlandese Ondernemmingen*, de 1º de fevereiro de 1977. TJUE. Disponível em: <https://eur-lex.europa.eu/legal-content/EN/TXT/?uri=CELEX%3A61976CJ0051>. Acesso em: 28 set. 2020.

[227] Cf. Acórdão *Marleasing*, de 13 de novembro de 1990. Disponível em: <https://eur-lex.europa.eu/legal-content/PT/TXT/?uri=CELEX%3A61989CJ0106>. Acesso em: 28 set. 2020.

mento da Comunidade Europeia. É inegável que a eclosão de operações com criptoativos trouxe como uma das primeiras preocupações, entre outras, a utilização desse ferramental tecnológico *pari passu* ao sistema financeiro para fins de lavagem (ou branqueamento) de capitais ou de financiamento ao terrorismo. É que as intermediadoras dessas operações (conhecidas como *exchanges*) não estavam, em tese, sujeitas às Diretivas então regentes dos riscos inerentes a operações ilícitas no sistema financeiro e no mercado de capitais, notadamente ao dever de prestar informações das operações de "câmbio" por elas realizadas[228].

Tal cenário mudou com a Diretiva 2018/843 — 5AMLD (*anti-money laundering*)[229]. Aqui, ampliaram-se as responsabilidades então direcionadas aos "agentes econômicos tradicionais" para esses novos atores, desse mercado cripto nascente. Assim, agentes conexos às transações com troca de criptomoedas por moedas oficiais, ou mesmo provedores de carteira digital, passariam a ter de observar o quanto disposto na Directiva 2018/843 — 5AMLD. Em outras palavras, essa Diretiva passou a afetar diretamente as empresas de *exchange* de criptomoedas e prestadores de serviços de custódia de carteiras digitais em toda a União Europeia.

É de se esclarecer que a Diretiva expressamente destaca ter "por objetivo abranger todas as utilizações potenciais das moedas virtuais"[230]. E, para delimitar seu âmbito e limite de incidência, define como moeda virtual "uma representação digital de valor que não seja emitida ou garantida por um banco central ou uma autoridade pública, que não esteja necessariamente ligada a uma moeda legalmente estabelecida e não possua o estatuto jurídico de moeda ou dinheiro, mas que é aceita por pessoas singulares ou coletivas como meio de troca e que possa ser transferida, armazenada e comercializada por via eletrônica"[231]. Ainda

[228] Diretivas 2009/138/CE e 2013/36/UE. EUROPEAN UNION LAW.: Diretiva (EU) 2009/138/CE e Diretiva 2013/36/UE. Disponível em: <https://eur-lex.europa.eu/legal-content/pt/TXT/?uri=CELEX:32009L0138> e <https://eur-lex.europa.eu/legal-content/PT/TXT/?uri=CELEX%3A32013L0036>. Acesso em: 28 ago. 2020.

[229] A íntegra está disponível em: EUROPEAN UNION LAW.: Diretiva (EU) 2018/843. Disponível em: <https://eur-lex.europa.eu/legal-content/PT/TXT/?uri=CELEX%3A32018L0843>. Acesso em: 28 ago. 2020.

[230] Item (10) da parte de considerações do 5AMDL.

[231] 5AMLD — d) item 18.

conceitua "prestador de serviços de custódia de carteiras" como "uma entidade que presta serviços de salvaguarda de chaves criptográficas privadas em nome dos seus clientes, com vista a deter, armazenar e transferir moedas virtuais"[232].

Pois bem, partiu-se da premissa de que tais prestadores de serviços de câmbio entre moedas virtuais e moedas fiduciárias não estavam, até então, obrigados pela União Europeia a identificarem atividades suspeitas e, por essa razão, haveria a possibilidade de os grupos terroristas transferirem dinheiro para o sistema financeiro da União ou no âmbito de redes de moedas virtuais, "dissimulando as transferências ou beneficiando de um certo grau de anonimato nessas plataformas"[233]. Por esse motivo, a 5 AMDL previu que "as autoridades competentes deverão estar em condições de, através de entidades obrigadas, acompanhar a utilização de moedas virtuais"[234] Na prática, isso envolve a obrigação de executarem a *due diligence* do cliente (CDD[235]) e de enviarem relatório de atividades suspeitas (SAR[236]).

Outra preocupação externada na Diretiva foi quanto à anonimidade das moedas virtuais *vis-à-vis* o potencial de seu uso para fins criminosos. Portanto, e para minimizar esses riscos, determinou que as Unidades de Informação Financeira (UIF) nacionais "deverão ser capazes de obter informações que lhes permitam associar endereços de moeda virtual à identidade do detentor de moedas virtuais". Também deverá ser considerada "a possibilidade de se permitir que os utilizadores se autodeclarem voluntariamente às autoridades designadas"[237].

Por fim, outro ponto que merece destaque é que a 5AMLD introduziu a regulamentação para fornecedores de bolsas e carteiras de criptomoedas, determinando que, a partir de agora, devem ser registradas junto às autoridades competentes em seus locais domésticos[238], por exemplo, na BaFin da Alemanha. Ainda restou para os Estados-

[232] 5AMLD — d) item 19.

[233] Item (8) da parte de considerações do 5AMDL.

[234] Item (8) da parte de considerações do 5AMDL.

[235] *Client due diligence.*

[236] Suspicious Activity Report.

[237] Item (9) da parte de considerações do 5AMDL.

[238] Isso se extrai da leitura do item (29) da diretiva, que alterou o art. 47, n. 1, da Diretiva 2015/849.

-membros estabelecerem as sanções e aplicarem as penalidades pelo descumprimento das regras impostas nessa diretiva. Ambas as previsões permitem que coexistam inúmeros regimes distintos no âmbito da União Europeia.

Em suma, a 5AML consubstancia instrumento normativo que traz um padrão regulamentório, *standards* mínimos, para o uso das moedas virtuais no âmbito da União Europeia, ainda que atribua aos seus Estados-membros o dever de regulamentarem e criarem procedimentos adicionais adaptados de acordo com suas necessidades locais. É de se noticiar, por fim, estar previsto o monitoramento desse diploma legal. Caberá à Comissão apresentar ao Parlamento Europeu e ao Conselho, de (três) em 3 (três) anos, relatórios sobre essa Diretiva, e caso necessário, esses relatórios deverão ser acompanhados por propostas legislativas adequadas às "moedas virtuais, habilitações para a criação e manutenção de uma base de dados central de registro das identidades dos utilizadores e dos endereços de carteiras digitais acessíveis às UIF, bem como para a melhoria da cooperação entre os gabinetes de recuperação de bens dos Estados-Membros."[239].

4.2.2.2. *European Securities and Markets Authority — ESMA*

No que tange a manifestações "oficiais" no âmbito da União Europeia, merece noticia a publicação, em janeiro de 2019, pela ESMA de "Orientações" relativas ao potencial enquadramento dos criptoativos na legislação regente dos Mercados de Capitais. Trata-se do relatório "Advice Initial Coin Offerings and Crypto-Assets"[240].

Consta no referido documento que, por inexistir uma definição legal de "criptoativos" na legislação da UE sobre títulos financeiros, uma consideração importante a ser feita é quanto à qualificação legal desses ativos digitais como instrumentos financeiros — ou mais precisamente valores mobiliários —, tal qual estipula o Artigo 4 (1) (15) da MiFID II. É que a qualificação de criptoativos como tal é crucial, pois determina a aplicabilidade, ou não, de um amplo conjunto de instrumentos jurídicos

[239] Item (41) do 5AMDL.

[240] EUROPEAN SECURITIES AND MARKETS AUTHORITY. Advice Initial Coin Offerings and Crypto-Assets. Disponível em: <https://www.esma.europa.eu/sites/default/files/library/esma50-157-1391_crypto_advice.pdf>. Acesso em: 20 set, 2020.

europeus e nacionais que regulam o mercado financeiro da União, bem como as atividades e/ou serviços nesse âmbito fornecidos. Isso inclui, entre outros arcabouços normativos, a Diretiva dos Mercados de Instrumentos Financeiros (MiFID II)[241] e o Regulamento dos Mercados de Instrumentos Financeiros (MiFIR)[242], o regime de prospectos estabelecido pelo Regulamento dos Prospectos e a Diretiva dos Prospectos[243], o Regulamento de Abuso de Mercado, a Diretiva Transparência[244], e o Regulamento das Centrais de Valores Mobiliários[245].

Semelhante ao conceito de "contrato de investimento" erigido no sistema norte-americano, a categoria de "valores mobiliários" ao abrigo da legislação da UE não tem limites fixos. O artigo 4.º, n.º 1, (44), da MiFID define "valores mobiliários" como "categorias de títulos mobiliários que são negociáveis no mercado de capitais, com exceção dos instrumentos de pagamento". Na sequência, são trazidos exemplos, em lista explicativa, do que constituiria um valor mobiliário, quais sejam: (a) ações de empresas; (b) obrigações ou outras formas de dívida titularizada; e (c) "quaisquer outros títulos mobiliários que dêem o direito de adquirir ou vender tais valores mobiliários"[246]. Da mesma forma que foi erigido, lá nos E.U.A, o chamado "Teste de Howey", os tribunais da UE e as autoridades financeiras implementam um conjunto de critérios funcionais para identificar o que constitui um valor mobiliário para efeitos da MiFID e legislação auxiliar. Em particular, com base na leitura interligada do Regulamento do Prospecto e da MiFID, os valores mobiliários são caracterizados por serem transferíveis, negociáveis no mercado de capitais[247]

[241] Diretiva 2014/65/UE.

[242] Regulamento (UE) 2014/600.

[243] Regulamento (UE) 2017/1129 e Directiva 2010/73/UE.

[244] Diretiva 2013/50/UE.

[245] Regulamento (UE) 2014/909.

[246] Artigo 4(1)(44) da Directiva 2014/65/EU.

[247] ESMA (European Security and Markets Authority)."Prospectuses. Questions and Answers, 29th updated version — January 2019" *ESMA* (2019). Disponível em: <https://www.esma.europa.eu/sites/default/files/library/esma31-62-780_qa_on_prospectus_related_topics.pdf>. Acesso em 28 ago. 2020. Consoante questão 67: "the essence of the definition of transferable securities in Article 4(18) MiFID is that, as a class, they are negotiable on the capital markets" [em tradução livre: a essência da definição de valores mobiliários no artigo 4.º (18) da MiFID é que, enquanto classe, eles são negociáveis nos mercados de capitais].

e padronizados. Além disso, precisam apresentar semelhança funcional aos outros valores mobiliários expressamente identificados, o que significa, essencialmente, que devem incorporar um risco financeiro.

Pois bem. Em um esforço para determinar a "natureza" jurídica dos criptoativos e, por conseguinte, a eventual aplicabilidade dos regulamentos financeiros da UE, a ESMA realizou um inquérito, em meados de 2018, junto às Autoridades Nacionais Competentes para fins de recolher *feedbacks* detalhados sobre a possível qualificação legal, pelos Estados Membros, desses ativos como instrumentos financeiros. Houve consenso entre essas autoridades de que os criptoativos que reúnam as condições necessárias para serem qualificados como instrumentos financeiros deveriam ser regulamentados como tal. Ainda, foram sugeridas mudanças nas legislações existentes ou acréscimos de disposições para fins de se instrumentalizar esses órgão a dar respostas mais adequadas às características únicas do setor, tais como a natureza descentralizada da tecnologia subjacente, risco de *forks*[248] e a custódia dos ativos digitais subjacentes. Tanto as conclusões quanto as recomendações foram consolidadas e convalidadas pela ESMA, de forma que, consoante a análise do caso concreto, as autoridades regentes dos mercados de capitais dos Estados-membros da União Europeia poderão catalogar a oferta pública, ou outras atividades realizadas com criptoativos como sujeitas à sua supervisão prudencial.

4.2.2.3. *Regulamento em Mercados de Criptoativos (MiCA)*

Um novo capítulo foi recentemente adicionado ao cenário europeu. Referimo-nos à recentíssima proposta de Regulamento em Mercados de Criptoativos (MiCA)[249], elaborada pela Comissão Europeia, e vazada em setembro de 2020. Trata-se de diploma normativo que tem em foco lidar com os criptoativos não enquadráveis na legislação de ser-

[248] "*Fork*" é termo utilizado para se referir a atualizações que o protocolo ou código de uma criptomoeda ou criptoativo recebem. O objetivo é se aprimorar o código o protocolo em si. Consoante essas atualizações sejam compatíveis, ou não, com o código até então em funcionamento, classificamo-las (respectivamente) de duas maneiras: Soft Fork e Hard Fork.

[249] EUROPEAN UNION LAW. Proposal for a REGULATION OF THE EUROPEAN PARLIAMENT AND OF THE COUNCIL on Markets in Crypto-assets (MiCA). 24 set. 2020. Disponível na URL: <https://eur-lex.europa.eu/legal-content/EN/TXT/?uri=COM:2020:593:FIN>. Acesso em: 25 set. 2020.

viços financeiros. Mais especificamente, a proposta tem por foco trazer disciplina específica à categoria de criptoativos que não se enquadrem na legislação existente em matéria de serviços financeiros da UE, bem como às *stable coins*. A proposta tem por fundamento jurídico o art. 114 do TFUE, que confere às instituições europeias a competência para estabelecer as disposições adequadas para a aproximação das legislações dos Estados-Membros que tenham por objetivo o estabelecimento e o funcionamento do mercado interno.

Por meio da introdução de um quadro comum da UE, podem ser estabelecidas condições uniformes de operação para as empresas dentro da UE, superando eventuais diferenças nos quadros nacionais, que poderiam conduzir à fragmentação do Mercado Único, além de reduzir a complexidade e os custos para as empresas desse nicho que operem no território europeu. Ainda, uma tal harmonia poderá facilitar o acesso das empresas que transacionem criptoativos e/ou *stable coins* a todo o mercado interno, além de proporcionar a segurança jurídica necessária ao fomento da inovação no mercado dos criptoativos. Além disso, garantirá a integridade do mercado e proporcionar aos consumidores e investidores níveis adequados de proteção e uma compreensão clara dos seus direitos, bem como a garantia de estabilidade financeira.

E, justamente a fim de atingir tais objetivos, a escolha pelo instrumento "Regulamento" não foi a aleatória, posto ser esse o diploma legislativo vocacionado a estabelecer um único conjunto de regras imediatamente aplicáveis em todo o mercado único — consoante já afirmado no início do presente tópico. Daí que, ao contrário da Diretiva que exige a prévia incorporação de suas disposições pelos Estados-membros para que produzam os efeitos jurídicos relativos, o Regulamento já os produz imediatamente. Assim, o regulamento proposto estabelece requisitos harmonizados, isto é, exigíveis de forma semelhante em todo o território do mercado comum, para os emitentes que pretendam oferecer os seus criptoativos na União e/ou para os prestadores de serviços com criptoativos que ali pretendam atuar.

Daí que, caso aprovada a referida proposta, fornecer-se-á a necessária segurança jurídica para transações com criptoativos não abrangidos pela atual legislação da UE em matéria de serviços financeiros, e/ou *stablecoins*, e uniformizar-se-ão as regras aplicáveis aos prestadores e emitentes de serviços criptoativos da UE. Ademais, uma vez aprovado, o regulamento proposto substituirá os quadros nacionais existentes aplicáveis às operações por esse diploma regidas.

4.2.3. Suíça

A Suíça sempre foi ambiciosa em apoiar a inovação no espaço *blockchain*. Zug[250], um cantão suíço, por exemplo, tem por objetivo se tornar um verdadeiro celeiro de negócios com emprego da tecnologia *blockchain* — ou afins. Autoentitula-se *crypto-valley*, erigindo verdadeiro *marketing* positivo ao seu entorno com fins de atrair os empreendedores, e empreendimentos, desenvolvidos nesse ambiente tecnológico para seu território.

Voltando ao cenário macro suíco, é de se pontuar que, na época em que os reguladores de uma forma geral estavam divididos sobre como abordar os fenômenos de ICO`s, o regulador suíço — indo na contramão da maioria de seus pares que eram mais hesitantes, cautelosos ou mesmo contrários ao negócio —, escolheu uma abordagem mais ativa, de diálogo e mesmo acolhimento, sendo um dos primeiros a introduzir algo concreto quando publicou, em fevereiro de 2018, um Guia de diretrizes para as ICO (ICO Guideline). Nesse guia, a Autoridade Suíça de Supervisão do Mercado Financeiro (FINMA) expõe de que forma pretende aplicar a legislação do mercado financeiro às consultas a si formuladas por parte dos organizadores de ICO`s. Ainda, define as informações que devem ser fornecidas à FINMA para proceder ao exame dessas consultas, bem como esclarece sobre que princípios baseará suas respostas, visando criar, assim, clareza para os participantes do mercado.

Em esclarecimentos iniciais a esse "ICO Guideline", a FINMA destaca que a regulamentação do mercado financeiro não é aplicável a todas as ICO`s. Dependendo da maneira como projetados os ICO`s, poder-se-á estar diante de operações potencialmente enquadráveis ao regime jurídico do mercado financeiro suíço. Assim, por inexistir uma regulamentação específica das ICO`s, nem jurisprudência relevante ou doutrina jurídica consistente sobre o assunto, uma eventual resposta demanda análise casuística, das circunstâncias inerentes a cada um dos casos[251].

[250] Sobre o assunto, vide: <https://cryptovalley.swiss>. Acesso em: 17 set. 2020.

[251] FINMA. FINMA publishes ICO guidelines. 16 fev. 2018. Disponível em: <https://www.finma.ch/en/news/2018/02/20180216-mm-ico-wegleitung/>. Acesso em: 17 set. 2020.

Esclarece o órgão regulador do mercado financeiro suíço que o foco dessa análise (casuística) será a função econômica e/ou finalidade relacionada aos *tokens* emitidos nessas ofertas iniciais. Daí que os principais fatores que direcionam as decisões FINMA seriam (i) o propósito subjacente dos *tokens*, e (ii) se eles já são negociáveis ou transferíveis. Com base nisso, o FINMA categoriza os *tokens* em três tipos principais, não descartando a possibilidade desses *tokens* assumirem formas híbridas. Seriam eles: "*tokens* de pagamento, *tokens* utilitários e *tokens* de ativos"[252]. Os *tokens* de pagamento são sinônimos de criptomoedas, detendo funcionalidade atrelada a serem aceitos como meio de pagamento, após um determinado período de tempo. Já os *tokens* utilitários são *tokens* destinados a fornecer acesso digital a um aplicativo ou serviço. Por fim, os *tokens* de ativos representam ativos mobiliários, detendo função econômica análoga a ações, títulos ou derivativos.

É a identificação da primeira e da última categoria que detém maiores repercussões, posto atrair a incidência das legislações inerentes à prevenção de lavagem de dinheiro (ambas) e do mercado de valores mobiliários (apenas a última). Os riscos de lavagem de dinheiro são especialmente altos em um sistema baseado em *blockchain* descentralizado, no qual os ativos podem ser transferidos anonimamente e sem intermediários regulamentados. Daí que identificados ser "*tokens* de pagamento", ou "*tokens* ativos financeiros", lhes são aplicáveis a Lei Antilavagem de Dinheiro e de Financiamento ao Terrorismo, que determina, entre outras coisas, a necessidade de se identificar os proprietários dos ativos. Já a regulamentação de valores mobiliários visa garantir que os participantes do mercado possam basear suas decisões sobre investimentos em um conjunto mínimo de informações confiáveis (mitigando as assimetrias informacionais). Além disso, a negociação deve ser justa, confiável e oferecer formação de preços eficiente.

Grosso modo, a FINMA tratará das consultas de ICO's da seguinte forma:

(i) ICO's de pagamento: para ICO's em que o *token* se destina a funcionar como um meio de pagamento, será exigido o cumprimento

[252] No original: "*payment token*", "*utility token*" e "*asset token*". FINMA. FINMA publishes ICO guidelines. 16 fev. 2018. Disponível em: <https://www.finma.ch/en/news/2018/02/20180216-mm-ico-wegleitung/>. Acesso em: 17 set. 2020.

dos regulamentos de combate à lavagem de dinheiro. A FINMA, entretanto, não tratará esses *tokens* como títulos financeiros.

(ii) ICO's de utilidade: se esses *tokens* tiverem por único propósito o de conferir direitos de acesso digital a um aplicativo ou a um serviço, já pode assim ser usados, sendo passíveis de transferência sem maiores ônus, no momento da emissão. Agora, se um *token* de utilidade funcionar na prática, e ainda que parcialmente, como um investimento, a FINMA tratará esses *tokens* como se fossem títulos financeiros (ou seja, da mesma forma que os "*tokens* de ativos").

(iii) ICO's de ativos financeiros: a FINMA considera os *tokens* de ativos como valores mobiliários, o que significa que, para além da legislação antilavagem de dinheiro, existem requisitos da lei de valores mobiliários para a negociação de tais *tokens*, bem como requisitos da legislação civil, tais como as exigências mínimas que um prospecto deve conter (estabelecidas no Código Suíço de Obrigações).

No intuito de avançar em sua pretensão regulatória, foi apresentado, em março de 2019, ao Legislativo da Suíça o "*Blockchain Act*", projeto legislativo que propunha inúmeras modificações a diplomas legais de alcance federal. O objetivo dessas alterações legais era tutelar, agora de forma expressa e mais minudente, as operações realizadas com criptoativos e/ou em ambiente de tecnologia DLT. O ecossistema "cripto" suíço em geral acolheu positivamente a proposta, visto que, com as novas regras, a Suíça deteria uma das estruturas jurídicas privadas mais avançadas do mundo para modelos de negócios baseados em *tokens*. Reconhecia-se que, apesar de a estrutura legal suíça já oferecer muita flexibilidade a esse mercado nascente, certas áreas jurídicas exigiam alguns ajustes a fim de se aumentar a segurança jurídica, remover obstáculos para aplicativos baseados em DLT ou *blockchain*, e limitar novos riscos.

Consta, aliás, de forma expressa, na redação do texto final da proposta que "tecnologia de razão distribuída (DLT) e tecnologias de *blockchain* estão entre os desenvolvimentos promissores em digitalização", e que o propósito do "*Blockchain Act*" é melhorar ainda mais as condições para que a Suíça possa aproveitar essas tecnologias. São três os pontos-chave dessa proposta:

(a) Introdução da figura de títulos não certificados baseados em DLT: propõe-se alterar a legislação de títulos civis suíços (Código Suíço de Obrigações) para introduzir uma nova categoria de títulos não certificados, os "Títulos-DLT (DLT-Wertrechte)". O novo regime proposto é amplamente análogo ao regime de títulos certificados e visa facilitar a emissão e a utilização de *tokens* digitais com características semelhantes aos instrumentos tradicionais. Essas novas disposições fornecerão um quadro jurídico mais robusto para permitir a transferência de direitos e evidenciar a legitimidade do titular de um direito que usa DLT.

(b) Criação de uma nova categoria de licença para instalações de negociação baseadas na DLT: foi diagnosticado pelo Conselho Federal Suíço que o uso da tecnologia DLT cria certas oportunidades, no que diz respeito às infraestruturas do mercado financeiro, que não são adequadamente abordadas na legislação em vigor. Por exemplo, com a tecnologia de registro distribuído, é possível, ao empreendedor, atender seus clientes (pessoas físicas) diretamente, sendo desnecessária a intermediação dos negócios por entidades reguladas. Para resolver essa e outras deficiências da legislação tradicional, a proposta do "*Blockchain Act*" prevê que o Swiss Financial Market Infrastructure Act (FMIA) seja emendado, a fim de comportar um novo tipo de licença independente e específica para "instalações de negociação DLT".

(c) Introdução de regras claras sobre a segregação de ativos digitais *versus* dados sem valor patrimonial em caso de falência: visa-se aumentar a segurança jurídica no que diz respeito ao tratamento de ativos digitais pertencentes a terceiros em caso de falência de uma carteira/provedor de custódia dos *tokens*. Pretende-se que tal intento seja alcançado ao ser expressamente previsto, ao abrigo da Lei de Execução da Dívida e Falências da Suíça (DEBA), o direito de, em determinados casos, terceiro solicitar a segregação dos seus criptoativos da massa patrimonial do falido. A nova disposição foi inspirada nas regras existentes a respeito da reivindicação do proprietário para a segregação de objetos físicos (*Sachen*)[253].

[253] FLÜHMANN, Daniel; HSU, Peter. New Swiss draft regulations could be a milestone for DLT. *International Financial Law Review*, abr./maio 2019. Disponível em: <https://www.

Tal proposta legislativa foi aprovada em setembro de 2020, devendo produzir efeitos ainda no primeiro trimestre de 2021.

4.2.4. Malta e Liechtenstein

A escolha por esses dois pequenos países localizados no território europeu se deu em razão de ambos terem elaborados diplomas legislativos específicos que buscam lidar com alguns dos aspectos jurídicos conexos aos universo "cripto". Tratam-se de países que também podem ser considerados *crypto-friendly*, ao buscarem trazer ambiente juridicamente favorável (estável, previsível) para os negócios que envolvam operações com crioptativos.

A ilha de Malta tem se mostrado como um dos países mais amigáveis a empreendimentos com *blockchain* e/ou criptoativos. Em 2018, foram aprovadas três leis favoráveis ao ramo: a Lei de Ativos Digitais ("The Virtual Financial Assets Act")[254], a Lei da Autoridade de Inovação de Malta ("The Malta Digital Innovation Authority Act")[255] e a Lei de Serviços e Arranjos Tecnológicos ("Technology Arrangements and Services Bill")[256]. De se pontuar que esses três diplomas legislativos voltam-se a regulamentar o setor de forma ampla.

Em síntese, a Lei da Autoridade de Inovação de Malta estabelece a forma em que se dará a regulamentação do setor de criptomoedas e de tecnologias em *blockchain*, e institui a MDIA (*Malta Digital Inovation Authority*) como órgão apto ao exercício de tal mister. Já a Lei de Serviços e Arranjos Tecnológicos, de adesão voluntária, trata do regime de registro de Prestadores de Serviços de Tecnologia e da certificação de plataformas DLT. E a Lei de Ativos Digitais, de observância obrigatória

baerkarrer.ch/publications/IFLR_FintechLSwitzerland_B&K_Newsletter.pdf>. Acesso em: 17 set. 2020.

[254] LEGISLATION MALTA. Virtual Financial Assets Act (Lei de Ativos Financeiros Virtuais, em tradução livre). 1 nov. 2018. Disponível em: <http://www.justiceservices.gov.mt/DownloadDocument.aspx?app=lom&itemid=12872&l=1>. Acesso em: 25 nov. 2018.

[255] LEGISLATION MALTA. The Malta Digital Innovation Authority Act (Lei da Autoridade de Inovação de Malta, em tradução livre). 2018. Disponível em: <http://www.justiceservices.gov.mt/DownloadDocument.aspx?app=lp&itemid=29080&l=1>. Acesso em: 25 nov. 2018.

[256] LEGISLATION MALTA. Technology Arrangements and Services Bill (Lei de Lei de Serviços e Arranjos Tecnológicos, em tradução livre). 2018. Disponível em: <http://www.justiceservices.gov.mt/DownloadDocument.aspx?app=lp&itemid=29078&l=1>. Acesso em: 25 nov. 2018.

por todos os agentes do setor, traça o regime regulatório que governa as ICO's e os demais intermediários que prestam serviços com moedas virtuais, como os *brokers*, as *exchanges* e os fornecedores de carteira eletrônica.

Em linhas gerais, a Lei de Ativos Digitais de Malta estabelece os requisitos mínimos para que uma ICO seja considerada regular; bem como traça as diretrizes a serem seguidas pelos emissores dos *tokens* e pelos intermediários, prestadores de serviços, e institui a figura do Agente de "*virtual financial asset*". Tais agentes devem ser advogados, contadores, auditores, ou firmas de, e seriam os responsáveis por orientar os emissores e/ou prestadores de serviços, bem como "certificar" perante a autoridade competente acerca do cumprimento, por eles, das exigências legais.

Merece ainda menção o conceito negativo, dado pela legislação maltesa, ao que configuraria ativo digital, sujeito ao seus dispositivos. Define "*virtual financial asset*" como qualquer forma de registro digital que é usado como meio digital de troca, unidade de conta ou reserva de valor e que não é (a) dinheiro eletrônico[257]; (b) um *token* virtual[258]; ou (c) um instrumento financeiro[259]. Impende destacar justamente o afastamento de figuras próximas, mas que não configurem verdadeiras criptomoedas. A importância dessas iniciativas, e que justifica a atração crescente da ilha pelas empresas de tecnologia em *blockchain* e criptoativos, é que se traz segurança jurídica a quem empreende no setor. Afinal, é o Estado estabelecendo que aquela criptomoeda ou que aquele prestador de serviço tem padrões mínimos de qualidade.

[257] Dinheiro eletrônico seria o armazenamento digital de valores representativo de fundos, existente perante instituições financeiras, usado para fazer transações de pagamentos e aceito por pessoas físicas e jurídicas distintas das instituições financeiras emissoras (representação de *"fiat" currencies*).

[258] "*Token* virtual" significa uma forma de registro em meio digital cuja utilidade, valor ou aplicação é restrito somente à aquisição de bens ou serviços, seja exclusivamente dentro da plataforma DLT (*distributed ledger technology*) na qual ou em relação à qual foi emitida ou dentro de uma rede limitada de plataformas DLT.

[259] Foi criado um teste, a fim de se verificar a natureza de instrumento financeiro, ou não. Vide: ZUCKERMAN, Molly Jane. Regulador de Malta procura feedback sobre o teste de instrumento financeiro cripto proposto anteriormente. *Cointelegraph*, 15 abr. 2018. Disponível em: <https://br.cointelegraph.com/news/malta-regulator-seeks-feedback-on-proposed-crypto-financial-instrument-test>. Acesso em: 18 jan. 2019.

Relativamente a Liechtenstein, desde janeiro de 2020 está vigente a "Lei dos Provedores de Serviços de *Tokens* e TT"[260], resultado da aprovação do que se convencionou chamar "Liechtenstein Blockchain Act". Para além de se valer da expressão "*trustworthy technology*"[261], locução ampla que semanticamente visa abarcar as tecnologias "*blockchains*", "DLT", e as que lhe sejam correlatas ou mesmo lhes sucedam, a proposta de Liechtenstein é inovadora e pioneira ao disciplinar a economia tokenizada de uma forma mais ampla. Isto é, traz regramento que permite a tokenização direta de todos os tipos de ativos e direitos, sem a necessidade de os empreendimentos terem de se socorrer de eventuais soluções alternativas, oriundas de verdadeiras ginásticas interpretativas.

Em resumo, o "Liechtenstein Blockchain Act" consubstancia um conjunto de novas regras e de alterações de leis existentes que permitem a conversão de todo e qualquer direito e/ou ativo em *tokens*. Liechtenstein parte da premissa de que, em razão da transformação digital por que passamos, o mundo físico, tal qual nos é conhecido, será ampliado, ou mesmo sobreposto por um mundo digital. É certo que muitas das tratativas hoje feitas se concretizam em meio físico (contratos em papel, com assinatura reconhecida pelo oficial credenciado a tanto, ou ainda escrituras registradas perante tabeliães). No entanto, a tendência que se verifica é que, cada vez mais, tais atos serão replicados ou mesmo transmutados ao mundo virtual por meio de representações digitais suas, ou seja, *tokens*. Tal tokenização da economia trará — e cada vez mais — desafios, alguns relacionados à própria coexistência e sincronicidade entre direitos e ativos do mundo real com seus correspectivos *tokens*. Eis o foco de atenção dos legisladores de Liechtestein.

Nesse ínterim, o princípio-norte do regramento de Liechtenstein foi o de garantir perfeita sincronia entre mundo físico e o mundo digital dos *tokens*. Para tanto, o "Blockchain Act" de Liechtenstein erigiu o chamado *Token Container Model* (TCM). Consoante esse modelo, um *token* serviria como uma espécie de "contêiner" com a capacidade de "acondicionar" direitos e ativos dos mais variados tipos. Imóveis, ações, títulos, ouro, direitos de acesso, dinheiro, ou mesmo moeda oficial são alguns

[260] IMPULS LIECHTENSTEIN. Token and Trusted Technology Service Provider Act (TVTG). Disponível em: <https://impuls-liechtenstein.li/en/blockchain-act-liechtenstein/>. Acesso em: 18 set. 2020.

[261] Em tradução livre, seria algo como "tecnologia de confiança".

dos direitos e ativos passíveis de serem "carregados" nesses "contêineres". Contudo, o "contêiner" também pode estar vazio, caso em que a única coisa existente seria o código digital, caso do Bitcoin, por exemplo.

Esta abordagem de se "acondicionar" um direito ou ativo em um contêiner (ou seja, em um *token*) pode parecer simplória ou mesmo trivial; porém, traz algumas repercussões interessantes. Ela permite, como bem nos lembra Philipp Sandner, a "segregação" de direito e o ativo (conteúdo), de um lado, e de *token* tecnicamente "rodando" em um sistema baseado em *blockchain* (continente), de outro[262]. Isso quer dizer que o arcabouço normativo de Liechtenstein diferencia entre direito e tecnologia. E, ao fazê-lo, esse modelo é realmente útil para se entender o processo e o impacto da tokenização *vis-à-vis* os direitos e ativos que eventualmente carreguem. É que todas as regras que regem o direito e o ativo subjacente basicamente permanecem como estão. Assim, por exemplo, os "*tokens* de ativos" (representativos de "valores mobiliários") não são uma nova classe de títulos. O modelo de "contêiner", ao deixar assente que o continente (*token*) apenas "carrega" os ativos e direitos (conteúdos), com eles não se confundindo, deixa muito claro que um tal *token* de ativo nada mais é do que um valor mobiliário (com todas as regras, licenças, deveres etc. aplicáveis a ele) tecnicamente nele "empacotado".

O *token*, que nesse momento é o próprio ativo ou direito "empacotado", poderá então ser transferido para novos proprietários, ou mesmo gerenciado em um portfólio de investimentos, ou até mesmo armazenado com segurança por um provedor de custódia, sem a necessidade de que tais transações impliquem na "troca" dos direitos e ativos contidos nesse "contêiner". Um exemplo pode auxiliar na compreensão disso. Imaginemos que o direito que será "acondicionado" no "contêiner" (*token*) seja o de propriedade de um diamante. Quem possui o *token*

[262] "*This approach of loading a right or asset into a container (i.e., into a token) may sound trivial but allows a separation of (1) the right and the asset on the one hand side and (2) the token technically "running" on a blockchain-based system on the other hand side. In this manner, Liechtenstein differentiates between (1) law and (2) technology*.". SANDNER, Phillip. Liechtenstein Blockchain Act: How can nearly any right and therefore any asset be tokenized based on the Token Container Model?. 7 out. 2019. Disponível em: <https://medium.com/@philippsandner/liechtenstein-blockchain-act-how-can-nearly-any-right-and-therefore-any-asset-be-tokenized-based-389fc9f039b1>. Acesso em: 20 set. 2020.

possui o diamante. Mas o diamante não precisa mudar sua localização física a toda e qualquer transação, podendo permanecer custodiada em um cofre. Ocorre que, mesmo sem a perfectibilização da tradição do bem, a propriedade do diamante poderá mudar quando da transferência do *token* para outras pessoas.

Dentro dessa lógica, é mesmo intuitivo a necessidade de existir "alguém" que certifique e garanta a existência do ativo e/ou direito naquele *token* "empacotado", ou mesmo que custodie o bem subjacente. E o regime proposto por Liechtenstein traz a previsão de um "validador físico", responsável por integrar o mundo físico com o digital, a fim de manter a sincronicidade entre um e outro. E mais, tal ator é responsável mesmo pelo zelo e manutenção das condições desses ativos e/ou direitos tokenizados, bem como a solução de quaisquer problemas e inconsistências que se detecte. Por conseguinte, mostra-se essencial que as autoridades públicas regulamentem tais prestadores de serviços que exercem mesmo um papel fundamental na edificação da economia tokenizada idealizada pelo "Blockchain Act". Nesse sentido, é previsto que esse "certificador", assim como alguns outros novos prestadores de serviços, precisará não apenas de um registro na Autoridade do Mercado Financeiro de Liechtenstein (FMA), mas também de uma licença específica para operar. Daí serem previstas inúmeras espécies de registros (e/ou licenças) junto à FMA, consoante o tipo (ou tipos) de atividades por esses agentes exercidas ao longo da cadeia econômica tokenizada. Para além desses validadores, que fazem a conexão entre o mundo físico e o mundo em *blockchain*, podemos mencionar os "geradores de *tokens*", "emissores de *tokens*" e "depositário de *tokens*".

O mais interessante da proposta de Liechtenstein é que ela se concentra em adaptar as legislações pré-existentes[263] a fim de promover maior segurança jurídica no desenvolvimento da economia tokenizada, economia essa que se mostra ser uma forte tendência para os anos vindouros. E, justamente por visar regulamentar o mercado de uma forma macro, sedimentando o ambiente jurídico propício ao desenvolvimento de projetos conexos à economia tokenizada, tal modelo de "contêiner" acaba por permitir que qualquer ativo ou direito possa ser representado

[263] Liechtenstein People and Companies Act, Trade Act, Due Diligence Act e Financial Market Authority Act.

por (contido em) um *token*: desde direitos relacionados ao uso de um *software* ("*utility tokens*"), perpassando por ações de sociedades ("*asset tokens*"), ou mesmo moeda oficial, tal como o euro ("*payment token*"), bem como nada, isto é, que inexista qualquer ativo, bem ou direito contido nesse *token*, caso em que o código que se encerra em si mesmo (*cryptoassets* ou *cryptocurrencies*[264]).

4.2.5. Japão

Inexiste uma legislaçao específica regente das operações com criptoativos no Japão. Contudo, em março de 2016, foi aprovada no Japão a chamada "Lei das Fintechs", um projeto de alterações legais com o objetivo de adaptação da legislação nacional às transformações no ambiente de tecnologia da informação e, dentro da qual, foi incluída a regulação das criptomoedas. O marco regulatório entrou em vigor em 1º de abril de 2017, e, no âmbito das moedas virtuais, alterou a Lei sobre Arranjos de Pagamentos e a Lei de Prevenção de Movimentação de Recursos Provenientes do Crime.

Relativamente à Lei de Arranjos de Pagamento, dois são os pontos que merecem menção. Primeiro, o relativo à conceituação do que seriam moedas virtuais: "valor patrimonial (restritos àqueles registrados em dispositivo eletrônico ou outros meios eletrônicos, excluídas as moedas de curso forçado), que pode ser utilizado em relação a pessoas indeterminadas para o fim de pagamento na compra ou empréstimo de produtos, ou por serviços prestados, e que pode ser adquirido ou vendido para pessoas indeterminadas, podendo ser transferidos através de um sistema de processamento de dados eletrônicos". Segundo, a definição das atividades enquadradas na prestação de serviços das plataformas eletrônicas, ou de *exchanges* de moedas virtuais, que, para legitimamente operarem, estão sujeitas à autorização do primeiro-ministro. Seriam elas: (i) prestação de serviço de compra ou venda de moedas virtuais diretamente dos usuários; (ii) prestação de serviço de intermediação de tran-

[264] Tal catalogação consta no relatório The Liechtenstein Blockchain-Act, desenvolvido por Dr. Thomas Dünser, para o Governo de Liechtenstein. DÜNSER, Thomas. The Liechtenstein Blockchain-Act. Government of Liechtenstein. 12 mar. 2019. Disponível em: <http://www.ecri.eu/system/tdf/thomas_duenser_1.pdf?file=1&type=node&id=155&force=0>. Acesso em: 20 set. 2020. Interessante, aliás, notar que tal organização categórica é semelhante à da nossa proposta tipológica — apresentada no capítulo anterior.

sações entre usuários, sem a aquisição das moedas virtuais (plataforma operacionaliza o *matching* entre aqueles que querem efetuar transações entre si); e (iii) serviço de administração de moedas virtuais relacionado aos serviços anteriormente mencionados[265].

Já no que tange à reforma, trazida pela "Lei das Fintechs", na Lei de Prevenção de Transferência de Recursos de Origem Criminosa, é de se destacar a criação, para plataformas de moedas virtuais, de deveres adicionais com o objetivo explícito de combate ao crime de lavagem de dinheiro e de financiamento ao terrorismo. Tais empreendimentos passaram a ser considerados "operadoras especiais", que nada mais são do que prestadoras de serviços financeiros que podem ser potencialmente utilizados para transferência de recursos com origem em atividades criminosas. Nessa mesma categoria, estão os bancos, cooperativas de crédito, seguradoras, fundos de investimento etc. Consequência disso é a imposição à *exchange* de moedas virtuais de uma série de deveres relacionados a regras AML/KYC, tais como o de confirmar a identidade do usuário em transações com riscos potenciais (realização de transações contínuas ou repetitivas, bem como valores envolvidos na aquisição e/ou venda de moedas virtuais que ultrapassem 2 milhões de ienes ou 100 mil ienes em caso de transferencia direta de moedas virtuais). Além disso, tais plataformas devem também reportar qualquer transação sobre a qual recaiam suspeitas de relação com atividade criminosa[266].

Para além desse primeiro pacote legislativo, mais recentemente, em maio de 2020 entrou em vigência uma nova proposta regulatória que alterou a Lei de Serviços de Pagamento do Japão (PSA[267]) e a Lei de Instrumentos Financeiros e Câmbio (FIEA[268]), e que será aplicada pelo principal regulador financeiro do Japão, a Agência de Serviços Financeiros (FSA). Em apertada síntese, essas modificações legislativas visam trazer mais proteção aos investidores de criptoativos que confiam seus

[265] Kobayashi, Eduardo Mesquita. Regulação de criptoativos no Japão — Marco regulatório, jurisprudência e doutrina. *Revista de Direito Público da Economia — RDPE*, Belo Horizonte, ano 17, n. 67, p. 115-135, jul./set. 2019, p. 119.

[266] Kobayashi, Eduardo Mesquita. Regulação de criptoativos no Japão — Marco regulatório, jurisprudência e doutrina. *Revista de Direito Público da Economia — RDPE*, Belo Horizonte, ano 17, n. 67, p. 115-135, jul./set. 2019, p. 121.

[267] Payment Service Act.

[268] Financial Instruments and Exchange Act.

ativos a custodiantes e/ou bolsas de criptomoedas, bem como trazer para a supervisão da FSA as operações com derivativos de criptoativos, e as ofertas iniciais de *tokens* de ativos (STO) e/ou ofertas iniciais de moedas (ICO).

De início, convém mencionar que, entre as alterações normativas do PSA, consta a da própria terminologia jurídica básica, que de "moeda virtual" passou a usar "criptoativo" quando se refere a ativos digitais. De acordo com relatório da PwC[269], tal modificação alinha o país asiático à terminologia mais amplamente usada em âmbito internacional (caso dos países do G20), bem como evita confusões ao facilitar, aos usuários, distinguir entre ativos criptográficos e moedas fiduciárias.

Ademais, cumpre pontuar que as *exchanges* de criptoativos (ou figuras similares) que operem no Japão, a partir de 1º de maio, terão que gerenciar o dinheiro dos usuários separadamente de seus próprios fluxos de caixa. Isso significa encontrar uma operadora terceirizada para manter o dinheiro de seus clientes e usar "métodos confiáveis" como carteiras frias (*coldwallets*) para fazer isso. No entanto, caso seja necessário manter as carteiras na própria plataforma do ente custodiante, tais entes terão que manter "o mesmo tipo e as mesmas quantidades de criptoativos" que seus usuários para adequadamente reembolsá-los, em caso de roubo. Trata-se de medida consentânea às experiências com *o Mt. Gox*, e *Coincheck* que resultaram na perda estimada de U$ 480.000.000,00 (quatrocentos e oitenta milhões de dólares[270]) e U$ 533.000.000,00 (quinhentos e trinta e três milhões de dólares[271]), respectivamente.

Além disso, cumpre pontuar que os *tokens* oriundos de STO\`s[272] e ICO\`s não são considerados "criptoativos" ou "moedas virtuais", mas sim

[269] Hibi, Makoto; Shibata, Hidenori. Bill to Revise Regulations on Virtual Currencies (Crypto-Assets) and ICOs in Japan. *PwC Legal Japan News*, abr. 2019. Disponível em: <https://www.pwc.com/jp/en/legal/news/assets/legal-20190425-en.pdf>. Acesso em: 21 set. 2020.

[270] Consoante reportagem: MT. GOX ENTRA com pedido de falência e culpa hackers por perda de bitcoins. *G1 Tecnologia e Games*, 28 fev. 2014. Disponível em: <http://g1.globo.com/tecnologia/noticia/2014/02/mt-gox-entra-com-pedido-de-falencia-e-culpa-hackers-por--perda-de-bitcoins.html>. Acesso em: 21 set. 2020.

[271] Consoante reportagem: Alecrim, Emerson. Japonesa Coincheck sofre o maior roubo de criptomoedas da história: US$ 533 milhões. *Tecnoblog*, 29 jan. 2018. disponível em: <https://tecnoblog.net/233223/roubo-nem-coincheck-japao/>. Acesso em: 21 set. 2020.

[272] STO é a sigla para se referir a Security Token Oferring, isto é, a ofertas iniciais de securities tokens.

"direitos transferíveis registrados eletronicamente (ERTRs). O termo "ERTR" se aplica, em suma, a *tokens* criptográficos que são emitidos com a expectativa de lucro, tais como *tokens* de ativos ("*security tokens*"). Ao não enquadrá-los na categoria de "criptoativos", que é regulada pela Lei de Serviços de Pagamento (PSA), a FSA submete as ERTR`s à Lei de Instrumentos Financeiros e Câmbio (FIEA). Ainda, e desde 1º de maio de 2020, estão sob a regulamentação da FIEA as transações com derivativos de criptoativos, operações essas que, apesar de representarem 80% do volume de transações nesse nicho realizadas, não eram até então regulamentadas. Nota-se que, semelhantemente às empreitadas de outros países, o objetivo das modificações legais recentemente levadas a efeito no território asiático é colocar o Japão no circuito de soberanias consideradas um porto seguro para o desenvolvimento de negócios com criptoativos[273].

[273] Sobre o assunto, vide: FUJIHIRA, Katsuhiko; GRAHAM, Seth M. Japanese Cryptocurrency Update: New Amendments to Crypto Asset Regulations Take Effect May 1. *Morrison & Foerster.* Disponível em: <https://www.mofo.com/resources/insights/200423-japanese-cryptocurrency-update.html>. Acesso em: 21 set. 2020.

Capítulo 5
Regulação no Ambiente de Tecnologia *Blockchain*. E o Brasil Nisso Tudo?

No capítulo anterior, buscamos trazer as reflexões inerentes à regulamentação da tecnologia *blockchain*. Mais especificamente, buscamos trazer um panorama geral das principais discussões relacionadas a como disciplinar as operações socioeconômicas levadas a efeito por meio de *tokens* e criptoativos. Identificamos ainda, no atual estado de arte, quais os principais eixos de preocupações dos entes reguladores competentes. Por fim, trouxemos algumas investidas e/ou propostas regulatórias em pauta pelo mundo.

É chegado o momento, portanto, de nos atermos no cenário brasileiro. De início, é de afirmar ser no mínimo interessante acompanhar a evolução das investidas brasileiras em regulamentar o fenômeno. De uma proposta legislativa em certa medida minimalista, e que sofreu intensas resistências (PL nº 2303/2015) até a propositura de projetos de lei mais robustos, que reconhecem a relevância da tecnologia *blockchain* e intentam regulamentar a realidade de criptoativos de forma mais ampla (PL nº 2060/2019 e PL nº 4207/2020), assim como inserir as *exchanges* sob a supervisão e fiscalização do BACEN (PL nº 3825/2019).

Verificamos também, nesse entremeio, manifestações da Comissão de Valores Mobiliários, do Banco Central do Brasil e da Receita Federal do Brasil carecedoras de coerência quanto à própria competência para tratar do assunto. Não obstante, em maio de 2019, a Receita Federal do Brasil publicou a Instrução Normativa de nº 1888, em que traz alguns conceitos relacionados ao mercado de criptoativos. Passemos a análise de tais manifestações, esclarecendo, desde já, que focaremos nossas críticas mormente nos projetos de lei até o momento apresentados, e na Instrução Normativa da Receita Federal, dadas as suas tendências de maior perenidade no ordenamento jurídico.

5.1. As manifestações do BACEN e da CVM

O Banco Central do Brasil, por meio dos Comunicados 25.306/2014 e 31.379/2017, afirmou que os criptoativos não são moedas, nem mesmo eletrônicas (consoante Lei nº 12.865/2013). E assim o é porque "não são emitidas nem garantidas por uma autoridade monetária", mas por entidades e pessoas "[...] não reguladas nem supervisionadas por autoridades monetárias de qualquer país". Diante desse contexto, "não têm garantia de conversão para a moeda oficial".

Também alertou quanto aos riscos de os criptoativos serem utilizados para o financiamento de atividades criminosas, e de acarretarem, perda patrimonial aos usuários, ante a possibilidade de ataques pela internet. E, isso sem que existisse qualquer interferência e/ou regulação estatal que os minimizassem.[274] Por fim, salientou a desnecessidade, naquele momento, de se regulamentar tais ativos, mas que a autarquia estaria monitorando a evolução do uso das moedas virtuais, bem como acompanhando "as discussões nos foros internacionais sobre a matéria para fins de adoção de eventuais medidas, se for o caso, observadas as atribuições dos órgãos e das entidades competentes".

Há ainda uma sutil menção a "criptoativos", no Relatório de Economia Bancária (2017)[275], enquanto segmento de destaque em que há atuação de *startups* financeiras (as chamadas *fintechs*). No entanto, não resta claro se tal nicho estaria sob a mira de eventual regulamentação

[274] BANCO CENTRAL DO BRASIL. Comunicado nº 25.306 de 19/2/2014. Disponível em: <https://www3.bcb.gov.br/normativo/detalharNormativo.do?method=detalharNormativo&N=114009277>. Acesso em: 10 abr. 2019.

[275] BANCO CENTRAL DO BRASIL. Relatório de Economia Bancária. 2017. Disponível em: <https://www.bcb.gov.br/content/publicacoes/relatorioeconomiabancaria/REB_2017.pdf>. Acesso em: 10 abr. 2019.

pelo BACEN, ou se seria considerado objeto de regramento da competência de outros entes (CVM ou SUSEP).

Já a Comissão de Valores Mobiliários (CVM), em novembro de 2017, lançou Nota a respeito das chamadas Ofertas Iniciais de Criptoativos (ICO`s). Inicialmente, esclarece que ICO`s podem ser compreendidas "como captações públicas de recursos, tendo como contrapartida a emissão de ativos virtuais, também conhecidos como *tokens* ou *coins*, junto ao público investidor". Prossegue salientando que, a depender do contexto econômico de sua emissão e dos direitos conferidos aos investidores, podem tais ativos digitais representar valores mobiliários[276], nos termos do art. 2º, da Lei 6.385/76, caso em que estão sujeitas à regulação específica[277].

Ainda, esclarece a CVM na nota que, caso esses *tokens*, ofertados por meio de ICO`s, configurem representações digitais de valores mobiliários, não podem ser legalmente negociados em plataformas específicas de negociação de moedas virtuais (chamadas de *virtual currency exchanges*), uma vez que estas não estão autorizadas pela CVM a disponibilizar ambientes de negociação de valores mobiliários no território brasileiro. Por fim, alerta os potenciais investidores quanto aos riscos

[276] Em manifestação seguinte, esclarecedora das principais perguntas relacionadas ao tema, a CVM esclarece que os ativos virtuais objeto de ICO`s podem ou não se caracterizar como valores mobiliários — nesse último caso, seria o que costumeiramente se chama "*utility token*", *verbis*:

> Em certos casos, os ativos virtuais emitidos no âmbito de ICOs podem claramente ser compreendidos como algum tipo de valor mobiliário, principalmente quando conferem ao investidor, por exemplo, direitos de participação no capital ou em acordos de remuneração pré-fixada sobre o capital investido ou de voto em assembleias que determinam o direcionamento dos negócios do emissor.
>
> Em outros casos, quando ocorre a emissão de um "*utility token*", a distinção não é tão clara, podendo ou não haver entendimento de que houve emissão de valor mobiliário. A emissão de "*utility tokens*" ocorre quando o ativo virtual emitido confere ao investidor acesso à plataforma, projeto ou serviço, nos moldes de uma licença de uso ou de créditos para consumir um bem ou serviço. COMISSÃO DE VALORES MOBILIÁRIOS. Initial Coin Offerings (ICOs). 16 nov. 2017. Disponível em: <http://www.cvm.gov.br/noticias/arquivos/2017/20171116-1.html>. Acesso em: 10 abr. 2019

[277] COMISSÃO DE VALORES MOBILIÁRIOS. Initial Coin Offering (ICOs). 11 out. 2017. Disponível em: <http://www.cvm.gov.br/noticias/arquivos/2017/20171011-1.html>. Acesso em 10 abr. 2019.

inerentes a tais investimentos (em especial no que diz respeito a emissores ou ofertas não registradas na CVM):

> a. Risco de fraudes e esquemas de pirâmides ("Ponzi");
> b. Inexistência de processos formais de adequação do perfil do investidor ao risco do empreendimento (*suitability*);
> c. Risco de operações de lavagem de dinheiro e evasão fiscal/divisas;
> d. Prestadores de serviços atuando sem observar a legislação aplicável;
> e. Material publicitário de oferta que não observa a regulamentação da CVM;
> f. Riscos operacionais em ambientes de negociação não monitorados pela CVM;
> g. Riscos cibernéticos (entre os quais, ataques à infraestrutura, sistemas e comprometimento de credenciais de acesso dificultando o acesso aos ativos ou a perda parcial ou total dos mesmos) associados à gestão e à custódia dos ativos virtuais;
> h. Risco operacional associado a ativos virtuais e seus sistemas;
> i. Volatilidade associada a ativos virtuais;
> j. Risco de liquidez (ou seja, risco de não encontrar compradores/vendedores para certa quantidade de ativos ao preço cotado) associado a ativos virtuais; e
> k. Desafios jurídicos e operacionais em casos de litígio com emissores, inerentes ao caráter virtual e transfronteiriço das operações com ativos virtuais.

Na sequência, por meio do Ofício Circular nº 1/2018, de 12 de janeiro de 2018, a CVM se manifestou sobre a possibilidade de investimento em criptoativos pelos fundos de investimento regulados pela Instrução CVM nº 555/2014. A autarquia posicionou-se no sentido de que as criptomoedas (termo utilizado pelo referido instrumento) não seriam ativos financeiros, para os efeitos do disposto no artigo 2º, V, da Instrução CVM nº 555/2014, de modo que suas aquisições diretas por fundos de investimento não seriam permitidas.

Complementando essa última orientação, a CVM lança em setembro de 2018 outro Ofício Circular, de nº 11/2018, visando esclarecer a possibilidade de os fundos realizarem investimentos indiretos em criptoativos. Entendeu o órgão regulador que a Instrução CVM nº 555, em seu arts. 98 e seguintes, ao tratar do investimento no exterior, autorizaria o investimento indireto em criptoativos por meio, por exemplo, da aquisição de cotas de fundos e derivativos, entre outros ativos negociados em terceiras jurisdições, desde que admitidos e regulamentados naqueles mercados.

No entanto, alertou que, em tal mister, devem os administradores, gestores e auditores independentes serem diligentes na aquisição desses ativos, conforme imposto pela própria regulamentação vigente. A CVM refere-se basicamente aos cuidados para minimizar os riscos elencados na Nota veiculada em 2017: risco de fraudes, de utilização de criptoativos para lavagem de dinheiro, riscos cibernéticos (roubo ou ataques de hackers), volatilidade, liquidez etc.[278]

É digna de menção ainda a recente aprovação, em maio de 2020, da Instrução CVM nº 626[279], que regulamenta a constituição e o funcionamento do regime de *sandbox* regulatório. A iniciativa visa fomentar o empreendedorismo e o desenvolvimento do mercado de capitais brasileiro por meio da criação de um ambiente regulatório experimental, em que as entidades participantes possam testar modelos de negócio inovadores em atividades regulamentadas pela CVM. Consoante estabelecido na referida Instrução, *o participante admitido no sandbox receberá autorização temporária para desenvolver seu modelo de negócio inovador, e poderá receber dispensas de requisitos regulatórios para reduzir o ônus da conformidade com as regras vigentes estabelecidas pela Autarquia.*

Em contrapartida, para além de serem estabelecidas condições e limites à atuação do participante, e eventuais salvaguardas visando mitigar os riscos identificados, assegurando o bom funcionamento do mercado e a proteção de clientes e demais partes interessadas, os participantes serão continuamente monitorados pela CVM. Em tal ambiente propício ao fomento da inovação, assim como do mercado concorrencial, poder-se-á desenvolver arena de diálogo em que projetos com uso da tecnologia *blockchain* possam incentivar a experienciação no que tange à regulamentação de operações com criptoativos — ao menos, em tal nicho mercadológico (de capitais).

[278] COMISSÃO DE VALORES MOBILIÁRIOS. Ofício Circular nº 11/2018/CVM/SIN. 19 set. 2018. Disponível em: <http://www.cvm.gov.br/export/sites/cvm/legislacao/oficios-circulares/sin/anexos/oc-sin-1118.pdf>. Acesso em: 10 abr. 2019.

[279] COMISSÃO DE VALORES MOBILIÁRIOS. Instrução CVM 626. Disponível em: <http://conteudo.cvm.gov.br/legislacao/instrucoes/inst626.html>. Acesso em: 20 out. 2020.

Percebe-se, em suma, que ainda se está a andar em terreno incerto. Dado o volume cada vez maior das atividades com criptoativos, e a velocidade com que negócios e produtos estão sendo criados, não é de se espantar a preocupação desses órgãos reguladores em monitorar e, eventualmente, adaptar suas normativas a esse novo mercado emergente. O desafio está justamente em definir como o fazer, e em que momento o fazer, a fim de preservar a higidez do mercado financeiro e de capitais, e não obstaculizar as inovações tecnológicas.

5.2. As manifestações da Receita Federal do Brasil

Data de 2017 a primeira manifestação da Receita Federal do Brasil. Mais especificamente, no campo "*perguntas e respostas*" da Declaração de Imposto de Renda Pessoa Física, esclareceu o órgão federal que as criptomoedas poderiam ser equiparadas a ativos financeiros, e que, portanto, estariam sujeitas à tributação pelo ganho de capital.

Ainda, entre os meses de outubro e novembro de 2018, abriu consulta pública de proposta de ato normativo em que exige das *exchanges* domiciliadas no Brasil a prestação de informações relativas a todas as operações com criptoativos. Trata-se da Consulta Pública nº 06/2018, convertida na Instrução Normativa nº 1.888/2019, essa última publicada em maio de 2019 para ter efeitos concretos a partir de agosto de 2019.

A Instrução normativa determina basicamente que sejam prestadas informações à Receita Federal do Brasil relativamente a toda e qualquer operação com criptoativos realizada por *exchange* domiciliada no Brasil, e/ou operações com criptoativos, que ultrapassem, em um mês, R$ 30.000,00 (trinta mil reais), realizadas diretamente entre os particulares (P2P), ou em *exchange* internacional. A razão para tal medida pauta-se no expressivo aumento de valores negociados em referido mercado (previsão de atingir 45 bilhões de reais em 2018[280]), no aumento do número de pessoas nele envolvidas, e na existência de ações semelhante por parte de outros países.

Louvável a postura da Receita Federal do Brasil em buscar capitanear as discussões relativas ao mercado de criptoativos. Para além de se intentar salvaguardar a correta tributação dessas operações, aspecto

[280] Informação constante na exposição de motivos da Consulta Pública n. 06/2018, que trouxe a proposta dessa normativa.

importantíssimo a um Estado Democrático de Direito, tal postura da Receita influi no próprio fortalecimento do mercado. Afinal, ao se trazer maior segurança normativa, aumenta-se a credibilidade dos operadores de criptoativos que estejam em *compliance* com a Administração, fato esse que tem o potencial de atrair investimentos de setores até então mais resistentes a esses ativos virtuais[281].

No entanto, não pode o órgão fazendário, obviamente, extrapolar seu âmbito de competência reguladora. E uma análise mais cuidadosa do diploma legislativo parece indicar que a Receita exorbitou, em alguns pontos, tais limites. Ademais, o custo de conformidade a essas "obrigações" mostra-se bastante elevado, dificultando o acesso e/ou a permanência dos empreendedores menores desse mercado nascente, o que pode ter efeitos negativos à concorrência no setor.

Mas, antes de adentrarmos nessa discussão, convém mencionar os conceitos de criptoativo e de *exchange* trazidos pelo instrumento normativo. "Criptoativo", consoante o órgão fiscal, seria

> *a representação digital de valor denominada em sua própria unidade de conta, cujo preço pode ser expresso em moeda soberana local ou estrangeira, transacionado eletronicamente com a utilização de criptografia e de tecnologias de registros distribuídos, que pode ser utilizado como forma de investimento, instrumento de transferência de valores ou acesso a serviços, e que não constitui moeda de curso legal*[282].

Parece que o objetivo do órgão regulador foi o de abranger, sob a égide da Instrução Normativa, todas as espécies de "criptoativos", sejam quais forem suas funcionalidades (*utility tokens, security tokens* ou *coins*). Aliás, tal conceituação, ao se referir à "representação de valores", é coerente às propostas de lei em trâmite no Senado Federal de nº 3825/2019, nº 3949/2019 e nº 4207/2020), que visam regulamentar os criptoativos

[281] O atual mercado de criptoativos é, em sua maioria, constituido por entusiastas e investidores com viés libertário e grande apetite por risco. Isso se deu por causa da pouca regulamentação até então existente, visto que os agentes institucionais (fundos de investimentos e previdência, bancos de investimentos) são impedidos de acessar mercados desrregulados.

[282] Art. 5º, I da Instrução Normativa RFB nº 1.888/2019. Disponível em: <http://normas.receita.fazenda.gov.br/sijut2consulta/link.action?visao=anotado&idAto=100592>. Acesso em 25 ago. 2020.

no Brasil, mas não às propostas apresentadas na Câmara dos Deputados[283] (de nº 2303/2015 e nº 2060/2019), de iguais pretensões. Tais inconsistências devem ser afastadas, mormente se pretendemos erigir um sistema jurídico seguro, segurança jurídica essa que pressupõe coerência na disciplina normativa. Análise mais detida de todas essas propostas legislativas será feita no próximo tópico.

Além disso, a Instrução da Receita cataloga como "*exchange* de criptoativo" apenas pessoas jurídicas "que oferecem serviços referentes a operações realizadas com criptoativos, inclusive intermediação, negociação ou custódia, e que pode aceitar quaisquer meios de pagamento, inclusive outros criptoativos"[284]. Incluiu ainda, nesse conceito, as plataformas de intermediação entre usuários — seja na modalidade P2P (*Peer-to-peer*) ou B2B (*Business-to-business*), ou B2C (*Business-to--consumer*). Aliás, tal tendência em se referir apenas às pessoas jurídicas enquanto possíveis intermediadoras de operações com criptomoedas também se verifica no Projeto de Lei nº 2.060/2019. E aqui, assim como acolá, é de se indagar por que razão apenas as pessoas jurídicas, e não as pessoas físicas eventualmente prestadoras de ditos serviços, seriam consideradas intermediadoras e sujeitas, portanto, a regramento legal e regulamentar específico.

De qualquer forma, tais pontos deverão ser eventualmente revistos caso seja aprovado projeto lei que, a despeito de regulamentar os criptoativos no Brasil, disponha de forma distinta. Afinal, o regulamento por se diploma normativo infralegal não deve dispor de modo distinto à lei regente do assunto.

Voltando à análise do diploma face à competência regulatória do órgão fazendário, percebemos que a Receita exorbitou, em alguns pontos, seus limites. Destarte, sob a ótica jurídica, os deveres impostos pela Receita fundamentam-se nas chamadas "obrigações tributárias acessórias"[285].

[283] É que, aqui, as propostas se referem ao criptoativo não como "representação de valores", mas como própria "unidade em si". Falaremos sobre o assunto no item 5.3.1.

[284] Art. 5º, II da Instrução Normativa RFB nº 1.888/2019. Disponível em: <http://normas.receita.fazenda.gov.br/sijut2consulta/link.action?visao=anotado&idAto=100592>. Acesso em 25 ago. 2020.

[285] Art. 113 do CTN, art.16 da Lei 9.779/99, art. 57 da MP 2.158-35/2001, e art. 327, III do Regimento Interno da Secretaria da Receita Federal do Brasil.

Obrigações acessórias seriam, consoante o art. 113 §2º do CTN, "prestações, positivas ou negativas, decorrentes da legislação tributária, e previstas no interesse da arrecadação ou fiscalização". Paulo de Barros Carvalho esclarece tratar-se de "relações que prescrevem comportamentos outros, positivos ou negativos, consistentes num fazer ou não-fazer, os quais estão pré-ordenados a tornar possível a apuração, o conhecimento, o controle e a arrecadação dos valores devidos a título de tributo"[286]. Destaque-se que o referido autor prefere utilizar a locução "deveres instrumentais[287]", haja vista inexistir verdadeira relação de acessoriedade entre a obrigação principal (de pagamento do tributo) e a instrumental: a existência desta independe daquela. Destarte, lembremos que mesmo as entidades imunes (em relação às quais inexistem obrigações tributárias) devem observar os deveres instrumentais.

Pois bem, obrigações acessórias ou deveres instrumentais consistem em obrigações de fazer, ou de tolerar, que objetivam a verificação e comprovação da ocorrência dos eventos previstos nas hipóteses de incidência tributárias. Daí porque, consoante bem lembrado por Roque Antonio Carrazza, deve existir um liame, conexão entre a obrigação acessória, exigida do contribuinte (ou responsável) e a obrigação principal que se pretende ver verificada. Salienta o autor que uma racional interpretação do art. 113, § 2º do CTN "facilmente nos revela que a pessoa política só pode criar obrigações acessórias pertinentes, isto é, que se ajustem aos tributos compreendidos em seu campo tributável"[288].

Trata-se do que identificamos como "dever de cooperação" para com a Administração Pública. Isto é, o dever de fiscalizar e formalizar o débito tributário é do ente fazendário, precipuamente, porém, em razão do princípio da solidariedade conexo ao dever fundamental de pagar tributos, ambos ínsitos a um Estado Democrático de Direito, compete aos administrados cooperarem[289] a fim de que os valores tributários devidos

[286] Carvalho, Paulo de Barros. *Direito Tributário, Linguagem e Método*. 4ª ed. rev e ampl. São Paulo: Noeses, 2011, p. 502.

[287] Utilizar-se-ão as expressões "deveres instrumentais" e "obrigações acessórias" como sinônimas.

[288] Carrazza, Roque Antonio. *Reflexões sobre a obrigação tributária*. São Paulo: Noeses, 2010, p. 212.

[289] Sobre o assunto, Leandro Paulsen salienta que "as obrigações tributárias não se limitam à contribuição de cada um conforme a sua capacidade contributiva. Envolvem, também, a colaboração das pessoas em um sentido mais amplo de cooperação, ajuda, auxílio, reque-

sejam vertidos aos cofres públicos. Dito de outra forma, identificadas situações em que os administrados, em suas relações socioeconômicas, detêm posições de poder aptas a auxiliar o Estado no dever de recolher tributos (seja porque são as fontes pagadoras, ou os responsáveis por registrarem informações dos fluxos de propriedade, por exemplo), em razão do princípio da solidariedade, é legítimo que se lhes imponha o dever de cooperar com a Administração Fazendária.

Ocorre que tais deveres de cooperação redundam em custos de conformidade, despesas em que incorrem os administrados a fim de cumprir para com a obrigação acessória. Daí a necessidade de que a imposição de tais deveres observem os princípios da proporcionalidade e razoabilidade, bem como o limite imposto pela vedação de se tributar com efeitos confiscatórios[290]. Isso significa que a atribuição de obrigações acessórias aos administrados não pode ser tão onerosa a ponto de dificultar, além do razoável, as atividades empresariais. Afinal, a Carta Política prevê sejam garantidas a liberdade de iniciativa econômica, a livre concorrência, o tratamento favorecido das micro e pequenas empresas, e assim por diante.

Em suma, pertinência, razoabilidade e proporcionalidade: eis os limites[291] a que está sujeita a Administração Fiscal na imposição dos deveres

rendo que concorram para a efetividade da tributação. Faz-se necessário, enfim, que as pessoas coordenem esforços, participando conforme as suas possibilidades paa que a tributação ocorra e cumpra sua finalidade". E prossegue esclarecendo que "Não apenas o dever de pagar tributos, mas também toda a ampla variedade de outras obrigações e deveres estabelecidos em favor da Administração Tributária para viabilizar e otimizar o exercício da tributação, encontram base e legitimação constitucional. O chamamento de todos, mesmo não contribuintes, ao cumprimento de obrigações com vistas a viabilizar, a facilitar, a simplificar a tributação, dotando-lhe da praticabilidade necessária, encontra suporte no dever fundamental de colaboração com a Administração Tributária". PAULSEN, Leandro. *Capacidade Colaborativa.* Princípio de Direito Tributário para obrigações acessórias e de terceiros. Porto Alegre: Livraria do Advogado Editora, 2014, p. 28-31.

[290] CARRAZZA, Roque Antônio. *Reflexões sobre a obrigação tributária*, p. 215-216.

[291] Discute-se, ainda, a imprescindibilidade de que tais obrigações acessórias venham veiculadas por meio de lei em sentido estrito. É que, por um lado, o artigo 113 do CTN refere-se ao desenvolvimento de deveres instrumentais por "legislação tributária", termo que engloba os atos infralegais (decretos, portarias, instruções normativas, etc). Por outro, há quem entenda ser necessária que tais deveres sejam veiculados em lei, por força do princípio da legalidade. É que tal princípio rege todos os aspectos da relação jurídico-tributária, firmada entre Fisco e contribuinte (e ou responsável), inclusive as relações que conformam os deveres de "colaborar com o fisco". CARRAZZA, Roque Antonio. *Reflexões sobre a obrigação*

instrumentais. Assim, para além de razoáveis, eventuais obrigações acessórias a serem exigidas das *exchanges* e/ou usuários das redes de criptoativos devem estar relacionadas à comprovação de que operações com referidos criptoativos subsomem-se à hipótese de incidência do imposto de renda, sob o ganho de capital. Ou seja, os deveres impostos pela autoridade fiscal só serão legítimos se conexos à obrigação principal, isto é, se ao entorno dela gravitarem, e não demandarem custos de conformidade tais a prejudicarem, de forma significativa, a própria atividade econômica das *exchanges*.

Todavia, a Instrução Normativa nº 1.888/2019 não parece observar tais limitações. Afinal, todas as operações realizadas[292], seja nas *exchanges* nacionais ou internacionais, seja na modalidade P2P, bem como as pessoas que as fizeram, deverão ser relatadas à Receita Federal. Verificado não se tratar de verdadeira obrigação acessória, afinal, desconexa da obrigação principal, o ponto que merece reflexão, agora, é o que de fato está em via de ser instituído por tal Instrução Normativa.

E, de início, já reiteramos a abrangência do conceito de "criptoativo" dado pela Receita Federal. Consoante o art. 5º da Instrução Normativa, considera-se criptoativo "a representação de valor digital, não emitida pelo Banco Central do Brasil, distinta de moeda soberana local ou estrangeira, cujo preço pode ser expresso em moeda soberana local ou estrangeira". Trata-se de redação sob cujo limite semântico remanescem inúmeras realidades distintas.

Destarte, tanto moedas virtuais (tais como as necessárias para adquirir funcionalidades aos *games*) quanto *utility* ou *security tokens*[293], ou ainda programas de milhagens (*dotz* etc.), estariam abrangidas pela definição

tributária, p. 214. Dado o diminuto escopo deste livro, tal discussão não será desenvolvida de maneira a já se partir da premissa de que poderia a Receita Federal, em tese, erigir obrigações acessórias afetas a seu âmbito de competência tributária.

[292] E não apenas aquelas cujo valor (ou valores somados) possa configurar hipótese de incidência do imposto de renda sobre ganho de capital.

[293] *Grosso modo*, os *tokens* de utilidade seriam unidades de serviço que fornecem ao usuário/proprietário acesso futuro a um produto ou serviço. Já os security *tokens* seriam representações de valores mobiliários (ações e debêntures). Porém, existem outras classificações, mais abrangentes, que se referem a outras funcionalidades dos *tokens*. Sobre o assunto, vide: Nugnes, Luiz Gustavo. Digitalização de ativos utilizando Crypto Tokens (Blockchain). *Crypto Watch*. Disponível em: <https://cryptowatch.com.br/digitalizacao-de-ativos-utilizando-crypto-tokens-blockchain/>. Acesso em: 25 nov. 2018.

normativa. Todos são representações de valor digital não emitidas pelo Banco Central, que não constituem moeda soberana, bem como possuem preço que pode ser expresso em moeda local ou estrangeira. No entanto, não parece se almoldar à competência da Receita Federal a notícia de toda e qualquer operação realizada com todo tipo de representação virtual de valores (*tokens*), que possam ser expressos em moeda (que tenham valor monetário).

Isso significa que os *tokens* representativos de participação acionária, ou que representem propriedades imobiliárias, ou mercadorias, bem como moedas virtuais necessárias à aquisição de funcionalidades nos *games*, ou que possibilitem troca por produtos (nos programas de milhagens), não parecem ser o foco de atenção da Receita Federal do Brasil, em que pese estarem dentro do conceito dado. Logo, parece necessário readequar tal redação a fim de que o dever de informar a Receita restrinja-se apenas ao universo das criptomoedas. E, aqui, merece menção o conceito, negativo, que pode servir de inspiração, dado pela legislação de Malta[294], que fala em "ativos financeiros virtuais" e define-os como qualquer forma de registro digital que é usado como meio digital de troca, unidade de conta ou reserva de valor e que não é (a) dinheiro eletrônico[295]; (b) um *token* virtual[296]; ou (c) um instrumento financeiro[297]. Impende destacar justamente o afastamento de figuras próximas, mas que não configurem verdadeiras criptomoedas (espécie de criptoativos).

Pois bem, e já adentrando no item relativo à prestação de informações pelas *exchanges* nacionais, uma leitura superficial do documento denuncia que não andou bem a Receita Federal. É que, sob a pecha de "obrigação acessória", fixou-se verdadeiro dever (criticável sob a ótica do direito a privacidade) para que as *exchanges* de criptoativos noticiem as movimentações de seus usuários, fornecendo, ao Fisco federal, dados sigilosos, sem uma justa causa para tanto. Esclareço.

[294] LEGISLATION MALTA. Virtual Financial Assets Act (Lei de Ativos Financeiros Virtuais, em tradução livre). 1 nov. 2018. Disponível em: <http://www.justiceservices.gov.mt/DownloadDocument.aspx?app=lom&itemid=12872&l=1>. Acesso em: 25 nov. 2018.

[295] Vide nota de rodapé nº 254.

[296] Vide nota de rodapé nº 255.

[297] Foi criado um teste, em julho do presente ano, a fim de se verificar a natureza de instrumento financeiro, ou não. Sobre, vide: <https://br.cointelegraph.com/news/malta-regulator-seeks-feedback-on-proposed-crypto-financial-instrument-test>. Acesso em: 18 jan. 2019.

O art. 7º da instrução normativa determina sejam entregues à Receita Federal todas as informações inerentes à operação com criptoativos (tipo de operação[298], data, valores — inclusive em reais —, pessoas envolvidas, taxas cobradas pela *exchange*):

> Art. 7º Deverão ser informados para cada operação:
> I — nos casos previstos no inciso I e na alínea "b" do inciso II do caput do art. 6º:
> a) a data da operação;
> b) o tipo de operação, conforme § 2º do art. 6;
> c) os titulares da operação;
> d) os criptoativos usados na operação;
> e) a quantidade de criptoativos negociados, em unidades, até a décima casa decimal;
> f) o valor da operação, em reais, excluídas as taxas de serviço cobradas para a execução da operação;
> g) o valor das taxas de serviços cobradas para a execução da operação, em reais, quando houver; e
> h) o endereço da wallet de remessa e de recebimento, se houver; e
> II — no caso previsto na alínea "a" do inciso II do art. 6º:
> a) a identificação da exchange;
> b) a data da operação;
> c) o tipo de operação, conforme § 2º do art. 6;
> d) os criptoativos usados na operação;
> e) a quantidade de criptoativos negociados, em unidades, até a décima casa decimal;
> f) o valor da operação, em reais, excluídas as taxas de serviço cobradas para a execução da operação;
> g) o valor das taxas de serviços cobradas para a execução da operação, em reais, quando houver; e
> h) o endereço da wallet de remessa e de recebimento, se houver.
> Parágrafo único. As informações a que se refere este artigo devem constar a identificação dos titulares das operações e incluir nome, nacionalidade, domicílio fiscal, endereço, número de inscrição no Cadastro

[298] Compra e venda; permuta; doação; transferência de criptoativo para a *exchange*; retirada de criptoativo da *exchange*; cessão temporária (aluguel); dação em pagamento; entre outras operações.

de Pessoas Físicas (CPF) ou no Cadastro Nacional da Pessoa Jurídica (CNPJ) ou Número de Identificação Fiscal (NIF) no exterior, quando houver, nome empresarial e demais informações cadastrais.

Tal previsão contraria o direito ao sigilo de dados, constitucionalmente assegurado pela Constituição Federal em seu art. 5º, XII[299]. Afinal, fixa-se, sem qualquer critério ou justa causa, a obrigatoriedade de as *exchanges* de criptomoedas fornecerem dados de seus clientes. Isto é, exige-se o fornecimento de dados sigilosos de milhares de usuários sem uma condicionante mínima, por exemplo, suspeita de sonegação fiscal ou de outro delito financeiro que eventualmente esteja sendo apurado em procedimento administrativo.

Sobre o assunto, merece relembrarmos o precedente que enfrentou a discussão relativa à quebra de sigilo de dados bancários, sem prévia determinação judicial. A questão central dizia respeito à constitucionalidade dos artigos 5º e 6º da Lei Complementar 105/2001, que conferiam aos órgãos da administração tributária meios para obter dados bancários dos contribuintes sem necessidade de prévia autorização judicial.

O artigo 5º estabelece uma forma de fornecimento de dados periódicos à União relativamente às operações financeiras efetuadas pelos contribuintes. Nesse caso, devem ser encaminhados, pelas instituições financeiras, informes em que constem apenas a indicação dos titulares das operações e os montantes globais mensalmente movimentados, sem nada que permita identificar a sua origem ou a natureza dos gastos a partir deles efetuados (artigo 5º, parágrafo 2º).

Já o artigo 6º é mais amplo. Prevê mecanismo de acesso pontual que permite a todos os entes federados examinar "documentos, livros e registros de instituições financeiras, inclusive os referentes a contas de depósitos e aplicações financeiras". Porém, condiciona-se a obtenção desses dados à existência de "processo administrativo instaurado

[299] Art. 5º Todos são iguais perante a lei, sem distinção de qualquer natureza, garantindo-se aos brasileiros e aos estrangeiros residentes no País a inviolabilidade do direito à vida, à liberdade, à igualdade, à segurança e à propriedade, nos termos seguintes:
[...]
XII — é inviolável o sigilo da correspondência e das comunicações telegráficas, de dados e das comunicações telefônicas, salvo, no último caso, por ordem judicial, nas hipóteses e na forma que a lei estabelecer para fins de investigação criminal ou instrução processual penal;

ou procedimento fiscal em curso". Ainda, exige-se que o exame desses dados seja considerado indispensável pela autoridade administrativa competente (artigo 6º, *caput*).

Ambos dispositivos foram objeto de controle de constitucionalidade[300]. Sob a ótica do Fisco, trata-se de reconhecer os meios necessários para que se possam identificar "o patrimônio, os rendimentos e as atividades econômicas do contribuinte", na forma do que prevê o artigo 145, § 1º, da Constituição Federal. Na interpretação do contribuinte, seria uma afronta ao direito à intimidade e privacidade do assegurado pelos incisos X e XII do artigo 5º da Constituição.

A decisão da Colenda Corte Constitucional foi no sentido de julgar pela constitucionalidade das previsões da Lei Complementar 105/2001, reconhecendo a prerrogativa da administração tributária em requisitar diretamente às instituições financeiras os dados bancários de seus correntistas para o fim de instruir processo administrativo ou procedimento fiscal já instaurado. A decisão do STF, evidentemente, não declarou o fim do sigilo bancário. Porém, reconheceu o fim desse direito contra o Fisco. É que, no entendimento dos ministros, o dever de guarda e sigilo em relação aos dados obtidos, na forma do previsto no parágrafo único do artigo 6º da LC 105/2001, permanece, visto que apenas se o "transfere" ao Fisco.

No entanto, em que pese a decisão exarada pelo E. STF, o que há de ser destacado é que até mesmo nesse caso, o diploma legal estabelece condições e limites à quebra do sigilo bancário por parte das autoridades administrativas. É dizer, a quebra de sigilo das operações de instituições financeiras, para fins de informação das autoridades administrativas, pressupõe a essencialidade da informação a ser fornecida ao deslinde do processo administrativo instaurado, ou procedimento fiscal em curso. Assim, em juízo de ponderação entre o direito à privacidade e intimidade *versus* o direito à obtenção de informações pelos Fiscos, optou o legislador por condicionar o acesso aos dados bancários à existência de uma justa causa para tanto (existência de processo administrativo instaurado ou procedimento fiscal em curso)[301].

[300] O Supremo Tribunal Federal examinou a questão em quatro ADI's, de relatoria do ministro Dias Toffoli (ADIs 2.310, 2.397, 2.386 e 2.859) e em um recurso extraordinário, de relatoria do ministro Edson Fachin, com repercussão geral reconhecida (RE 601.314).

[301] Além da garantia de que os dados devem ser protegidos no âmbito administrativo também.

É certo que as *exchanges* que operam com criptomoedas não se enquadram na definição legal de "instituições financeiras". Contudo, tais empresas também estão sujeitas à guarda do sigilo daqueles que lhes confiam seus dados e, ainda, seus investimentos. Logo, não se afigura minimamente razoável lançar contra tais organizações a obrigatoriedade de fornecer periodicamente às autoridades fiscais as informações de seus clientes, de forma ampla e irrestrita. Sobretudo em razão de inexistir qualquer justa causa que fundamente o acesso a esses dados.

Não se defende inacesso a todo e qualquer dado, mas tão apenas que a prestação de informações seja prevista em lei e tenha uma justificativa plausível para tal. Assim, parece ser necessária a existência de, ao menos, indícios de sonegação ou ainda de prática delituosa (como lavagem de dinheiro, evasão de divisas, entre outras), para que se admita a quebra de sigilo de dados em casos como os aqui descritos.

Não bastasse isso, há que se ter em mente que as operações com criptomoedas refletem transações que envolvem uma tecnologia de rede distribuída, que possibilita trocas por parte de cidadãos de todo o mundo em questão de segundos. Assim, as *exchanges* podem ter, em seus bancos de dados, informações de clientes de várias nacionalidades. E, ante a vigência de leis protetoras dos dados pessoais (aqui quanto alhures), exigir das *exchanges* brasileiras o fornecimento de dados de seus clientes é atitude, no mínimo, arriscada. Não se pode desprezar o risco concreto de as *exchanges* nacionais serem demandadas, juridicamente, por seus clientes.

Por exemplo, caso uma *exchange* brasileira possua clientes europeus, estará sujeita às penas cominadas na GDPR (General Data Protection Regulation), a Lei Geral de Proteção de Dados, que se aplica a todas as organizações e estabelecimentos, sediadas tanto na União Europeia quanto em países estrangeiros, que oferecem bens e serviços a cidadãos europeus ou que tratam de dados pessoais de residentes na Europa. Da mesma forma, é de se lembrar da Lei nº 13.709, de 14 de agosto de 2018 (Lei Geral de Proteção de Dados — LGPD), que dispõe sobre a proteção de dados pessoais. Em que pese o debate em torno da data de início de sua vigência — que restou cravada, para a maior parte de seus dispositivos, para setembro 2020 —, não se deve ignorar que uma vez em efetivo exercício, uma nova fonte de insegurança jurídica às operadoras de criptomoedas pode ser inaugurada. É que ante o teor protetivo da referida legislação relativamente ao tratamento de dados pessoais sensíveis, a obrigação de prestar as informações tal qual veiculada na Instrução Normativa nº 1.888/2019 pode mesmo configurar afronta à LGPD.

5.3. Sobre os projetos de lei apresentados

Da leitura dos pontos anteriores, é perceptível a ausência de um diálogo entre as várias autoridades brasileiras que redundasse em um direcionamento mais coerente às eventuais investidas regulatórias. Assim, restou ao Congresso Nacional, por intermédio das propostas legislativas atualmente em trâmite, trazer coerência e, por conseguinte, segurança jurídica no tratamento ao assunto. Mormente se tivermos em consideração que o diploma lei tende a ter maior perenidade no ordenamento jurídico brasileiro *vis-à-vis* atos normativos infralegais.

Mas, para além de trazer coerência e segurança na disciplina jurídica das operações realizadas com criptoativos, tem também a legislação o papel de gerir adequadamente os quatro principais eixos[302] de preocupação dos Estados nesse assunto. Consoante destacamos no capítulo anterior, são de quatro ordens os principais riscos que as transações com criptoativos trazem ao sistema jurídico posto: (i) utilização das criptomoedas para fins criminosos (evasão de divisas, lavagem de dinheiro, financiamento ao tráfico e ao terrorismo), (ii) captação pública de valores e a necessária proteção dos investidores, (iii) higidez do sistema financeiro e monetário, e (iv) tributação dessas "manifestações de riqueza". Logo, as propostas normativas devem ainda buscar minorá-los, adaptando a legislação posta a fim de que também tutelem (de forma expressa) operações com criptoativos, ou mesmo produzindo novos textos legislativos que lidem de forma mais adequada com os potenciais problemas.

Atualmente, são cinco os projetos de lei em trâmite no Congresso Nacional. Dois foram propostos na Câmara dos Deputados (de nº 2303/2015 e nº 2060/2019), e três no Senado Federal (de nº 3825/2019, nº 3949/2019 e nº 4207/2020). Nosso olhar aqui tem por objetivo analisar se algum e/ou quais dos quatro principais riscos, constante nas agendas estatais mundo afora, receberam atenção dos nossos legisladores. Antes, porém, de ingressarmos em tal exame, algumas notas merecem ser feitas sobre

[302] Ao menos nesse momento de maturidade do mercado "cripto", ou da economia tokenizada.

os conceitos trazidos por esses instrumentos, que consubstanciam os próprios limites de alcance de seus âmbitos normativos.

5.3.1. Sobre o que estamos tratando?

É interessante observar a identificação, feita pelos legisladores brasileiros, quanto ao objeto de regulamentação pelos diplomas legislativos. Em um exame superficial, já é possível perceber que, enquanto os dois projetos iniciados na Câmara dos Deputados (de nº 2303/2015 e nº 2060/2019), bem como o último iniciado no Senado (de nº 4207/20), têm por escopo normatizar as emissões e realidades conexas aos criptoativos e *tokens* virtuais[303], os outros dois projetos do Senado (de nº 3825/2019 e nº 3949/2019) visam tratar da disciplina dos intermediários[304] das operações com aqueles criptoativos e/ou *tokens*. Iniciemos com as propostas apresentadas na Câmara dos Deputados. Esclareça-se que, relativamente a elas, merecem atenção a proposta substitutiva do PL nº 2303/2015, a emenda 5 a ele apresentada e a proposta inicial do PL nº 2060/2019. Na sequência, faremos breves pontuações quanto aos projetos de lei em tramitação no Senado Federal (PL nº 3825/2019, PL nº 3949/2019, e PL nº 4207/70). Reitere-se que nosso foco, nesse subtópico, é nos conceitos trazidos por esses diplomas.

5.3.1.1. *Panorama das propostas iniciadas na Câmara dos Deputados*

Contrapondo os artigos primeiros (1º) das propostas legislativas da Câmara dos Deputados, notória é a ausência de unicidade dos termos elencados para identificar as realidades que tais diplomas visam normatizar[305]. *Moedas digitais, moedas virtuais, criptomoedas, fichas digitais representativas de bens e direitos, tokens virtuais, criptoativos* são alguns dos termos utilizados por essas propostas para disciplinar os assuntos. Tal multi-

[303] Constam nos artigos primeiros das propostas legislativas que o objeto das referidas leis seria, em apertada síntese, dispor sobre "moedas digitais, moedas virtuais, criptomoedas, *tokens* virtuais, criptoativos", ainda ampliar a penalização para o crime de pirâmide financeira e para crimes relacionados ao uso fraudulento desses "criptoativos".

[304] Consoante artigo 1º das propostas legislativas, tais diplomas visam disciplinar os serviços referentes a operações realizadas com criptoativos em plataformas eletrônicas de negociação, e o funcionamento de empresas intermediadoras de operações com criptoativos e/ou fornecediras de plataformas eletrônicas de negociação.

[305] Vide tabela comparativa no Anexo 1.

plicidade terminológica pode em parte ser justificada pela recente novidade da tecnologia (e suas investidas regulatórias aqui e alhures), paralelamente à ausência de um consenso terminológico pelos próprios estudiosos[306] e/ou formuladores de políticas públicas.

Não obstante, é inegável que tal miríade sintática pode levar a confusões semânticas que, ao invés de maior segurança jurídica, redundam em caos e perplexidades, em verdadeira contramarcha ao estabelecimento de ambiente propício ao desenvolvimento tecnológico. Ainda, e em que pese inexistir verdadeiro consenso quanto à adequada utilização dos termos ou expressões, é possível já identificar a preponderância — e preferência — por alguns deles.

Criptoativos têm sido o termo considerado mais adequado tecnicamente para se referir ao gênero de ativos criptográficos existentes em plataformas tecnológicas de registro distribuído (DLT, *blockchains* e correlatas). "Criptomoeda" é vocábulo usado para identificar uma das espécies de criptoativos. O critério de *discriminem* aqui é a função por esse criptoativo exercida no protocolo em que está inserido. Daí ser clássica a classificação dos criptoativos em "criptomoedas", "*tokens* de utilidade" e "*tokens* de investimentos"[307]: (i) criptomoedas, quando exercidas algumas das funções econômicas da moeda (unidade de conta, reserva de valor ou meio de troca); (ii) *token* de investimento, quando se verifica o desempenho de papéis subsumíveis ao conceito jurídico de valor mobiliário; e (iii) *token* de utilidade, enquanto representação de bens e diretos outros (categoria residual).

Nota-se ainda que os vocábulos "criptoativos" e *tokens* são utilizados de forma indissociáveis, como se fossem sinônimos. Assim o é a maior parte das vezes, porém, há quem[308] contraponha o que se convencionou chamar de *token* a *coins*, consoante se esteja diante de representação

[306] Sobre o assunto, vide UHDRE, Dayana de Carvalho. Criptomoedas, criptoativos, tokens? Do Caos à uma tentativa de organização. *Comunidade Legal Hub*, 22 nov. 2019. Disponível em: <https://comunidade.thelegalhub.com.br/direito-digital/criptomoedas-criptoativos-*tokens*-do-caos-a-uma-tentativa-de-organizacao>. Acesso em: 02 ago. 2020.

[307] É comum ainda vermos a utilização dos termos em inglês: *criptocurrencies, utility tokens* e *security tokens*.

[308] GUIMARÃES, Courtnay. Como nascem os tokens. 14 ago. 2018. Disponível em: <https://medium.com/@courtnay/como-nascem-os-tokens-a348d9f74dc8>. Acesso em: 02 ago. 2020.

digital de valor emitida por quem estruturou a rede ou "produzida" pelo próprio protocolo ("minerada").

Já os termos "moedas digitais" e "moedas virtuais", utilizados no PL nº 2303/2015, não são utilizados em razão mesmo de sua manifesta atecnicidade. Não se trata — os criptoativos, notadamente as criptomoedas — de verdadeiras moedas: seja em seu sentido jurídico (reconhecida como tal por algum ordenamento jurídico), seja em seu sentido econômico (ausente a tríplice funcionalidade econômica: unidade de conta, reserva de valor e meio de troca).

Assim, por se tratar de discussões e de debates que transcendem a realidade de uma única jurisdição, parece prudente, ou mesmo consentâneo aos princípios da simplicidade e eficiência regulatória, fazer uso de nomenclaturas mais uníssonas em um cenário global. Daí que melhor teria andado o legislador brasileiro se utilizasse os termos "criptoativos" ou *tokens* para se referir ao gênero relativo à representação digital e criptografada de ativo, e "criptomoedas", "*tokens* de investimento" e "*tokens* de utilidade" como expressões que identificassem as funcionalidades por aqueles exercidas nos protocolos em que estão inseridos.

Todavia, ainda que se não o fizesse, o mínimo que se espera é então que se esclareça o sentido em que os termos e expressões, embora não unívocos, são utilizadas — tal qual o alerta feito por Chaim Perelman em seu tratado sobre argumentação e retórica[309]. E, adentrando a análise do artigo 2º dos projetos de lei em exame, o que verificamos é, em vez de esclarecimentos, mais caos. O PL nº 2303/2015 (substitutivo) faz uso intercambiável dos criticáveis termos "moeda digital, moeda virtual ou criptomoeda", ao lado de "ficha digital" para se referir às espécies de "criptoativos" — termo nem sequer mencionado na versão original da referida proposta.

Esclarece que "moeda digital, virtual ou criptomoeda" seria a *representação digital de valor que funcione como meio de pagamento, ou unidade de conta ou reserva de valor que não detenha curso forçado em qualquer país.* Já "ficha digital pode ser compreendida como *representação digital de bem ou direito que não se classifique como moeda digital, moeda virtual ou criptomoeda.* Nesse ponto, cumpre pontuar que andou bem o legislador na

[309] Perelman, Chaim et all.*Tratado da argumentação: A nova retórica.* 3ª ed. Editora WMF Martins Fontes : São Paulo, 2014.

conceituação dada, ainda que utilizasse termos identificadores criticáveis. É que tal definição, para além de estar consentânea ao que se tem proposto internacionalmente — inclusive por organizações de natureza técnica[310] —, abrange mesmo os criptoativos que não possam ser reconduzidos à noção de "unidades", enquanto algo existente (ainda que virtualmente).

Exemplo típico é o próprio "bitcoin", criptomoeda que, consoante mencionamos no primeiro tópico deste livro não tem existência, nem sequer virtual. Isto é, sua "existência" é meramente referencial, por meio de registro de transações realizadas com essa representação de valor. Ainda, não há que se falar em erro — lógico — em se classificar em apenas duas categorias as espécies de criptoativos: uma identificada por meio do exercício de uma das funções econômicas afetas ao instrumento monetário (moeda), e outra, residual. Logo, os problemas identificáveis nessa proposta normativa seriam (i) a não utilização do gênero "criptoativos" ou *tokens*, e a (ii) utilização de termos atécnicos para se nomear as espécies.

Já a Emenda 5 ao PL nº 2303/2015 fez uso dos termos "criptomoedas" e "*tokens* virtuais", sendo que neste último desmembra uma "subespécie": os "*tokens* de utilidade". Criptomoedas seriam *unidades de valor criptografadas geradas por um sistema descentralizado de registro, digitalmente transferíveis e que não representem moeda de curso legal em qualquer país.*

Tokens virtuais podem ser compreendidos com *unidades virtuais representativas de bens, serviços ou direitos registrados em sistemas descentralizados, digitalmente transferíveis e que não "seja ou represente* (sic)*" criptomoedas. Tokens* de utilidade seriam *tokens* virtuais que *conferem ao seu titular acesso ao sistema de registro descentralizado que o originou.* Identificam-se avanços e retrocessos nessa emenda ao substitutivo do PL nº 2303/2015.

Foram feitos avanços no uso dos termos correntes nos debates sobre o assunto (*tokens*, "criptomoedas"), e sem que se utilizassem as criticáveis expressões "moedas virtuais" ou "moedas digitais" como sinônimas. E retrocessos, ao não fazer uso do termo "criptoativo", e ao contrapor o termo *token* à "criptomoeda", indo na contramão do uso, cada vez

[310] Vale menção aqui a proposta recém-publicada pela ISO (International Organization for Standartization): INTERNATIONAL ORGANIZATION FOR STANDARTIZATION. ISO 22739:2020. Blockchain and distributed ledger technologies — Vocabulary. Disponível em: <https://www.iso.org/standard/73771.html>. Acesso em: 02 ago. 2020.

mais recorrente nos estudos e propostas internacionais, daquele termo (*token*) como gênero (ao lado de "criptoativos"), de que essa (criptooeda) é espécie. Retrocessos ainda ao se referir, tanto no que tange às criptomoedas quanto aos "*tokens* virtuais", a unidades de valor.

Como salientado alhures, nem todos os criptoativos podem ser resumidos a unidades, ainda que de existência meramente virtual. Para além do caso "bitcoin", que existe apenas enquanto referência em registros de transações feitas, poderíamos ainda pensar no caso dos ativos tokenizados, em que os *tokens*, os "criptoativos" não são as unidades de valores em si, mas a representação das unidades de valores — essas existentes *off-chain*.

É de se mencionar também que o legislador restringiu o acesso à categoria "criptomoeda" apenas aos criptoativos gerados pelo sistema: assim, caso um criptoativo desempenhe alguma das funções econômicas inerentes ao instrumento monetário, se for emitido (e não gerado no protocolo), não se enquadraria como "criptomoeda", mas como "*token* virtual". Por fim, convém ainda pontuar que, ao se desmembrar em uma única subespécie — "*token* de utilidade" — a espécie "*token* virtual", a proposta mais confunde que esclarece, sendo ela dispensável.

O PL nº 2060/2019[311], por seu turno, avança ao expressamente se referir à categoria "criptoativos" enquanto gênero; porém, traz mais confusões terminológicas ao se referir a suas espécies. É que, diferentemente das propostas anteriores, não individualiza as espécies — exceto a dos "*tokens* virtuais", redundando na adoção de mais de um conceito como apto a se enquadrar na identificação de "criptoativo", *verbis*:

> Art. 2º Para a finalidade desta lei e daquelas por ela modificadas, entende-se por criptoativos:
> I — Unidades de valor criptografadas mediante a combinação de chaves públicas e privadas de assinatura por meio digital, geradas por um sistema público ou privado e descentralizado de registro, digitalmente transferíveis e que não sejam ou representem moeda de curso legal no Brasil ou em qualquer outro país;

[311] Sobre uma análise inicial de tal proposta, vide: Uhdre, Dayana de Carvalho. Uma análise do PL 2.060/2019, sobre a regulamentação de criptoativos. *Consultor Jurídico*, 10 abr. 2019. Disponível em: <https://www.conjur.com.br/2019-abr-10/dayana-uhdre-analise-projeto-lei-criptoativos#_ftn5>. Acesso em: 03 ago. 2020.

> II — Unidades virtuais representativas de bens, serviços ou direitos, criptografados mediante a combinação de chaves públicas e privadas de assinatura por meio digital, registrados em sistema público ou privado e descentralizado de registro, digitalmente transferíveis, que não seja ou representem moeda de curso legal no Brasil ou em qualquer outro país;
> III — *Tokens* Virtuais que conferem ao seu titular acesso ao sistema de registro que originou o respectivo *token* de utilidade no âmbito de uma determinada plataforma, projeto ou serviço para a criação de novos registros em referido sistema e que não se enquadram no conceito de valor mobiliário disposto no art. 2º da Lei nº 6.385, de 7 de dezembro de 1976.

Em outras palavras, esse último projeto apresentado na Câmara dos Deputados define criptoativos de três formas distintas: (i) unidades de valor, geradas em um sistema de registro distribuído, digitalmente transferíveis e que não sejam ou representem moeda de curso legal; (ii) unidades virtuais representativas de bens, serviços ou direitos, registrados em sistemas de registro distribuído digitalmente transferíveis e que não sejam ou representem moeda de curso legal; e (iii) *tokens* virtuais que conferem ao seu titular acesso ao sistema de registro que originou o respectivo *token* de utilidade.

Ao se identificar de forma plúrima, e sem referência a espécies correspondentes, uma única categoria (criptoativo), o legislador brasileiro mais confunde que esclarece. Ademais, no que tange às definições propostas, faz-se remissão ao que foi pontuado no parágrafo anterior, relativamente à Emenda 5 ao PL nº 2303/2015, visto que, retirando-se a referência às espécies "criptomoedas" (inciso I do art. 2º) e "*tokens* virtuais" (inciso II do art. 2º), o texto aqui é semelhante ao lá utilizado.

5.3.1.2. *Panorama das propostas iniciadas no Senado Federal*

As duas primeiras propostas iniciadas no Senado Federal tiveram por foco regulamentar as atividades de intermediação de operações com criptoativos e as pessoas jurídicas que as exercem ou as possibilitam. No entanto, isso não significa que não tiveram aqui espaço definições do que se entende por criptoativos. Consoante ambos projetos de lei (de nº 3.825/2019 e nº 3.949/2019), considera-se criptoativo *a representação digital de valor denominada em sua própria unidade de conta, cujo preço pode ser expresso em moeda soberana local ou estrangeira, transacionada eletronicamente, com uso de tecnologia de registro distribuído, que pode ser utilizado como forma de investimento, instrumento de transferência de valores ou acesso a bens ou serviços, e que não constitui moeda de curso legal.* A única distinção entre eles é que o PL nº 3.949/2019 faz uso dos termos "criptoativo" e "moeda virtual" como se de sinônimos se tratassem.

Relativamente ao uso intercambiável entre os signos "criptoativo" e "moeda virtual" valem as considerações feitas no tópico antecedente, mormente sobre a sua manifesta atecnia. Quanto à conceituação proposta nesses diplomas, convém deixar registrado seu avanço relativamente à constante na maioria das propostas em análise na Câmara dos Deputados. Destarte, foi aqui utilizada a menção à *representação digital de valor*, expressão essa mais técnica, comparativamente à *unidade de valor*, por abranger tanto os casos em que o "criptoativo" nem sequer existe, ainda que virtualmente, senão como uma referência no registro das transações por aquele — ou naquele — sistema realizadas, quanto os casos em que a unidade de valor existe apenas *off-chain*, remanescendo *on-chain* apenas sua representação digital.

No que tange ao foco dessas duas propostas apresentadas no Senado Federal — regulamentar as atividades de intermediação de transações com criptoativos e seus exercentes —, são trazidos os conceitos de "*exchange* de criptoativo", e de "plataformas eletrônicas". Plataformas eletrônicas seriam *sistemas eletrônicos que conectam pessoas (físicas ou jurídicas) por meio de sítio na Internet ou de aplicativos.* É de se pontuar que um conceito assaz amplo acaba por ser interessante no nosso ordenamento jurídico, de cariz positivista. É que tal previsão pode servir de subsídio normativo a outros ramos jurídicos que igualmente sofrem a influência dessa "plataformização" das relações sociais[312].

Já *exchange* de criptoativos seria a *pessoa jurídica que oferece serviços referentes a operaçãoes realizadas com criptoativos em ambiente virtual (PL nº 3.825/2019) — e/ou plataforma eletrônica (PL nº* 3.949/2019 *), inclusive intermediação, negociação ou custódia.* Ainda, consoante as propostas,

[312] É que, ainda que se possa depreender da Lei nº 12.965/2014, mais conhecida como Marco Civil da Internet, regramento que atinja tais intermediadoras, lá se utiliza o termo "aplicações de internet", ao passo que aqui o termo se adequa a como são comumente conhecidas: plataformas digitais.

incluem-se no conceito de intermediação de operações realizadas com criptoativos a disponibilização de ambiente para tanto. Três comentários merecem ser feitos.

Primeiro, nota-se que o conceito de *exchange* é mais amplo no projeto nº 3.825/2019 do que no nº 3.949/2019, na medida em que aqui se fala em oferta de serviços em *plataformas eletrônicas*, e lá em oferta de serviços em *ambiente virtual*, ambiente esse que, consoante conceito do artigo 2º, I das propostas, também abrange as *plataformas eletrônicas*.

Segundo, em ambas as definições de *exchanges* nota-se a referência apenas a pessoas jurídicas, desprezando-se a possibilidade, factível, de se ter pessoa física exercendo tal ofício. Cumpre pontuar aqui, aliás, que no glossário relativo às recomendações da FATF[313], há menção tanto à pessoa física quanto à jurídica, visto que ambas podem desempenhar tal papel[314]. Logo, não se vislumbra qualquer critério razoável de *discrimi-nem* a justificar tal exclusão pela proposta de legislação brasileira.

E terceiro, ao se enquadrar a oferta de ambiente virtual propício a operações com criptoativos no conceito e disciplina das *exchanges*, deve-se ter em consideração a participação, dessas plataformas, na realização das transações. Explica-se. Foi atribuído (no artigo 12 dessas propostas legais) o dever, às *exchanges*, de prestarem informações à Receita Federal do Brasil, cujo objetivo é minorar a evasão de divisas e de pagamento de tributos devidos. No entanto, uma tal atribuição não parece arrazoada de ser exigida quando o intermediário não detém qualquer vínculo e, portanto, controle com os realizadores das operações, tal como seria o

[313] FATF. The FATF Recommendations". Disponível em: <http://www.fatf-gafi.org/glossary/u-z/>. Acesso em: 16 ago. 2020.

[314] *Virtual asset service provider means any natural or legal person who is not covered elsewhere under the Recommendations, and as a business conducts one or more of the following activities or operations for or on behalf of another natural or legal person:*
i. exchange between virtual assets and fiat currencies;
ii. exchange between one or more forms of virtual assets;
iii. transferl of virtual assets;
iv. safekeeping and/or administration of virtual assets or instruments enabling control over virtual assets; and
v. participation in and provision of financial services related to an issuer's offer and/or sale of a virtual asset.
[1.] In this context of virtual assets, transfer means to conduct a transaction on behalf of another natural or legal person that moves a virtual asset from one virtual asset address or account to another. FATF. FATF Recommendations. Disponível em: <http://www.fatf-gafi.org/glossary/u-z/>. Acesso em: 16 ago. 2020.

caso, por exemplo de se ter pessoas jurídicas especializadas unicamente na custódia de (e não intermediação de transações com) criptoativos em plataformas eletrônicas. Assim, seria aconselhável que se estabelecesse um nexo mínimo entre a atribuição de deveres informacionais à detenção de tais informações por parte dos intermediários.

Ingressando agora nos comentários relacionados ao PL nº 4207/20, apresentado em meados de agosto de 2020 pela Senadora Soraya Thronicke, vale pontuar que tal proposta, além de congregar vários dos pontos trazidos nos outros quatro projetos, intencionou utilizar nomenclatura em todo mais genérica que as até então utilizadas, denunciando quiçá sua pretensão de ser o projeto condutor dos debates. Relativamente à nomenclatura, a opção do legislador aqui foi pelo termo mais genérico "ativos virtuais". Consoante o artigo 2º do PL nº 4207/20, entende-se por "ativos virtuais":

> I — qualquer representação digital de um valor, seja ele criptografado ou não, que não seja emitido por banco central ou qualquer autoridade pública, no país ou no exterior, ou represente moeda eletrônica de curso legal no Brasil ou moeda estrangeira, mas que seja aceito ou transacionado por pessoa física ou pessoa jurídica como meio de troca ou de pagamento, e que possa ser armazenado, negociado ou transferido eletronicamente.
> II — ativos virtuais intangíveis (tokens) que representem, em formato digital, bens, serviços ou um ou mais direitos, que possam ser emitidos, registrados, retidos, transacionados ou transferidos por meio de dispositivo eletrônico compartilhado, que possibilite identificar, direta ou indiretamente, o titular do ativo virtual, e que não se enquadrem no conceito de valor mobiliário disposto no art. 2º da Lei nº 6.385, de 7 de dezembro de 1976.

A opção pelo termo mais genérico mostra-se em todo válida por buscar uma maior capilaridade do que poderia estar sob o âmbito da tutela estatal. Aliás, tal objetivo de maior flexibilidade pode ser depreendido, por exemplo, do trecho em que salienta que o ativo representativo de valor pode ser "criptografado ou não". É que um dos atributos que caracterizam o que chamamos de "criptoativos" é justamente a tecnologia de criptografia que lhe é subjacente; assim, ao utilizar a expressão "ou não", intenta comportar, sob sua regência, inclusive eventuais inovações que façam uso de soluções tecnologias outras — que não a criptográfica. Contudo, contrapondo os incisos I e II do artigo 2º com o artigo 7º do mesmo projeto de lei, detectamos que, em que pese tal opção mais generalista, algumas contradições merecem um exame mais detido por parte de nossos congressistas.

Primeiro, é interessante notar que foram utilizadas duas definições distintas para se referir ao gênero "ativo virtual", o que daria a entender que é de espécies de "ativos virtuais" que os incisos I e II estariam tratando. Todavia, apenas a definição constante no inciso II recebeu identificação específica: ativos virtuais intangíveis ou *tokens*. Ocorre que, em última instância, tudo é intangível: são de ativos virtuais que estamos tratando. E mais, ingressando na própria delimitação da espécie *token*, é possível tomá-la como o todo, por contemplar inclusive a definição da espécie (não identificada) posta no inciso I. Ora, ao se identificar *tokens* como representações digitais que representem bens, serviços ou direitos que possam ser emitidos, registrados, transacionados ou transferidos, tal definição abrange representações digitais de valores que sirvam como meios de pagamento; afinal, são de direitos que ao fim e ao cabo se tratam.

Segundo, a parte final da definição constante no inciso II afasta da noção de ativo digital intangível (*token*) as representações de bens, serviços e direitos que redundem no conceito de valor mobiliário, tal qual estabelecido no art. 2º da Lei nº 6385/76. Entretanto, no art. 7º da proposta legislativa, é estabelecido que caberá à "Comissão de Valores Mobiliares a supervisão e a regulação da atividade descrita no art. 1º, nas circunstâncias específicas em que a emissão, a transação ou a transferência dos ativos virtuais seja compatível com a natureza de valores mobiliários". Ao mesmo tempo que afasta do conceito de *tokens* as representações digitais que detenham "natureza" de valores mobiliários, reconhecem-nas como pertencentes àquela definição, delegando, porém, sua disciplina à autarquia responsável por gerir as operações com valores mobiliários (CVM). Ora, ainda que a intenção aqui seja apenas a de esclarecer que quando os *tokens* assumirem funcionalidades afetas à disciplina do mercado de capitais e valores mobiliários é à CVM que incumbe suas disciplinas (ou melhor, das operações com esses *tokens*), o fez de forma confusa.

Assim, parece-nos que melhor teria andado a proposta se tivesse feito uso do termo *token* como gênero, esclarecendo que se trataria de representação digital de quaisquer bens, serviços e direitos emitidos, registrados, retidos, transacionados ou transferidos por meio de dispositivo eletrônico compartilhado, que possibilite identificar, direta ou indiretamente, o titular desse *token* virtual. Tal gênero, por sua vez, poderia ser desmembrado em espécies consoante a funcionalidade principal para que foi vocacionada. Assim, caso o *token* tenha sido projetado para que tenha por funcionalidade servir de meio de pagamento, estaríamos diante de "*token* de pagamento" (*payment token*); já, se o objetivo é que tal representação digital exerça funções de "valores mobiliários", é de "*tokens* de valores mobiliários" (*security tokens*) que se tratariam. Ainda, é possível pensar em uma terceira categoria-coringa, os chamados "*tokens* de utilidade" (*utility tokens*), que conglobariam as demais "espécies" — espécies essas determinadas consoante as funcionalidades principais a que estão afetas —, que não se enquadrassem em nenhuma das duas anteriores.

E, ao se referir a *token* (gênero) e espécies, o que temos em conta é a funcionalidade a que está afeta aquela representação digital, seja representação de algo que detenha correspondência no "mundo real", digamos assim, caso em que estaríamos diante de "ativos tokenizados", ou não, sendo ativo nativo da plataforma eletrônica (DLT, *blockchain* etc.). Ainda, é de se pontuar que tal categorização pode ocorrer em vários momentos, e em cada um deles o *token* poderá assumir espécies distintas, consoante a sua funcionalidade naquele dado átimo: eis a chamada natureza fluida, híbrida dos *tokens*[315]. Exemplo caricato é o próprio

[315] É de se pontuar, aliás, que tal fluidez própria aos criptoativos não passou despercebido por outros Estados que buscam o enquadramento jurídico desse ativos virtuais. Consta, por exemplo, nas diretrizes lançadas pela SEC a fim de orientar se os ativos virtuais enquadrar-se-iam no conceito de "contratos de investimento" e, portanto, valores mobiliários, a possibilidade de revisão desses enquadramentos, dada a fluidez das finalidades com que tais ativos poderão ser utilizados. Mais especificamente, no ponto 1 e 2 do tópico "C" do documento, há previsões no sentido de serem reavaliados os enquadramentos dos ativos nas condicionantes do "Teste de Howey", justamente para verificar a continuidade das mesmas e, por conseguinte, a classificação dos mesmos como valores mobiliários. U.S. SECURITIES AND EXCHANGE COMISSION. Framework for "Investment Contract": Analysis of Digital Assets. Disponível em: <https://www.sec.gov/corpfin/framework-investment-contract-analysis-digital-assets>. Acesso em: 17 ago. 2020.

bitcoin: trata-se de *token* que foi estruturado para funcionar como meio de pagamento (*"payment token"*); porém, acabou por se tornar ativo de investimento, altamente especulativo e transacionado em mercado secundário — ainda que não oficial —, exercendo daí funções atribuíveis a valores mobiliários (*security tokens*).

Feitas essas considerações de cariz conceitual, o que já devemos de ter em consideração é que o objeto de disciplina legislativa não são os *tokens* em si, mas as transações com eles realizadas. Mais especificamente, operações com eles realizadas que tenham implicações jurídicas. E, para identificar se tais operações têm implicações jurídicas, devemos reconhecer os riscos jurídicos atrelados às transações, em exame, com aqueles *tokens* realizadas. Afinal, muitas vezes se trata de novas formas de se realizar operações já ordinariamente feitas e cujos riscos foram já objeto de tratamento jurídico. Com isso em mente, *pari passu* os quatro principais riscos que são objeto de preocupação dos Estados, ingressaremos no exame das propostas legislativas atualmente em tramitação.

5.3.2. Mapeamos os riscos, mas lidamos com eles?

Conforme brevemente relembramos no tópico antecedente, os pontos que têm chamado a atenção dos Estados-Nações, e suas pretensões regulatórias, são de quatro ordens principais: (i) utilização das criptomoedas para fins criminosos (evasão de divisas, lavagem de dinheiro, financiamento ao tráfico e ao terrorismo); (ii) captação pública de valores e a necessária proteção dos investidores; (iii) higidez do sistema financeiro e monetário; e (iv) tributação dessas "manifestações de riqueza". Daí que uma abordagem interessante parece ser a de verificar se as propostas atualmente em exame no Congresso Nacional buscaram lidar

Da mesma forma, na legislação de Malta, primeiro país europeu a regulamentar o assunto, para que um criptoativo esteja sob a regência de legislação específica (VFAA), não deve apresentar características próprias de "instrumento financeiro", caso em que estaria sob a égide da legislação europeia de mercados financeiros. O enquadramento de um ativo virtual na legislação de ativos digitais é condicionado a uma declaração do responsável de que não se trata de "instrumento financeiro". No entanto, tal declaração é temporária e deve ser revista sempre que as características do ativo virtual mudarem durante seu ciclo de vida, caso em que tal modificação deverá ser informada à autoridade regente do mercado financeiro e de capitais. MFSA, Guidance Note to The Financial Instrument Test, Section 2, "High Level Guidelines" G1- 1.2.2, 1.2.3, 24 Julho, 2018.

com alguns desses riscos, ou mesmo todos, e/ou se ao menos indicaram o(s) caminho(s) a serem trilhados nesse mister.

5.3.2.1. *Utilização das criptomoedas para fins criminosos*

Cumpre pontuar que todas as propostas legislativas trouxeram dispositvos que tratam da utilização de criptoativos para fins criminosos. A primeira proposta legislativa apresentada (de nº 2303/2015), e mais especificamente o seu substitutivo, em realidade, previu como crime de moeda falsa a maioria das atividades realizadas com esses ativos digitais criptográficos. Excepciona do tipo penal apenas o uso dessas "fichas digitais" como instrumento de trocas, em sítio ou aplicativo específico, por bens ou serviços — os chamados *tokens* de utilidade. Já a Emenda nº 05 ao Substitutivo do PL nº 2303/2015 e o PL nº 2060/2019, ambos em trâmite na Câmara dos Deputados, tipificam como crime a utilização desses criptoativos em atividades que consubstanciem pirâmides financeiras.

Além disso, é de se referir que a Emenda nº 05 ao Substitutivo do PL nº 2305/2015 traz ainda a previsão de que *as pessoas físicas ou jurídicas, nacionais ou estrangeiras, que no Brasil atuem na intermediação, negociação, pós-negociação e custódia de Criptomoedas e Tokens de Utilidade,* estariam sujeitas às obrigações determinadas nos artigos 10 e 11 da Lei nº 9.613/1998 (que trata dos crimes de "lavagem" ou ocultação de bens, direitos ou valores). Em que pese tal previsão se repetir em outros projetos em tramitação no Senado Federal — como veremos na sequência —, é de se destacar que aqui tais deveres são impostos tanto a *pessoas físicas* quanto jurídicas, ao passo que lá apenas a essas últimas — por se subsumirem ao conceito de *exchange* naquelas propostas.

Relativamente às propostas em trâmite no Senado Federal, todas elas tratam, ainda que de forma tímida, da preocupação em se utilizar esses ativos virtuais para fins criminosos, tais como evasão de divisas, lavagem de dinheiro, financiamento ao tráfico e ao terrorismo. Todas as proposta prevêem que as pessoas (jurídicas) que exerçam *as atividades de intermediação, custódia, distribuição, liquidação, transação, emissão ou gestão de ativos virtuais por ordem e conta de terceiros* estarão sujeitas às obrigações determinadas nos artigos 10 e 11 da Lei nº 9.613/1998. O PL nº 4207/20 estende tal dever também a pessoas físicas que realizem tais atividades. Ainda, essa última proposta prevê a criação do Cadastro Nacional de Pessoas Expostas Politicamente (CNPEP). Por fim, é preciso pontuar que as propostas de nº 3825/2019 e de nº 4207/20 trazem tipos penais relacionados à gestão fraudulenta das atividades com criptoativos, localizando-os dentre os tipos penais de crimes contra o Sistema Financeiro Nacional (Lei nº 7492/86).

Assim, em apertada síntese, e de uma forma geral, é previsto que as *exchanges* — enquanto intermediadoras das transações com ativos virtuais — deverão implementar as obrigações relacionadas a KYC ("*know your customer*"), tais quais as instituições financeiras, bem como reportar eventuais operações suspeitas ao Conselho de Controle de Atividades Financeiras (COAF), visando ampliar os pontos de combate aos crimes de evasão de divisas, lavagem de dinheiro e ocultação de bens por meio do sistema financeiro nacional. Alguns dos projetos, aliás, atribuem tal dever inclusive a pessoas físicas que, a par de não se caracterizarem como *exchanges*, exerçam as atividades a esses empreendimentos afetas (Emenda 5 ao Substitutivo do PL nº 2303/2015, PL nº 2060/19 e PL nº 4207/20). Ademais, são tipificadas, ainda que de formas distintas, a emissão e utilização fraudulenta desses criptoativos. Encaixam-se — essas atividades ilícitas — nos tipos penais que vão desde crimes de falsificação de moedas, perpassando os contra a economia popular, até crimes contra o sistema financeiro nacional. Tratam-se, todas, de medidas consentâneas às Recomendações da FATF, notadamente a de nº 15 relacionada que é a criptoativos, demonstrando o objetivo do legislador brasileiro em fazer coro aos esforços mundiais de combate a tais crimes de proporções e efeitos nefastos mundiais.

5.3.2.2. *Captação pública de valores e a necessária proteção dos investidores*

Já no que tange ao risco de captação pública de valores e a necessária proteção dos investidores-consumidores, de uma forma geral, as propostas legislativas trazem em seus bojos dispositivos que visam minorar as assimetrias informacionais nesse mercado nascente, bem como os riscos de fraudes, seja na emissão desses ativos, seja na custódia e/ou liquidação dos mesmos. É certo que as propostas em tramitação na Câmara dos Deputados o fazem de forma mais tímida, comparativamente aos projetos em análise no Senado Federal; no entanto, não deixam de tangenciar tal categoria de riscos.

Tanto o Substitutivo ao PL nº 2303/2015, e sua proposta de Emenda nº 05, quanto o PL nº 2060/19 preveem que *emissão de criptoativos que, por sua natureza ou pela natureza dos bens, serviços ou direitos subjacentes, estejam sujeitos à regulação específica a ela devem se submeter*. Isto é, a depender das funcionalidades em que são empregados esses *tokens*, é de se observar eventual legislação regente das operações que lhes são análogas. Assim é que, caso se trate de emissão de *tokens* com fins de captação pública de valores, é imperativa a observância do regime jurídico imposto pela Comissão de Valores Mobiliários, por exemplo. Em que pese já ser esse o entendimento atualmente corrente, oriundo de uma interpretação funcionalista do sistema jurídico nacional, a existência de uma previsão legal positivada, e portanto expressa, afasta, nesse sentido, toda e qualquer dúvida no sentido de aplicabilidade (ou não) dos "regimes jurídicos" ante a inexistencia de previsão desse jaez *vis-à-vis* o princípio da legalidade.

Os projetos em trâmite no Senado Federal tratam a questão de maneira mais minudenciosa, como pontuamos linhas acima. Daí porque analisaremos os projetos separadamente: o PL nº 3825/19 conjuntamente ao PL nº 3949/19 ante a imensa similitude entre eles, e, na sequência, o PL nº 4207/20. O PL nº 3825/19 e o PL nº 3949/19 trazem entre seus artigos 3º e 13 inúmeras previsões que visam minorar os riscos relacionados à economia popular (captação pública de valores, gestão temerária de valores alheios, assimetrias informacionais). Em ambas as propostas legais é atribuída ao Banco Central do Brasil competência para autorizar o funcionamento das empresas de *exchanges*, assim como para fiscalizá-las, e eventualmente sancioná-las, à semelhança de seu papel perante as instituições financeiras tradicionais (arts. 3º, 4º, 5º, 13 e 14 do PL nº 3825/19 e arts. 4º, 13 e 14 do PL nº 3949/19). No entanto, o PL nº 3825/19 esclarece, em seu art. 7º, que, quando se tratar de *oferta pública de criptoativos que gerem direito de participação, de parceria ou de remuneração, inclusive resultante de prestação de serviços, cujos rendimentos advêm do esforço do empreendedor ou de terceiros*, é à fiscalização da Comissão de Valores Mobiliários que se submetem as operaçãoes, consoante os termos da Lei nº 6.385/76.

No que tange à preocupação de higidez dos empreendimentos que operacionalizem as transações com criptoativos, é de se mencionar algumas das diretrizes impostas ao Banco Central do Brasil. Referimo-nos à exigência de previsões, nas normativas daquela autarquia, que determinem a identificação dos empreendedores envolvidos na gestão dos criptoativos (art. 5º, II e ss. do PL nº 3825/19), o estabelecimento de limites operacionais mínimos, inclusive em relação ao capital social integralizado e ao patrimônio líquido desses empreendimentos (art. 13, VII. do PL nº 3825/19, e art. 13, V, "a" do PL nº 3949/19). Ainda, é estabelecida a segregação entre os recursos aportados pelos clientes e aqueles pertencentes às *exchanges*, de modo que aqueles ativos não responderão por quaisquer obrigações desses empreendimentos intermediadores, nem por eles poderão ser usados em garantia (art. 8º do PL nº 3825/19 e art. 9º do PL nº 3949/19). Os projetos legislativos estabelecem também a obrigatoriedade de a *exchange* de criptoativos manter em ativos de liquidez imediata o equivalente aos valores em reais aportados pelos clientes em contas de movimentação sob sua responsabilidade, ainda não investidos em criptoativos, ou resgatados e ainda não retirados pelos clientes (art. 8º do PL nº 3845/19 e art. 9º, II do PL nº 3949/19).

Finalmente, no que tange à minoração das assimetrias informacionais, ambos os projetos legislativos estabelecem o dever de as exchanges *prestarem informações a seus clientes e usuários sobre a natureza e a complexidade das operações contratadas e dos serviços ofertados, em linguagem clara e objetiva, de forma a permitir ampla compreensão sobre as operações e os riscos incorridos* (art. 10º do PL nº 3845/19 e art. 6º do PL nº 3949/19). Estabelecem ainda que tais informações devem estar facilmente acessíveis no sítio da Internet da instituição (ou em outros canais de acesso à plataforma eletrônica), além de constar nos contratos, ou nos materiais de divulgação e publicidades destinados aos usuários e/ou clientes (art. 10º, parágrafo único, I e III do PL nº 3845/19 e art. 6º, parágrafo único I e II do PL nº 3949/19). Quanto ao teor dessa informações, prevem o dever de esclarecer ao público que as operações com criptoativos configuram investimento de risco, sem garantia do Fundo Garantidor de Créditos (FGC) ou do Banco Central do Brasil (art. 10º, parágrafo único, II do PL nº 3845/19 e art. 6º, parágrafo único III do PL nº 3949/19).

O PL nº 4207/20, por seu turno, traz em seus artigos 3º, 4º e 7º, inúmeros dispositivos que autorizam apenas pessoas jurídicas a emitirem *tokens* condicionando a emissão desses ativos à compatibilidade entre a finalidade a que vocacionado os tokens vis-à-vis o mercado ou atividade exercida pela empresa emissora. Ainda, impõe que sejam observadas as condições por aquela lei impostas[316] (art. 3º, caput). Porém, prevê também a possibilidade de empreendimentos cujo objeto social consista especificamente em emitir, intermediar, custodiar, distribuir, liquidar, negociar e/ou administrar ativos virtuais para terceiros (art. 4º, caput).

Nesse último caso, porém, os empreendimentos deverão se constituir sob a forma societária anônima ou por quotas de responsabilidade limitada. Ainda, deverão ter um capital social de ao menos R$ 100.000,00 (cem mil reais), bem como manter segregados os ativos virtuais pertencentes a si daqueles pertencentes aos terceiros para quem prestam serviços (artigo 4º, incisos I, II e III). As pessoas que exerçam o efetivo controle e administração dessas sociedades empresariais deverão possuir reputação ilibada e competência técnica necessária para o desempenho de suas funções (art. 4º §3º).

Ademais, tais ativos virtuais de terceiros não responderão por quaisquer obrigações desses empreendimentos intermediadores, nem por eles poderão ser usados em garantia (art. 4º §§ 1º e 2º, I). É de se mencionar ainda que alguns incisos do art. 4º foram endereçados ao propósito de minorar as assimetrias informacionais, determinando o dever das *exchanges* em prestar informações aos investidores-consumidores de forma clara, precisa, não enganosa (inclusive relacionada à eventual obrigação fiscal), bem como as proibindo de fornecer informações promocionais que possam induzir decisões imprecisas ou não fundamentadas (art. 4º, IV, V, VI, VII, VIII).

Ainda, há a preocupação em se preservar a captação, o armazenamento e a utilização indevida dos dados pessoais desses investidores-consumidores por essas empresas que intermedeiam — direta ou indiretamente — operações com esses ativos virtuais. Referimo-nos ao quanto disposto nos art. 4º, § 4º incisos I, III, XI e XII[317]. Obviamente,

[316] Ocorre que não há no corpo do texto nenhuma condicionante especificamente aplicável a essas empresas, atuantes em outros negócios, e que optam por emitirem *tokens*. Assim, é de se compreender que os deveres direcionados às empresas cuja atividade consiste em emitir ou gerir esses ativos devem também ser observados por aqueles empreendimentos, na medida em que compatíveis às suas atividades específicas.

[317] Art. 4º As pessoas jurídicas que exerçam as atividades de emissão, de intermediação, de custódia, de distribuição, de liquidação, de negociação ou de administração de ativos virtuais para terceiros deverão:

[...]

§ 4º São obrigações das pessoas jurídicas mencionadas no caput:

tais dispositivos não afastam a aplicação da LGPD (Lei Geral de Proteção de Dados), mas apenas reforçam a necessidade de se garantir a adequada proteção dos dados pessoais, mormente em um mercado tendencialmente fluido e global. Por fim, é de se pontuar que, semelhantemente ao disposto no art. 7º do PL nº 3825/19, caso a emissão, a transação ou a transferência dos ativos virtuais seja compatível com o que se identifica como valor mobiliário — consoante art. 2º da Lei nº 6.385/76 —, caberá à Comissão de Valores Mobiliares supervisionar e regular tais atividades. Assim, a depender da funcionalidade a que estão afetos tais ativos virtuais, deverão submeter-se também às normas estabelecidas pela CVM.

Em suma, o objetivo dessas regras foi o de garantir mecanismos jurídicos que permitam maior informação, transparência e proteção do investidor-consumidor contra a assimetria de informações e eventuais fraudes nesse mercado, bem como a salvaguarda dos dados pessoais e das carteiras virtuais dos investidores-consumidores. E, ao assim fazê-lo, buscou lidar com a segunda espécie de risco que é objeto de preocupação dos Estados. E mais, fê-lo de forma até detalhada se comparado aos demais riscos em jogo.

5.3.2.3. *Higidez do sistema financeiro e monetário e tributação dessas "manifestações de riquezas"*

Dada a sinteticidade com que esse dois últimos riscos foram tratados pelas propostas legislativas, englobá-lo-emos em um único subtópico. Destarte, relativamente ao terceiro e quarto eixo de preocupações, poucas foram as linhas endereçadas. Mais especificamente, apenas as propostas em tramitação no Senado Federal é que trouxeram algum direcionamento sobre os temas.

I — manter sistema adequado de segurança e controles internos;

[...]

III — estabelecer arranjos de governança para prevenir e gerenciar conflitos de interesse entre controladores, sócios e terceiros;

[...]

XI — evitar o armazenamento de dados pessoais de clientes em sistema de registro distribuído de forma descentralizada;

XII — prover a máxima transparência para com os clientes, que devem ser efetivamente informados em relação à privacidade de seus dados pessoais;

Da leitura dessas três propostas legislativas, é possível inferir que, em linhas gerais, a opção feita pelo legislador brasileiro foi o de direcionar aos órgãos competentes — no caso, BACEN e Receita Federal do Brasil — o gerenciamento dos riscos relativos à (i) higidez do sistema financeiro e monetário (art. 13, I do PL nº 3845/19, art. 13, I do PL nº 3949/19, e art. 6º do PL nº 4207/20), e à (ii) tributação dessas "manifestações de riqueza". Parece-nos sensata tal decisão (art. 12 do PL nº 3845/19, art. 12 e art. 18 do PL nº 3949/19, e art. 15 do PL nº 4207/20).

Ora, ao se utilizar *tokens* para realização de operações socioeconômicas já tuteladas pelo ordenamento jurídico, parece razoável que se lhes apliquem justamente esse regime jurídico vigente. E foi essa a opção trilhada pelo legislador brasileiro: direcionar eventual adaptação ou normatização específica exatamente a quem já compete regular, fiscalizar e gerir, juridicamente, as atividades inerentes aos meios de pagamento (BACEN), e a tributação de manifestações de riquezas (Receita Federal do Brasil).

Relativamente a essa última atividade — tributação —, dois pontos merecem menção. Primeiro, a opção da nossa estrutura estatal foi a de ser uma federação. Ato contíguo a essa opção, foi o de atribuir a cada um dos entes competência para instituir, fiscalizar e arrecadar tributos. Queremos com isso dizer que, a depender da forma como se estruturem e/ou sejam realizados os negócios com esses ativos virtuais, estarão eles sob a tutela das autoridades fiscais dos Estados e/ou Municípios. Logo, as propostas, ao se referirem apenas ao órgão fazendário federal (Receita Federal), restaram incompletas, visto que ignoradas as competências dos demais órgãos fazendários estaduais e/ou municipais.

Segundo, o art. 18 do PL nº 3949/19 traz modificações na legislação tributária federal para fins de positivar a interpretação já dada pela Receita Federal do Brasil[318] de se aplicar, às operações com criptoativos, o regime do imposto de renda pelo ganho de capital. Aliás, tal art. 18 vai além do que estabelece a Receita Federal do Brasil, aplicando o regime do ganho de capital de pessoa física inclusive sobre a renda auferida, em transações com criptoativos, por pessoas jurídicas (consoante parte final do art. 18 da proposta que objetiva a modificação do art. 32 da Lei nº 8981/95). Em que pese ser criticável a imposição de tratamentos díspares a situações semelhantes (auferimento de renda por pessoa

[318] Vide item 2 do presente capítulo.

jurídica em operações com criptoativos *versus* operações com ativos "tradicionais"), não deixa de ser um avanço, ainda que aquém do necessário[319], no que tange ao esclarecimento expresso e oficial dos regimes jurídicos (no caso, tributários) aplicáveis em transações realizadas nesse mercado nascente.

5.4. Autorregulação no brasil?

Em arremate ao presente capítulo, convém trazer a notícia de recente iniciativa levada a cabo pela ABCripto, Associação Brasileira de Criptoeconomia, em que foi proposta a adoção, pelos empreendimentos a ela associados[320], de um Código de Autorregulação. Já na sua apresentação é esclarecido que o objetivo de tal iniciativa é o de "colaborar com o aperfeiçoamento das práticas e condutas seguidas pelos Associados e de propiciar um padrão de atuação capaz de ampliar a eficiência e transparência do mercado"[321].

Indica como pilares do regime autorregulatório, por si instituído, os princípios da integridade, equidade, respeito, transparência, excelência, sustentabilidade e confiança, e da promoção de uma atuação ética que se harmonize à legislaçao vigente. O intuito dessa proposta de autorregulação é se tornar um marco referencial de compromentimento ético de seus associados, a fim de se consolidar um ambiente saudável e de relacionamento perene e consistente entre os participantes do ecossistema de criptoativos e a sociedade brasileira.

Elencam-se como condutas éticas com as quais estão comprometidos todos os associados as seguintes: (i) livre concorrência, prevenção a fraudes e lavagem de dinheiro; (iii) prevenção e combate à corrupção; (iv) controle de informações e confidencialidade; (v) conformidade com as leis. Ainda, há a previsão, no parágrafo único do art. 3º do Código de Autorregulação, de os associados também se comprometerem a cooperar

[319] Consoante tratado no capítulo 6.

[320] Há notícias de que a ABCripto reuniria empresas responsáveis por 80% do volume de transações com criptomoedas e ativos digitais no Brasil. Informação disponível em: <https://blog.alterbank.com.br/regulacao-de-criptomoedas-e-a-nova-proposta-americana/>. Acesso em 30 out. 2020.

[321] ABCRIPTO. Código de autorregulação. Disponível em: <https://86613500-eaf4-4162-8d4d-c18355319852.filesusr.com/ugd/55dd41_6a8e32790b5a40a08478fabdf373c4d3.pdf>. Acesso em: 25 set. 2020.

com os órgãos estatais competentes, em relação aos temas relacionados a cada um deles, a fim de não serem utilizadas, enquanto entidades integrantes do mercado de criptoativos brasileiro, como intermediárias em transação que intencione lavagem de dinheiro, financiamento ao terrorismo ou manipulação de mercado.

Dos quatro principais riscos identificados no capítulo anterior, sem dúvida, o relacionado à utilização de criptoativos como ferramental à lavagem de dinheiro e financiamento ao terrorismo foi o que teve maior atenção e cuidado por parte dos agentes do mercado. Destarte, atrelado ao Código de Autorregulação de Condutas, de previsões de cariz mais principiológicas e genéricas, foi lançado um compilado de regras intituladas "Autorregulação de Prevenção à Lavagem de Dinheiro e Financiamento ao Terrorismo", além de um "Manual de Boas Práticas em Prevenção à Lavagem de Dinheiro e Financiamento ao Terrorismo". Tal conjunto de regras específicas objetivam orientar os agentes do mercado de criptoativos acerca da implementação das normas legais tratantes desse risco ao universo de criptoativos.

Por fim, é de se pontuar que a estrutura inicialmente delineada para fazer cumprir esse código principiológico de boas práticas (incluídas aqui as regras relacionadas à prevenção à lavagem de dinheiro e ao financiamento ao terrorismo) é composta por dois órgãos especiais, conexos à organização da ABCripto. Seriam o Conselho de Autorregulação e o Comitê de Supervisão da Autorregulamentação. Àquele foram atreladas competências de direcionamento normativo, de estabelecimento das diretrizes regulatórias; já ao Comitê ficou o encargo de implementar e gerir a observância concreta desse(s) regime(s) instituídos.

Em que pese estar ausente o reconhecimento e/ou chancela oficial relativo a esse regime autorregulatório, a menção a tal iniciativa mostra-se relevante na medida em que constitui "prova viva" da auto-organização dos integrantes do mercado de criptoativos com fins de buscar maior seriedade e respeitabilidade desse nicho econômico nascente. Por ter entre seus associados as principais corretoras participantes do mercado de criptoativos brasileiro, a busca por dissipar a má fama, muitas vezes ainda atrelada a esse mercado, por meio da constituição de parâmetros éticos e de orientação de conformidade legal (mormente no tratamento do risco atrelado à lavagem de dinheiro e ao financiamento ao terrorismo), é representativa da tendência de se sedimentar — de uma vez por todas — tal nicho econômico.

QUADRO COMPARATIVO PROJETOS DE LEI EM APRECIAÇÃO NA CÂMARA DOS DEPUTADOS

	PL 2303/2015 - SUBSTITUTIVO	EMENDA 5 AO SUBSTITUTIVO	PL 2060/2019
	Deputado EXPEDITO NETTO	Deputado AUREO RIBEIRO	Deputado AUREO RIBEIRO
OBJETO LEI	Art. 1º Esta lei dispõe sobre a emissão de moedas digitais, moedas virtuais e criptomoedas; fichas digitais representativas de bens e direitos; aumento de penalização para o crime de pirâmide; e regulação de programas de fidelidade ou de recompensa para consumidores.	Art. 1º. Esta lei dispõe sobre Criptomoedas, Tokens Virtuais e sobre o aumento de penalização para o crime de pirâmide financeira e crimes relacionados ao uso fraudulento de Criptomoedas e Tokens Virtuais.	Art. 1º Esta lei dispõe sobre Criptoativos, que englobam ativos utilizados como meio de pagamento, reserva de valor, utilidade e valor mobiliário, e sobre o aumento de pena para o crime de "pirâmide financeira", bem como para crimes relacionados ao uso fraudulento de Criptoativos.
CONCEITOS	Art. 2º Para a finalidade desta lei e daquelas por ela modificadas, entende-se por: I - **Moeda digital, moeda virtual ou criptomoeda** - *representação digital* de valor que funcione como meio de pagamento, ou unidade de conta, ou reserva de valor e que não tem curso legal no País ou no exterior; II - **Ficha digital** - *representação digital de um bem ou direito*, que não se classifique como moeda digital, moeda virtual ou criptomoeda; III - Programa de Fidelidade ou de Recompensa - sistema de atribuição e de gerenciamento, por parte de determinado fornecedor (fornecedor de programa de fidelidade ou de recompensa), de pontos de fidelidade ou de recompensa originários de aquisição de bens ou de serviços próprios ou de outros fornecedores, pontos estes passíveis de utilização na aquisição de bens ou de serviços; IV - Fornecedor de programa de fidelidade ou de recompensa - sociedade empresária responsável por programa de fidelidade ou de recompensa; V - Ponto de fidelidade ou de recompensa - unidade de medida adotada em programa de fidelidade ou de recompensa, passível de acumulação e destinada precipuamente à troca por bens ou serviços; e VI - Empresa aderente a programa de fidelidade ou de recompensa - sociedade empresária ou empresa individual de responsabilidade limitada que adquire, com a finalidade de distribuir a seus consumidores, pontos de fidelidade ou de recompensa de fornecedor de programa de fidelidade ou de recompensa.	Art. 2º. Para a finalidade desta lei e daquelas por ela modificadas, entende-se por: I - Criptomoedas: unidades de valor criptografadas mediante a combinação de chaves públicas e privadas de assinatura por meio digital, geradas por um sistema público ou privado, e descentralizado de registro, digitalmente transferível e que não seja ou represente moeda de curso legal no Brasil ou em qualquer outro país; II -Tokens Virtuais: unidades virtuais representativas de bens, serviços ou direitos, criptografados mediante a combinação de chaves públicas e privadas de assinatura por meio digital, registrados em sistema público ou privado e descentralizado de registro, digitalmente transferíveis, que não seja ou represente Criptomoeda; III - Tokens de Utilidade: Tokens Virtuais que conferem ao seu titular acesso ao sistema de registro que originou o respectivo Token de Utilidade no âmbito de uma determinada plataforma, projeto ou serviço para a criação de novos registros em referido sistema e que não se enquadram no conceito de valor mobiliário disposto no art. 2º da Lei 6.385, de 7 de dezembro de 1976, conforme alterada; IV - Intermediador de Criptomoedas e Tokens de Utilidade: a entidade prestadora de serviços de intermediação, negociação, pós-negociação e custódia de Criptomoedas e Tokens de Utilidade;	Art. 2º Para a finalidade desta lei e daquelas por ela modificadas, entende-se por criptoativos: I - Unidades de valor criptografadas mediante a combinação de chaves públicas e privadas de assinatura por meio digital, geradas por um sistema público ou privado e descentralizado de registro, digitalmente transferíveis e que não sejam ou representem moeda de curso legal no Brasil ou em qualquer outro país; II - Unidades virtuais representativas de bens, serviços ou direitos, criptografados mediante a combinação de chaves públicas e privadas de assinatura por meio digital, registrados em sistema público ou privado e descentralizado de registro, digitalmente transferíveis, que não seja ou representem moeda de curso legal no Brasil ou em qualquer outro país; III - Tokens Virtuais que conferem ao seu titular acesso ao sistema de registro que originou o respectivo token de utilidade no âmbito de uma determinada plataforma, projeto ou serviço para a criação de novos registros em referido sistema e que não se enquadram no conceito de valor mobiliário disposto no art. 2º da Lei nº 6.385, de 7 de dezembro de 1976; Parágrafo único. Considera-se intermediador de Criptoativos a pessoa jurídica prestadora de serviços de intermediação, negociação, pósnegociação e custódia de Criptoativos

Art. 6º A emissão de fichas digitais é privativa de sociedade empresária ou de empresa individual de responsabilidade limitada cujo objeto preveja esta atividade. § 1º A constituição e o funcionamento da sociedade ou da empresa mencionada no caput deste artigo e a emissão de fichas digitais estão sujeitas à regulação dos órgãos legalmente competentes para editar normas relativas aos bens ou direitos subjacentes à ficha digital. § 2º É vedada a emissão de fichas digitais cujos bens ou direitos subjacentes sejam constituídos por moeda digital, moeda virtual ou criptomoeda. § 3º Não havendo órgão regulador específico para o bem ou direito subjacente à ficha digital, é livre a constituição e o funcionamento da sociedade ou da empresa mencionada no caput deste artigo e a emissão de fichas digitais. § 4º No caso de existência de bolsa ou mercado de balcão regulado para o bem ou direito subjacente à ficha digital, compete ao órgão regulador responsável por editar norma que garanta a venda direta, ou mesmo a criação de mercados virtuais específicos de negociação, como forma de reduzir custos para os consumidores e fomentar a concorrência.	Art. 3º É livre a emissão e circulação de Criptomoeda e Tokens Utilidade, observado o disposto na legislação em vigor. Art. 4º. A emissão de Criptomoedas e Tokens de Utilidade sob o escopo desta Lei poderá ser realizada por pessoas jurídicas de direito público ou privado, residentes no Brasil, desde que a finalidade à qual serve a emissão das Criptomoedas e Tokens de Utilidade seja compatível com suas as atividades ou mercado de atuação. § 1º Observado o disposto no caput deste artigo , é livre a emissão de Tokens Virtuais da categoria Token de Utilidade, bem como de outros Tokens Virtuais que, por sua natureza ou pela natureza dos bens, serviços e/ou direitos subjacentes, não estejam sujeitos a regulação específica. § 2º A emissão de Tokens Virtuais que, por sua natureza ou pela natureza dos bens, serviços ou direitos subjacentes, estejam sujeitos a regulação específica deverá cumprir as disposições de tal regulação.	Art. 3º É reconhecida a emissão e circulação de Criptoativos, observado o disposto na legislação em vigor. Art. 4º A emissão de Criptoativos, sob o escopo desta Lei, poderá ser realizada por pessoas jurídicas de direito público ou privado, estabelecidas no Brasil, desde que a finalidade à qual serve a emissão dos Criptoativos seja compatível com as suas atividades ou com seus mercados de atuação. § 1º Observado o disposto neste artigo, é livre a emissão de criptoativos de utilidade, bem como de outros tipos de criptoativos que, por sua natureza ou pela natureza dos bens, serviços e/ou direitos subjacentes, não estejam sujeitos à regulação específica. § 2º A emissão de criptoativos que, por sua natureza ou pela natureza dos bens, serviços ou direitos subjacentes, estejam sujeitos à regulação específica a ela devem se submeter.	EMISSÃO
Art. 7º. A Lei nº 6.385, de 7 de dezembro de 1976, passa a vigorar acrescida do seguinte artigo 28-A: "Art. 28-A. A Comissão de Valores Mobiliários deve dispensar o registro de atividades regulamentadas nos termos desta Lei, com a finalidade de instituir ambiente de testes de novas tecnologias e inovações em produtos e serviços no mercado de valores mobiliários. Parágrafo único. A Comissão de Valores Mobiliários deve conceder a autorização prevista no caput deste artigo dentro de limites e restrições preestabelecidos, observando: I – os riscos e benefícios de cada autorização; e II – o estímulo a iniciativas que visem conferir maior eficiência, segurança e ampliação do acesso ao mercado de valores mobiliários." (NR) Art. 8º A Lei nº 6.404, de 15 de dezembro de 1976, passa a vigorar acrescida do seguinte artigo 294-A: "Art. 294-A. A Comissão de Valores Mobiliários pode dispensar a adoção de determinadas exigências previstas nesta Lei para companhias de médio ou pequeno porte, conforme regulamentação específica." (NR)	Art. 10. A Lei nº 6.385, de 7 de dezembro de 1976, passa a vigorar acrescida do seguinte artigo 28-A: "Art. 28-A. A Comissão de Valores Mobiliários pode dispensar o registro de atividades regulamentadas nos termos da Lei n. (...)/2018, com a finalidade de instituir ambiente de testes de novas tecnologias e inovações em produtos e serviços no mercado de valores mobiliários. Parágrafo único. A Comissão de Valores Mobiliários dispensar o registro previsto no caput deste artigo dentro de limites e restrições preestabelecidos, observando: I – os riscos e benefícios de cada autorização; e II – o estímulo a iniciativas inovadoras ou de médio ou pequeno porte que visem conferir maior eficiência, segurança e ampliação do acesso ao mercado de valores mobiliários." (NR) Art. 5º. A Lei nº 6.404, de 15 de dezembro de 1976, passa a vigorar acrescida do seguinte artigo 294-A: "Art. 294-A. A Comissão de Valores Mobiliários pode dispensar a adoção de determinadas exigências previstas nesta Lei para os intermediadores de Criptomoedas e Tokens Virtuais regulamentados nos termos da Lei n. (...)/2018 com a finalidade de instituir ambientes favoráveis ao desenvolvimento de tecnologias e inovações em produtos e serviços no mercado de valores mobiliários." (NR)	Art. 5º O § 1º do art. 2º da Lei 6.385, de 7 de dezembro de 1976, passa a vigorar acrescida do seguinte inciso III: "Art. 2º .... § 1º .... III – Criptoativos, ainda que tenham os seus valores correspondentes ao valor de cotas de pessoas jurídicas". (NR) Art. 8º. A Lei nº 6.385, de 7 de dezembro de 1976, passa a vigorar acrescida do seguinte artigo 28-A: "Art. 28-A. A Comissão de Valores Mobiliários pode dispensar o registro de atividades regulamentadas nos termos da Lei, com a finalidade de instituir ambiente de testes de novas tecnologias e inovações em produtos e serviços no mercado de valores mobiliários. Parágrafo único. A Comissão de Valores Mobiliários pode dispensar o registro previsto no caput deste artigo dentro de limites e restrições preestabelecidos, observando: I – os riscos e benefícios de cada autorização; e II – o estímulo a iniciativas inovadoras ou de médio ou pequeno porte que visem conferir maior eficiência, segurança e ampliação do acesso ao mercado de valores mobiliários."	ALTERAÇÃO LEGISLAÇÃO CVM

Art. 3º O artigo 292 do Decreto-Lei nº 2.848, de 7 de dezembro de 1940 (Código Penal), passa a vigorar com a seguinte redação: "Art. 292. Emitir, sem permissão legal, nota, bilhete, ficha, vale ou título que contenha promessa de pagamento em dinheiro ao portador ou a que falte indicação do nome da pessoa a quem deva ser pago: Pena - detenção, de um a seis meses, ou multa. § 1º Incide na mesma pena quem, sem permissão legal, emite, intermedeia troca, armazena para terceiros, realiza troca por moeda de curso legal no País ou moeda estrangeira, moeda digital, moeda virtual ou criptomoeda que não seja emitida pelo Banco Central do Brasil. § 2º Não incorre na conduta prevista no § 1º deste artigo aquele que emite, intermedeia troca, armazena para terceiros ou que realiza troca por moeda de curso legal no País em ambiente restrito, na rede mundial de computadores, na forma de sítio ou aplicativo, ambos sob a responsabilidade do emissor, com a finalidade exclusiva de aquisição de bens ou serviços próprios ou de terceiros. § 3º Quem aceita ou utiliza como dinheiro qualquer dos documentos referidos no caput deste artigo incorre na pena de detenção, de quinze dias a três meses, ou multa." (NR)	Art. 6º. O artigo 9º da Lei 9.613, de 3 de março de 1998 passa a vigorar acrescido do seguinte inciso XIX: "Art. 9º .... XIX - as pessoas físicas ou jurídicas, nacionais ou estrangeiras, que no Brasil atuem na intermediação, negociação, pós-negociação e custódia de Criptomoedas e Tokens de Utilidade, conforme definições da Lei [-]/18" Art. 7º. O Decreto-Lei nº 2.848, de 7 de dezembro de 1940 (Código Penal), passa a vigorar acrescido do seguinte artigo 292-A: "Art. 292-A. Organizar, gerir, ofertar carteiras, intermediar operações de compra e venda de Criptomoedas ou Token Virtual com o objetivo de pirâmide financeira, evasão de divisas, sonegação fiscal, realização de operações fraudulentas ou prática de outros crimes contra o Sistema Financeiro, independentemente da obtenção de benefício econômico: Pena - (...)." Art. 8º. Fica revogado o inciso IX do artigo 2º da Lei nº 1.521, de 26 de dezembro de 1951. Art. 9º. A Lei nº 1.521, de 26 de dezembro de 1951, passa a vigorar acrescida do seguinte artigo 2º-A: "Art. 2º-A. Constitui crime da mesma natureza obter ou tentar obter ganhos ilícitos em detrimento de uma coletividade de pessoas, ainda que indetermináveis, mediante especulações ou processos fraudulentos ("bola de neve", "cadeias", "pichardismo", "pirâmides" e quaisquer outros equivalentes). Pena - reclusão, de um a cinco anos, e multa." (NR)	Art. 6º O Decreto-Lei nº 2.848, de 7 de dezembro de 1940 (Código Penal), passa a vigorar acrescido do seguinte artigo 292-A: "Art. 292-A. Organizar, gerir, ofertar carteiras, intermediar operações de compra e venda de Criptoativos com o objetivo de pirâmide financeira, evasão de divisas, sonegação fiscal, realização de operações fraudulentas ou prática de outros crimes contra o Sistema Financeiro, independentemente da obtenção de benefício econômico: Pena - detenção, de um a seis meses, ou multa." Art. 7º A Lei nº 1.521, de 26 de dezembro de 1951, passa a vigorar acrescida do seguinte artigo 2º-A: "Art. 2º-A. Constitui crime da mesma natureza obter ou tentar obter ganhos ilícitos em detrimento de uma coletividade de pessoas, ainda que indetermináveis, mediante especulações ou processos fraudulentos ("bola de neve", "cadeias", "pichardismo", "pirâmides" e quaisquer outros equivalentes)". Pena - reclusão, de um a cinco anos, e multa.	DISPOSIÇÕES RELACIONADAS A TIPOS PENAIS

Fonte: Elaborada pela autora

QUADRO COMPARATIVO PROJETOS DE LEI EM APRECIAÇÃO NO SENADO FEDERAL

PL 3.825/2019	PL 3.949/2019	PL 4207/2020	
Autor: Senador FLÁVIO ARNS. 02.07.2019	Autor: Senador STYVENSON VALENTIM. 09.07.2019	Senadora SORAYA THRONICKE 13.08.2020	
Art. 1º Esta Lei objetiva disciplinar os **serviços referentes a operações realizadas com criptoativos em plataformas eletrônicas de negociação**.	Art.1º Esta **Lei disciplina as moedas virtuais** e o **funcionamento de empresas intermediadoras de operações com criptoativos**, fornecedoras de plataformas eletrônicas de negociação.	Art. º Esta Lei estabelece normas **sobre ativos virtuais e sobre as pessoas jurídicas que exercem atividades de intermediação, custódia, distribuição, liquidação, transação, emissão ou gestão desses ativos virtuais**.	OBJETO LEI
Art. 2º Para fins desta Lei, considera-se: I – plataforma eletrônica: sistema que conecta pessoas físicas ou jurídicas por meio de sítio na rede mundial de computadores ou de aplicativo; II – **criptoativo**: a representação digital de valor denominada em sua própria unidade de conta, cujo preço pode ser expresso em moeda soberana local ou estrangeira, transacionado eletronicamente com a utilização de criptografia e/ou de tecnologia de registro distribuído, que pode ser utilizado como forma de investimento, instrumento de transferência de valores ou acesso a bens ou serviços, e que não constitui moeda de curso legal; e III – Exchange de criptoativos: a pessoa jurídica que oferece serviços referentes a operações realizadas com criptoativos em plataforma eletrônica, inclusive intermediação, negociação ou custódia. Parágrafo único. Inclui-se no conceito de intermediação de operações realizadas com criptoativos a disponibilização de ambiente para a realização das operações de compra e venda de criptoativo entre os próprios usuários de seus serviços.	Art. 2º Para fins desta Lei, considera-se: I – plataforma eletrônica: sistema eletrônico que conecta pessoas físicas ou jurídicas por meio de sítio na internet ou de aplicativo; II – **moeda virtual ou criptoativo**: a representação digital de valor denominada em sua própria unidade de conta, cujo preço pode ser expresso em moeda soberana local ou estrangeira, transacionado eletronicamente com a utilização de criptografia e de tecnologias de registros distribuídos, que pode ser utilizado como forma de investimento, instrumento de transferência de valores ou acesso a serviços, e que não constitui moeda de curso legal; e III – exchange de criptoativos: a pessoa jurídica que oferece serviços referentes a operações realizadas com criptoativos em ambiente virtual, inclusive intermediação, negociação ou custódia. Parágrafo único. Incluem-se no conceito de intermediação de operações realizadas com criptoativos a disponibilização de ambiente para a realização das operações de compra e venda de criptoativos entre os próprios usuários de seus serviços.	Art. 2º Para fins do disposto nesta lei consideram-se **ativos virtuais**: I – qualquer representação digital de um valor, seja ele criptografado ou não, que não seja emitido por banco central ou qualquer autoridade pública, no país ou no exterior, ou represente moeda eletrônica de curso legal no Brasil ou moeda estrangeira, mas que seja aceito ou transacionado por pessoa física ou pessoa jurídica como meio de troca ou de pagamento, e que possa ser armazenado, negociado ou transferido eletronicamente. II – ativos virtuais intangíveis ("tokens") que representem, em formato digital, bens, serviços ou um ou mais direitos, que possam ser emitidos, registrados, retidos, transacionados ou transferidos por meio de dispositivo eletrônico compartilhado, que possibilite identificar, direta ou indiretamente, o titular do ativo virtual, e que não se enquadrem no conceito de valor mobiliário disposto no art. 2º da Lei nº 6.385, de 7 de dezembro de 1976.	CONCEITOS
Art. 3º O funcionamento da Exchange de criptoativos depende de prévia autorização do Banco Central do Brasil, conforme disposto nesta Lei e nas demais disposições regulamentares daquela autarquia federal. Art. 4º Devem ser observadas no mercado de criptoativos as seguintes **diretrizes, segundo parâmetros estabelecidos pelo Banco Central do Brasil**: I – solidez e eficiência das operações realizadas nas plataformas eletrônicas; II – promoção da competitividade entre os operadores de criptoativos; III – confiabilidade e qualidade dos serviços, bem como excelência no	Art. 4º O funcionamento da exchange de criptoativos depende de prévia autorização do Banco Central do Brasil, conforme disposto nesta Lei e nas demais disposições regulamentares do Banco Central do Brasil Art. 13. Compete ao Banco Central do Brasil: I – baixar normas para disciplinar as operações com criptoativos, inclusive no que refere à supervisão prudencial e à contabilização das operações com criptoativos; II – estabelecer normas complementares para as exchanges de criptoativos, inclusive sobre o objeto social, a autorização, a constituição, o funcionamento e a	Art. 6º Competirá ao Banco Central do Brasil a supervisão e a regulação da atividade descrita no art. 1º, nas circunstâncias específicas em que a emissão, a transação ou a transferência de ativos virtuais, por sua natureza, integrem os arranjos de pagamento do Sistema de Pagamentos Brasileiro (SPB), disposta no art. 6º, da Lei nº 12.865, de 9 de outubro de 2013.	BANCEN – COMPETÊNCIAS

atendimento às necessidades dos clientes; IV – segurança da informação, em especial proteção de ativos e de dados pessoais; V – transparência e acesso a informações claras e completas sobre as condições de prestação de serviços; VI – adoção de boas práticas de governança e gestão de riscos; e VII – estímulo à inovação e à diversidade das tecnologias. Parágrafo único. O Banco Central do Brasil fomentará a **autorregulação do mercado de criptoativos**. Art. 5º O processo de autorização para funcionamento da Exchange de criptoativos deve ser instruído com a apresentação de requerimento, mediante protocolo, ao Banco Central do Brasil, acompanhado de, no mínimo: I – justificativa fundamentada; II – documentação que identifique as pessoas que compõem o grupo econômico de que seja integrante a empresa e que possam vir a exercer influência direta ou indireta nos seus negócios; III – documentação que identifique o grupo de controle da empresa e os detentores de participação qualificada, com as respectivas participações societárias; IV – comprovação da origem e da respectiva movimentação financeira dos recursos utilizados no empreendimento pelos controladores e pelos detentores de participação qualificada; e V – declaração, firmada pelos participantes do grupo de controle e pelos detentores de participação qualificada, relativa à inexistência de restrições que possam, a juízo do Banco Central do Brasil, afetar sua reputação, acompanhada das fichas de antecedentes criminais. § 1º A justificativa fundamentada mencionada no inciso I do caput deve contemplar, no mínimo: I – capital social; II – indicação pormenorizada dos serviços prestados; III – público-alvo; IV – local da sede e eventuais dependências; V – sistemas e recursos tecnológicos; VI – estrutura de governança e plano de gerenciamento de riscos. § 2º O Banco Central do Brasil poderá indicar, em regulamento, outros requisitos e documentos que julgar necessários. §3º Qualquer alteração do modelo de negócio, como novo produto ou serviço, requer obtenção de licença junto ao Banco Central do Brasil.	fiscalização das operações e das exchanges; III – autorizar o funcionamento de exchanges de Criptoativos no País, transferência de controle, fusão, cisão e incorporação, inclusive quando envolver participação de pessoa física ou jurídica não residente, segundo abrangência e condições que fixar; IV – fiscalizar as exchanges e as operações com criptoativos; V – adotar medidas preventivas, com o objetivo de garantir a solidez, eficiência e o regular funcionamento das exchanges, podendo, inclusive: a) estabelecer limites operacionais mínimos, inclusive em relação ao capital social integralizado e ao patrimônio líquido; b) fixar regras de operação, de gerenciamento de riscos, de controles internos e de governança, inclusive quanto ao controle societário e aos mecanismos para assegurar a autonomia deliberativa dos órgãos de direção e de controle; e c) limitar ou suspender a venda de produtos, a prestação de serviços de pagamento e a utilização de modalidades operacionais; VI – cancelar, de ofício ou a pedido, as autorizações de que tratam o inciso III; e VII – intervir nas exchanges e decretar sua liquidação extrajudicial na forma e condições previstas na legislação especial aplicável às instituições financeiras. § 1º As competências do Banco Central do Brasil previstas neste artigo não afetam as atribuições legais do Sistema Brasileiro de Defesa da Concorrência, nem as dos outros órgãos ou entidades de governo responsáveis pela regulação e supervisão setorial. § 2º O Banco Central do Brasil disciplinará as hipóteses de dispensa das autorizações de que trata o inciso III do caput. § 3º O Banco Central do Brasil poderá submeter à consulta pública as minutas dos atos normativos a serem editados no exercício das competências previstas neste artigo. Art. 14. No exercício das atividades de fiscalização, o Banco Central do Brasil poderá exigir da exchange de criptoativos a exibição de documentos e livros de escrituração e acesso, inclusive em tempo real, aos dados armazenados em sistemas eletrônicos, considerando-se a negativa de atendimento como embaraço à fiscalização, sujeitando-a às sanções aplicáveis na forma da Lei nº 13.506, de 13 de novembro de 2017.	

Art. 13. Compete ao Banco Central do Brasil: I – disciplinar as operações com criptoativos, inclusive no que se refere à supervisão prudencial e à contabilização das operações; II – editar normas complementares para as Exchanges de criptoativos, inclusive sobre o objeto social, a constituição, o funcionamento e a fiscalização; III – autorizar o funcionamento de Exchanges de criptoativos no País, transferência de controle, fusão, cisão e incorporação, inclusive quando envolver participação de pessoa física ou jurídica não residente, segundo abrangência e condições que fixar; IV – estabelecer condições para o exercício de cargos em órgãos estatutários e contratuais; V – exercer vigilância sobre as operações com criptoativos; VI – supervisionar as Exchanges de criptoativos e aplicar as sanções administrativas cabíveis, com base na Lei nº 13.506, de 13 de novembro de 2017; VII – adotar medidas preventivas, com o objetivo de assegurar o bom e regular funcionamento das Exchanges de criptoativos, podendo: a) estabelecer limites operacionais mínimos, inclusive em relação ao capital social integralizado e ao patrimônio líquido; b) fixar regras de operação, de gerenciamento de riscos, de controles internos e de governança, inclusive quanto ao controle societário e aos mecanismos para assegurar a autonomia deliberativa dos órgãos de direção e de controle; c) limitar ou suspender a venda de produtos, a prestação de serviços de pagamento e a utilização de modalidades operacionais; d) adotar ações para promover competição, inclusão financeira e transparência na prestação de serviços que envolvam criptoativos; VIII – cancelar, de ofício ou a pedido, de forma fundamentada, as autorizações de que trata o inciso III deste artigo; e IX – intervir nas Exchanges de criptoativos e decretar sua liquidação extrajudicial na forma e condições previstas na legislação especial aplicável às instituições financeiras. § 1º As competências do Banco Central do Brasil previstas neste artigo não afetam as atribuições legais do Sistema Brasileiro de Defesa da Concorrência, nem as dos outros órgãos ou entidades de governo responsáveis pela regulação e supervisão setorial.	Parágrafo único. Informações sensíveis, como dados pessoais dos clientes, devem ser disponibilizados ao regulador em caso de requisição, considerando-se a negativa de atendimento como embaraço à fiscalização, sujeitando-a às sanções aplicáveis na forma da Lei nº 13.506, de 13 de novembro de 2017.	

§ 2º O Banco Central do Brasil disciplinará as hipóteses de dispensa das autorizações de que trata o inciso III do caput. § 3º O Banco Central do Brasil poderá submeter a consulta pública as minutas dos atos normativos a serem editados no exercício das competências previstas nesta Lei. Art. 14. No exercício das atividades de fiscalização, o Banco Central do Brasil poderá exigir da Exchange de criptoativos a exibição de documentos e livros de escrituração e o acesso, inclusive em tempo real, aos dados armazenados em sistemas eletrônicos, considerando-se a negativa de atendimento como embaraço à fiscalização, sujeitando-a às sanções aplicáveis na forma da Lei nº 13.506, de 13 de novembro de 2017. Parágrafo único. Informações sensíveis, como dados pessoais dos clientes, devem ser disponibilizados pela Exchange de criptoativos ao regulador em caso de requisição, considerando-se a negativa de atendimento como embaraço à fiscalização, sujeitando-a às sanções referidas no caput.			BANCEN - COMPETÊNCIAS
Art. 7º A oferta pública de criptoativos que gerem direito de participação, de parceria ou de remuneração, inclusive resultante de prestação de serviços, cujos rendimentos advêm do esforço do empreendedor ou de terceiros, submete-se à fiscalização da Comissão de Valores Mobiliários, nos termos da Lei nº 6.385, de 7 de dezembro de 1976.	SEM CORRESPONDENTE	Art. 7º Competirá à Comissão de Valores Mobiliares a supervisão e a regulação da atividade descrita no art. 1º, nas circunstâncias específicas em que a emissão, a transação ou a transferência dos ativos virtuais seja compatível com a natureza de valores mobiliários, disposta pelo art. 2º, da Lei nº 6.385, de 7 de dezembro de 1976.	CVM - COMPETÊNCIAS
SEM CORRESPONDENTE	SEM CORRESPONDENTE	Art. 9º As circunstâncias não descritas nesta Lei que sejam relacionadas aos escopos definidos devem ser analisadas por Fórum Interministerial, com funcionamento, competência e composição a serem estabelecidos em Decreto.	COMPETÊNCIA RESIDUAL
Art. 10. A Exchange de criptoativos deve prestar informações a seus clientes e usuários sobre a natureza e a complexidade das operações contratadas e dos serviços ofertados, em linguagem clara e objetiva, de forma a permitir ampla compreensão sobre as operações e os riscos incorridos. Parágrafo único. As informações mencionadas no caput devem: I – ser divulgadas e mantidas atualizadas em local visível e formato legível no sítio da instituição na Internet, acessível na	Art. 6º A exchange de criptoativo deve prezar pela *transparência no relacionamento com os clientes e prestar informações a seus clientes e usuários sobre a natureza e a complexidade das operações contratadas e dos serviços ofertados*, em linguagem clara e objetiva, de forma a permitir ampla compreensão sobre as operações e os riscos incorridos. Parágrafo único. As informações mencionadas no caput devem: I – ser divulgadas e mantidas atualizadas em local visível e	Art. 4º As pessoas jurídicas que exerçam as atividades de emissão, de intermediação, de custódia, de distribuição, de liquidação, de negociação ou de administração de ativos virtuais para terceiros deverão: (...) § 4º São obrigações das pessoas jurídicas mencionadas no caput: (...) IV – fornecer aos clientes informações claras, precisas e não enganosas sobre os ativos virtuais, inclusive sobre as obrigações fiscais decorrentes da detenção ou da negociação de ativos virtuais,	SOBRE A PROTEÇÃO DO INVESTIDOR - DIREITO À INFORMAÇÃO

página inicial, e outros canais de acesso à plataforma eletrônica; II – ser redigidas com destaque nos instrumentos contratuais, permitindo sua imediata e fácil compreensão, incluindo a advertência de que as operações com criptoativos configuram investimento de risco, sem garantia do Fundo Garantidor de Créditos (FGC) ou do Banco Central do Brasil III – constar nos materiais de propaganda e de publicidade e demais documentos que se destinem aos clientes e aos usuários.	formato legível no sítio da instituição na Internet, acessível na página inicial, bem como nos outros canais de acesso à plataforma eletrônica; II – constar dos contratos, materiais de propaganda e de publicidade e demais documentos que se destinem aos clientes e aos usuários; e III – incluir advertência, com destaque, de que as operações com criptoativos configuram investimento de risco, sem garantia do Fundo Garantidor de Créditos (FGC) ou do Banco Central do Brasil	bem como dos riscos financeiros, de mercado, de liquidez e de higidez dos ativos virtuais; V – não fornecer a clientes informações de caráter promocional que possam induzi-los a decisões não fundamentadas ou imprecisas relacionadas a ativos virtuais, ou abordá-los de forma agressiva por qualquer meio de comunicação, inclusive digital; VI – informar clientes sobre a inexistência de regra geral de seguro para investimentos em ativos virtuais e a não submissão à regulação setorial, bem como a inexistência de regime especial de insolvência e de recuperação para as sociedades empresariais mencionadas no caput; VII – publicar e comunicar de forma transparente e precisa a política de cobrança de tarifas e outros preços para os serviços prestados; VIII – formalizar com seus clientes contratos, acordos ou termos, que definam de forma clara e precisa as responsabilidades e os objetivos da prestação de serviço; IX – abster-se de fazer uso de ativos virtuais ou chaves criptográficas mantidas em nome de seus clientes, exceto com o consentimento prévio e expresso dos últimos; (...) XII – prover a máxima transparência para com os clientes, que devem ser efetivamente informados em relação à privacidade de seus dados pessoais;	**SOBRE A PROTEÇÃO DO INVESTIDOR – DIREITO À INFORMAÇÃO**
Vide Art. 4º em BOX anterior. Art. 8º Os recursos aportados pelos clientes em contas de movimentação financeira nas Exchanges de criptoativos: I – constituem patrimônio separado, que não se confunde com o da Exchange; II – não respondem direta ou indiretamente por quaisquer obrigações da Exchange nem podem ser objeto de arresto, sequestro, busca e apreensão ou qualquer outro ato de constrição judicial em função de débitos de responsabilidade da Exchange; III – não compõem o ativo da Exchange, para efeito de falência ou liquidação judicial ou extrajudicial; e IV – não podem ser dados em garantia de débitos assumidos pela Exchange. Art. 9º A Exchange de criptoativos deve: I – possuir infraestrutura necessária que garanta a segurança das operações, garantindo a confiabilidade e qualidade dos serviços prestados;	Art. 7º A exchange de criptoativos deve possuir infraestrutura necessária que garanta a segurança das operações, a confiabilidade e a qualidade dos serviços prestados, adotando procedimentos que mitiguem os riscos operacionais envolvidos na prestação dos serviços. Parágrafo único. O controle dos riscos operacionais envolve a adoção de procedimentos para garantir a segurança e o acesso dos clientes a seus recursos mantidos nas exchanges de criptoativos. Art. 8º A exchange de criptoativos deverá manter em ativos de liquidez imediata o equivalente aos valores em Reais aportados pelos clientes em contas de movimentação sob sua responsabilidade, ainda não investidos em criptoativos, ou resgatados e ainda não retirados pelos clientes. Art. 9º Os recursos aportados pelos clientes em contas de movimentação financeira nas exchanges:	Art. 3º A emissão de ativos virtuais, nos termos desta lei, poderá ser realizada por pessoas jurídicas de direito público ou privado, estabelecidas no Brasil, desde que a finalidade à qual sirva a emissão dos ativos virtuais seja compatível com as suas atividades ou com seus mercados de atuação. Art. 4º As pessoas jurídicas que exerçam as atividades de emissão, de intermediação, de custódia, de distribuição, de liquidação, de negociação ou de administração de ativos virtuais para terceiros deverão: I – constituir-se sob a forma de sociedade anônima ou por quotas de responsabilidade limitada; II – observar limite mínimo de capital social, a ser integralizado em moeda corrente, no valor de R$ 100.000,00 (cem mil reais); e III – manter a segregação patrimonial dos ativos virtuais de titularidade própria daqueles detidos por conta e ordem de terceiros. § 1º Os ativos virtuais detidos por conta e ordem de terceiros não	**SOBRE A MITIGAÇÃO DOS RISCOS**

II – manter em ativos de liquidez imediata o equivalente aos valores em Reais aportados pelos clientes em contas de movimentação sob sua responsabilidade, ainda não investidos em criptoativos, ou resgatados e ainda não retirados pelos clientes; III – controlar e manter de forma segregada os recursos aportados pelos clientes; IV – implantar mecanismos de diligências devidas para conhecimento e comprovação da identidade do cliente e de sua capacidade econômico-financeira; V – estabelecer medidas adequadas contra lavagem de dinheiro e demais crimes financeiros; VI – adotar boas práticas de governança, gestão de riscos e segurança da informação, incluindo medidas eficazes de proteção de ativos; VII – prezar pela transparência no relacionamento com os clientes, divulgando as transações em extratos detalhados.	I – constituem patrimônio separado, que não se confunde com o da exchange; II – não respondem direta ou indiretamente por nenhuma obrigação da exchange nem podem ser objeto de arresto, sequestro, busca e apreensão ou qualquer outro ato de constrição judicial em função de débitos de responsabilidade da exchange; III – não compõem o ativo da exchange, para efeito de falência ou liquidação judicial ou extrajudicial; e IV – não podem ser dados em garantia de débitos assumidos pela exchange. Art. 10. A exchange de criptoativos deve adotar boas práticas de governança, gestão de riscos e segurança da informação, incluindo medidas eficazes de proteção de ativos.	respondem, direta ou indiretamente, por nenhuma obrigação das pessoas jurídicas mencionadas no caput, nem podem ser objeto de arresto, sequestro, busca e apreensão ou qualquer outro ato de constrição judicial em função de débitos de responsabilidade destas últimas. § 2º Os ativos virtuais detidos por conta e ordem de terceiros não integrarão o ativo das pessoas jurídicas mencionadas no caput e: I – não podem ser dados em garantia de obrigações assumidas por elas; II – deverão ser restituídos na hipótese de decretação de falência, na forma prevista no art. 85, da Lei nº 11.101, de 09 fevereiro de 2005. § 3º As pessoas que exerçam o controle efetivo das sociedades empresariais no mercado de ativos virtuais devem possuir reputação ilibada e competência técnica necessária para o desempenho de suas funções. § 4º São obrigações das pessoas jurídicas mencionadas no caput: I – manter sistema adequado de segurança e controles internos; II – manter sistema eletrônico resiliente e seguro, com adoção de medidas para evitar perda, deterioração ou furto de ativos virtuais; III – estabelecer arranjos de governança para prevenir e gerenciar conflitos de interesse entre controladores, sócios e terceiros; (...) IX – abster-se de fazer uso de ativos virtuais ou chaves criptográficas mantidas em nome de seus clientes, exceto com o consentimento prévio e expresso dos últimos; X – assegurar o estabelecimento de mecanismos necessários para a devolução dos ativos virtuais custodiados ou o acesso aos ativos virtuais mantidos em nome de seus clientes, prontamente e sempre que solicitado; XI – evitar o armazenamento de dados pessoais de clientes em sistema de registro distribuído de forma descentralizada;	SOBRE A MITIGAÇÃO DOS RISCOS
Art. 12. As Exchanges de criptoativos devem prestar informações à Secretaria da Receita Federal do Brasil, nos termos por ela definidos. Parágrafo único. Sujeitam-se ao disposto no caput as pessoas físicas ou jurídicas residentes ou domiciliadas no país que realizam operações com criptoativos em ambiente fora de Exchanges ou em Exchanges domiciliadas no exterior.	Art. 12. As exchanges de criptoativos devem prestar informações à Secretaria da Receita Federal do Brasil, nos termos por ela definidos. Parágrafo único. Sujeitam-se ao disposto no caput as pessoas físicas ou jurídicas residentes ou domiciliadas no país que realizam operações com criptoativos em ambiente fora de exchanges no país ou em exchanges domiciliadas no exterior.	Art. 5º Competirá à Receita Federal do Brasil a tributação, a fiscalização, a arrecadação e a cobrança da atividade descrita no art. 1º.	DIREITO TRIBUTÁRIO E/OU DEVER DE INFORMAR À RECEITA FEDERAL DO BRASIL

	Art. 18. A Lei no 8.981, de 20 de janeiro de 1995, passa a vigorar com a seguinte redação: "Art 21. .... § 6º O disposto no caput e nos §§ 1º e 2º deste artigo aplica-se sobre a alienação de criptoativos." (NR) "Art. 32 .... § 8º O disposto neste artigo não se aplica ao ganho de capital percebido em decorrência de alienação de criptoativos, que se sujeita à incidência do imposto sobre a renda com base nas alíquotas definidas no caput do art. 21, e nos §§ 1º e 2º do referido artigo." (NR)	
Art. 15. O parágrafo único do art. 9º da Lei nº 9.613, de 3 de março de 1998, passa a vigorar com a seguinte redação: "Art.9º .... Parágrafo Único. .... XIX – as empresas que prestam serviços referentes a operações realizadas com criptoativos em plataforma eletrônica, inclusive intermediação, negociação ou custódia." (NR)	Art. 15. A exchange de criptoativos deve estabelecer medidas adequadas para a prevenção da lavagem de dinheiro e demais crimes financeiros, adotando mecanismos de diligências devidas para conhecimento e comprovação da identidade do cliente e de sua capacidade econômicofinanceira Art. 16. O parágrafo único do art. 9º da Lei nº 9.613, de 3 de março de 1998, passa a vigorar com a seguinte redação: "Art.9º .... Parágrafo Único .... XIX – as empresas intermediadoras de criptoativos." (NR)	Art. 8º Competirá ao Conselho de Controle de Atividades Financeiras a supervisão e a regulação da atividade descrita no art. 1º, conforme as disposições da Lei nº 9.613, de 3 de março de 1998, e da Lei nº 13.974, de 7 de janeiro de 2020. (...) Art. 11. A Lei nº 9.613, de 3 de março de 1998, passa a vigorar com as seguintes alterações: "Art.9º .... XIX – pessoas físicas ou jurídicas que exerçam as atividades de intermediação, custódia, distribuição, liquidação, transação, emissão ou gestão de ativos virtuais por ordem e conta de terceiros. Art. 12-A Fica criado o Cadastro Nacional de Pessoas Expostas Politicamente (CNPEP), cujo funcionamento será disciplinado pelo Conselho de Controle de Atividades Financeiras (COAF) e operacionalizado pelo Serviço Federal de Processamento de Dados (SERPRO). § 1º As autoridades da União, dos Estados, dos Municípios e do Distrito Federal, classificadas como pessoas expostas politicamente pela legislação e regulação vigentes, manterão atualizados os seus dados no CNPEP, sob pena de enquadramento nas punições dispostas no art. 1º, bem como nas sanções administrativas previstas no art. 12, ambos dispostos na Lei nº 9.613, de 03 de março de 1998. § 2º As instituições autorizadas a funcionar pelo Banco Central do Brasil deverão consultar o CNPEP para execução de políticas de prevenção à lavagem de dinheiro e para avaliação de risco de crédito,

Fonte: Elaborada pela autora

Capítulo 6
Riscos Jurídico-Tributários no Cenário Brasileiro

Consoante dito no tópico antecedente, várias são as possibilidades de se regulamentar (exógenamente) as operações com criptoativos. Desde proibi-las até normalizá-las de forma específica, perpassando pela publicação de orientações interpretativas dos diplomas postos e/ou adaptações aos mesmos, ou mesmo ausência de qualquer manifestação estatal oficial. Sendo esse (último) o caso, o trabalho do intérprete jurídico será o de se buscar identificar a finalidade (ou finalidades) a que o criptoativo em análise está sendo destinado, na operação em foco, assim como os eventuais riscos sociais — objeto de proteção jurídica — que o projeto e/ou operação podem atingir, a fim de identificar o regime (ou regimes) jurídico(s) potencialmente aplicáveis. É esse o caso no Brasil atualmente.

Aliás, foi exatamente nisso que a Receita Federal do Brasil se fundamentou a exarar interpretação normativa que a equiparou as criptomoedas, espécie de criptoativo, à ativos não financeiros, além de intentar dar àquelas tratamento jurídico-tributário semelhante a esses. No entanto, em que pese a boa vontade desse órgão fazendário, a realidade econômica subjacente às operações com criptomoedas é muito mais complexa e multifacetada (mormente pelo caráter híbrido de muitos criptoativos) do que a abarcada pelas suas orientações. É necessário, portanto, avançar e aprofundar o debate. É essa a proposta que fazemos aqui neste capítulo final. Convém esclarecer, desde já, que nosso foco será apenas na figura "criptomoeda", espécie de criptoativo cuja aplicabilidade acabou por ser, ao menos nesse momento, a mais difundida sob o ponto de vista mercadológico[322].

Contudo, *conditio sine qua non* a compreensão dos raciocícios, é compreender, ainda que em breves linhas, o sistema jurídico tributário brasileiro. Afinal, trata-se, a discussão do enquadramento tributário desses ativos criptográficos, de um processo em construção e, como tal, os raciocínios jurídicos estão sendo erigidos com base na estrutura e lógica do sistema posto. Daí ser necessário compreender como o sistema jurídico tributário opera, para então se fazer inferências sobre como "aplicá-lo" às operações com criptomoedas eventualmente em exame.

6.1. Sistema jurídico tributário brasileiro

Ao falarmos em tributo, a primeira ideia que nos vem à mente é a disputa entre dois interesses antagônicos: de um lado, o do Estado arrecadador buscando o máximo de recursos possíveis para que possa desempenhar suas funções institucionais; de outro, o dos administrados que visam minorar o quanto podem suas contribuições àquele erário público. Dever fundamental de pagar tributos *versus* o direito fundamental de propriedade: eis a tensão a ser administrada pelos vários ordenamentos jurídicos. Não por outra razão, inúmeras normas — de cariz notadamente principiológico — foram elencadas, nas constituições dos Estados, a fim de bem gerir aquele conflito subjacente à tributação. É o que se convencionou chamar de "estatuto do contribuinte": conjunto de normas jurídicas que tem por objetivo municiar os administrados face às pretensões exacionais dos Estados soberanos. Referimo-nos à observância de princípios tais como legalidade, irretroatividade, anterioridade, proporcionalidade, isonomia etc. Trata-se de regramento clássico, presente de forma direta — ou indireta — na maioria dos sistemas jurídicos tributários dos países ocidentais, inclusive no Brasil.

No entanto, ocorre que, em terras brasileiras, para além desse antagonismo inicial entre os interesses do Fisco e dos contribuintes, temos outro que, assim como esse primeiro, precisa ser administrado pelo

[322] Até porque foi a primeira. Para uma visão mais ampla sobre a discussão relacionada à tributação dos criptoativos, vide: PwC Annual Global Crypto Tax Report 2020. Disponível em: <https://www.pwchk.com/en/research-and-insights/fintech/pwc-annual-global-crypto-tax-report-2020.pdf>. Acesso em: 05 out. 2020.

nosso ordenamento jurídico. É que optamos por ser de estrutura federada, o que implica que seja garantida a autonomia dos entes federados. Autonomia pressupõe autogestão e autodeterminação, o que só é passível de se concretizar caso os entes detenham independência econômica. Daí ser imperativo garantir-se recursos tributários a todos os entes federados.

É, portanto, de disputa por recursos, entre os entes federados, que essa segunda tensão se refere. Para geri-la, optamos — politicamente — por fazer uso de duas técnicas principais: atribuição de competências tributárias privativas (a cada um dos entes), e transferências obrigatórias de percentagem dos valores recolhidos com alguns de seus impostos por parte dos entes maiores aos menores. Devido ao fato de a segunda pressupor o exercício da primeira — instituição e recolhimento de tributos —, nos ater-nos-emos àquela (competência).

O legislador constituinte de 1988 optou por atribuir a cada um dos entes federados âmbitos de competência legislativo-tributária próprios. Relativamente aos impostos, a partir do art. 153 da CF, atribui-se, a cada um dos entes, tipos[323] identificadores de manifestações de riquezas passíveis de serem por eles tributados. É dizer, elegeram-se materialidades denotativas de manifestações de riquezas, e se as atribuíram, em caráter privativo, a cada um dos entes federados. Assim é que o "auferimento de renda", por exemplo, é signo presuntivo de riqueza passível de ser tributado pela União por intermédio do imposto de renda. Da mesmo forma, a realização de operações de circulação de mercadorias é manifestação de riqueza apta a ser tributada pelos Estados-membros (por meio do ICMS-Mercadoria). Já a prestação de serviços, exceto os de transporte intermunicipal, de comunicação e de serviços financeiros, está sob âmbito de competência municipal — para nos atermos a um exemplo de cada um dos entes federados.

Por se tratar de seara em que cada um dos entes chama para si, na maior medida possível, a competência para instituir e cobrar dado tributo, discussões de algumas ordens podem surgir. Poderíamos mencionar eventuais disputas quanto à definição das "materialidades" inerentes a cada um dos fatos definidores dos âmbitos de competência

[323] Consoante magistério de Luís Eduardo Schoueri, o constituinte se utilizou de tipos — e não conceitos — para apartar as realidades tributáveis de cada um dos entes federados. SCHOUERI, Luís Eduardo. *Direito tributário*. 4. ed. São Paulo: Saraiva, 2014, p. 269.

(o que seria renda, ou prestação de serviço, ou ainda a realização de operações mercantis), ou mesmo quanto à localidade em que tais fatos reputam-se ocorridos para fins de determinação do ente legitimado a discipliná-los (e, por conseguinte, apto a perceber o valor do tributo).

Não por outra razão, para além de já buscar estabelecer exaustiva disciplina no regime jurídico-tributário na própria Constituição Federal, foi prevista a figura da "Lei Complementar Tributária". Destarte, prevê o art. 146 da CF que cabe à lei complementar, entre outras coisas: (i) dispor sobre conflitos de competência, em matéria tributária, entre os entes federados; (ii) regular as limitações constitucionais ao poder de tributar; e (iii) estabelecer normas gerais em matéria de legislação tributária, especialmente sobre a definição dos "fatos geradores", contribuintes e bases de cálculo dos impostos discriminados na própria Constituição. Sem adentrar a discussão relativa às funções da lei complementar em matéria tributária[324], o fato é que indiscutivelmente foi dado à lei complementar o papel de, em matéria tributária, parametrizar de forma mais minudenciosa o âmbito de competência dos entes federados, a fim de se evitar conflitos, disputas, de competência entre os mesmos.

[324] Basicamente, há uma disputa entre as chamadas teorias dicotômica e tricotômica. *Grosso modo*, a teoria tricotômica acerca das funções da lei complementar no direito tributário parte da literalidade textual da Constituição. Assim, a leitura do disposto no art. 146 da CF (anteriormente, art. 18, § 1º, da Constituição de 1967) demonstra serem três as funções da lei complementar tributária: dispor sobre conflito de competências entre os entes federativos, regular as limitações ao poder de tributar e estabelecer normas gerais em matéria de legislação tributária. A teoria dicotômica criticava tal postura dos adeptos da teoria tricotômica (leitura literal dos postulados constitucionais), salientando que tal entendimento redundaria em afronta ao princípio da Federação e à Autonomia dos entes federados, posto ampliar em demasia a competência da União ao lhe possibilitar legislar amplamente a rubrica de "normas gerais". Assim, para essa segunda corrente, os dispositivos constitucionais deveriam ser interpretados em cotejo com todo o ordenamento constitucional, evitando-se assim afronta àqueles princípios constitucionais. Entendiam que a lei complementar deteria, em verdade, apenas uma função: editar normas gerais. E que tal lei complementar de normas gerais teria dois objetivos: dispor sobre conflito de competência entre as entidades tributantes e regular as limitações ao poder de tributar. Vide: SOUZA, Hamilton Dias de. Lei complementar em matéria tributária. In: MARTINS, Ives Gandra (Coord.). *Curso de direito tributário.* São Paulo: Saraiva/CEU, 1982, p. 31 e ss.; SANTI, Eurico Marcos Diniz; de. *Decadência e prescrição no direito tributário.* São Paulo: Max Limonad, 2000, p. 86. CARVALHO, Paulo de Barros. *Curso de direito tributário.* 19. ed. rev. São Paulo: Saraiva, 2007, p. 207 e ss; CARRAZZA, Roque. *Curso de direito constitucional tributário.* 19. ed. São Paulo: Malheiros, 2004, p. 800 e ss; UHDRE, Dayana de Carvalho. *Competência tributária.* Incidência e limites de novas hipóteses de responsabilidade tributária. Curitiba: Juruá, 2017, p. 79 e ss.

Quer isso dizer que, para fins de compreensão dos âmbitos de competência afetos a cada uma dos entes, é necessário transitar primeiramente pelo quanto disposto na Constituição Federal e nas leis complementares de normas gerais. Desses diplomas é que extraímos as chamadas normas de estrutura, delimitadoras e condicionantes da esfera de competência de cada um dos entes. É somente dentro de tal "quadro normativo" estrutural que os demais entes podem estatuir suas legislações tributárias. Não obstante, e apesar dessa engenharia normativa estruturada pelo legislador constituinte visando evitar conflitos de competências, a realidade imposta acabou por se revelar distinta.

A conceituação das materialidades subjacentes à imposição tributária não foi isenta de disputas interpretativas. É que se tentar "compartimentar" atividades econômicas dinâmicas, muitas vezes justapostas ou mesmo sobrepostas, como se de estanques fossem acaba por gerar dificuldades e disputas, mormente quando ao final da batalha são de recursos financeiros que estamos falando. Paradigmático é o caso ISS *versus* ICMS nas atividades vocacionadas ao mercado consumidor. É que, ao contrário da maioria dos outros países que tributam o consumo (o dispêndio de valores voltados ao consumo) sob uma única rubrica, aqui separamos — como dito nos exemplos acima — a atividade de realizar operações com mercadorias da de prestar serviços para fins de ICMS e ISS, respectivamente.

Nesse particular, e regressando o olhar às normas de estrutura, é de se destacar que tanto o art. 1º, § 2º, da LC nº 116/2003 (Lei Complementar de Normas Gerais do ISS) quanto o art. 2º, IV e V, da LC nº 87/96 ("Lei Kandir", que dispõe sobre as normas gerais do ICMS) veiculam enunciados prescritivos que objetivam separar os âmbitos de incidência de um e outro tributo diante dessas operações mistas. Seguindo o mandamento constitucional, mais especificamente a parte final do art. 156, III, a Lei Complementar nº 116/2003 enumerou, de forma taxativa, em sua Lista Anexa, quais serviços estariam sujeitos à incidência do ISS. O art. 1º, § 2º dessa Lei Complementar estatui que, salvo exceções previstas na própria Lista, os serviços nela enumerados não se encontram sujeitos ao ICMS, "[...] ainda que sua prestação envolva fornecimento de mercadorias".

Já o art. 2º, IV e V, da Lei Kandir, estabeleceu ser hipótese de incidência do ICMS tanto o "[...] fornecimento de mercadorias com prestação de serviços não compreendidos na competência tributária dos Municípios" quanto o "[...] fornecimento de mercadorias com prestação de serviços sujeitos ao imposto sobre serviços", quando a própria LC nº 116/2003 previr de modo expresso a exigência do ICMS. Percebe-se que a divisão efetuada pelo legislador complementar visa apartar, de forma rígida, os campos de incidência de um ou outro imposto. Assim, ou se está diante de um fornecimento de uma mercadoria com prestação de serviço, sujeito ao ICMS, ou de uma prestação de um serviço de qualquer natureza (ainda que envolvendo um produto), sujeito ao ISS[325].

Pois bem, ao menos dois problemas podem *prima facie* serem identificados em tal estruturação repartitória. Primeiro, a definição do que consistiriam prestações de serviços *vis-à-vis* realizar operações com circulação de mercadoria. Consoante abalizada doutrina, realizar operações de circulação de mercadoria consistiria em entabular negócios jurídicos cujo escopo é transmitir a titularidade de bens na cadeia de consumo. Em poucas palavras, é de obrigação de dar que se trataria. Tributa-se, via ICMS-Mercadoria, as várias etapas do ciclo econômico de um bem, em direção ao seu consumo final[326]. Insta esclarecer que não é sobre qualquer "bem", objeto de transmissão, que o ICMS tem vocação para incidir. Apenas se tal bem for catalogado como "mercadorias", isto é, encontrar-se à disposição do mercado. Daí ser relevante o exame desse aspecto da finalidade em colocar o bem em comércio para fins de incidência do tributo estadual.

É de se pontuar que, apesar de em um momento inicial ter sido atrelado ao conceito de mercadoria sua corporalidade[327], atualmente os bens intangíveis também são passíveis de sofrer incidência desse tributo estadual. Diante da realidade virtual que se apresenta, em que tanto bens corpóreos quanto incorpóreos podem ser adquiridos através

[325] Schoueri, Luis Eduardo; Galdino, Guilherme. Internet das coisas à luz do ICMS e do ISS: entre mercadoria, prestação de serviço de comunicação e serviço de valor adicionado. In: Faria, Renato Vilela et al. (Coord.). *Tributação da economia digital.* Desafios no Brasil, experiência internacional e novas perspectivas. São Paulo: Saraiva Educação, 2018, p. 254.

[326] Schoueri, Luis Eduardo; Galdino, Guilherme. Internet das coisas à luz do ICMS e do ISS: entre mercadoria, prestação de serviço de comunicação e serviço de valor adicionado. In: Faria, Renato Vilela et al. (Coord.). *Tributação da economia digital.* Desafios no Brasil, experiência internacional e novas perspectivas. São Paulo: Saraiva Educação, 2018, p. 250.

[327] Sobre vide Costa Barreto, Simone Rodrigues. Mutação do Conceito Constitucional de Mercadoria. Noeses: São Paulo, 2015.

da internet, o Supremo Tribunal Federal já se manifestou no sentido de ser prescindível a existência de "suporte físico" (*corpus mechanicum*)[328]; daí se poder falar que o ICMS passou a incluir, dentro de seu âmbito de competência, operações de circulação de mercadorias tanto física quanto virtuais[329].

Já "prestar serviços", consoante entendimento sedimentado em doutrina, e baseado nos dispositivos do Código Civil Brasileiro[330], consistiria em uma "obrigação de fazer" por parte do prestador, ou prepostos, em oposição à "obrigação de dar" (inerente à hipótese de incidência do ICMS-Mercadoria)[331]. Mais especificamente, erigiu-se, em doutrina[332], o

[328] A discussão está sendo travada no ambiente de tributação de *software*. Em um primeiro momento (RE 176.626-3/SP), nossa Corte Superior entendeu que o conceito de mercadoria exigiria corporalidade do bem. Influenciado pelo entendimento de que o conceito de mercadoria estaria vinculado àquele de Direito Privado, o STF entendeu que caberia ICMS sobre a venda de *softwares* "de prateleira" (*standard*) produzidos em série e comercializados no varejo, e não sobre *softwares* customizáveis aos interesses dos clientes. A *ratio decidendi* pautou-se na existência de suporte físico (*corpus mechanicum*), corporalidade essa que autorizaria a cobrança de ICMS. Posteriormente, em sede de cautelar em ação direta de inconstitucionalidade, em que se tratou da possibilidade de lei estadual inserir no âmbito de incidência do ICMS "operações com programas de computador — software — ainda que realizada por transferência eletrônica de dados", entendeu o STF não haver motivos para diferenciar uma compra de mercadoria pela internet, em que esteja presente a circulação (virtual) da mesma, de uma compra de *software* em suporte físico (CD-ROM, disquete) que a contivesse (ADI-MC 1.945/MT).

[329] SCHOUERI, Luis Eduardo; GALDINO, Guilherme. Internet das coisas à luz do ICMS e do ISS: entre mercadoria, prestação de serviço de comunicação e serviço de valor adicionado. In: FARIA, Renato Vilela et al. (Coord.). *Tributação da economia digital.* Desafios no Brasil, experiência internacional e novas perspectivas. São Paulo: Saraiva Educação, 2018, p. 252. Sobre mutação do conceito de mercadoria, vide: BARRETO, Simone Rodrigues Costa. *Mutação do conceito constitucional de mercadoria.* São Paulo: Noeses, 2015.

[330] Arts. 1216 e ss. do Código Civil/1916. Atualmente, o contrato de prestação de serviços está previsto nos arts. 593 e ss do Código Civil/2002.

[331] SEGUNDO, Hugo de Brito Machado; MACHADO, Raquel Cavalcanti Ramos. Tributação da atividade de armazenamento digital de dados. In: FARIA, Renato Vilela et al. (Coord.). *Tributação da economia digital.* Desafios no Brasil, experiência internacional e novas perspectivas. São Paulo: Saraiva Educação, 2018, p. 563.

[332] Vide, dentre outros: BAPTISTA, Marcelo Caron. ISS: do texto à norma. São Paulo: Quartier Latin, 2005; CARVALHO, Paulo de Barros. A natureza jurídica do ISS. *Revista de Direito Tributário*, São Paulo, v. 7, n. 23/24, p. 146-166, jan./jun. 1983; JUSTEN FILHO, Marçal. O imposto sobre serviços na constituição. São Paulo: *Revista dos Tribunais*, 1985; MELO, José Eduardo Soares de. *ISS:* aspectos teóricos e práticos. 6. ed. São Paulo: Malheiros, 2017; GRUPENMACHER, Betina Treiger. A regra-matriz de incidência do imposto sobre serviços.

entendimento de que o conceito de serviço tributável pelo ISS, consistente em uma obrigação de fazer, referir-se-ia a uma prestação de atividade a outrem, realizada com habitualidade, dirigida ao oferecimento de uma utilidade ou comodidade (material ou imaterial), num ambiente negocial marcado pela presença de conteúdo econômico, não submetida à relação empregatícia ou estatutária, regida pelo direito privado, e que esteja fora do âmbito de competência tributária dos Estados e DF[333].

Tal entendimento foi inclusive acolhido pela jurisprudência pátria e consolidado no verbete de Súmula Vinculante 31 do STF. Isso significa que o STF reconheceu que faltava à locação elementos que a caracterizassem como prestação fazer, ínsito ao conceito de serviço, razão pela qual careceria ao legislador de normas gerais, bem como ao ordinário, competência para instituir tributação de ISS sobre tal atividade econômica.

No entanto, recentemente o STF acabou por adotar um conceito mais amplo de serviços. No julgamento do RE nº 651.703, em que se analisara a constitucionalidade da incidência do ISS sobre as atividades de administração de planos de saúde, restou consignado que o método interpretativo veiculado pelo art. 110 do CTN serviria para interpretar apenas conceitos tributários de estatura infraconstitucional. Entendeu, nossa E. Corte, que, embora os conceitos de direito civil tenham importante papel na atividade de interpretação dos "conceitos" constitucionais tributários, é necessário que se reconheça a interação entre Direito e Economia, a fim de que princípios como igualdade, capacidade contributiva e solidariedade sejam prestigiados. Propôs-se, consoante essa linha de raciocínio, a adoção de um conceito econômico de serviço, relacionado ao oferecimento de uma utilidade (e não necessariamente ao fornecimento de trabalho), podendo estar conjugada, ou não, com a entrega de bens, inclusive imateriais.

Quanto ao segundo problema, relativo à separação de competência entre os entes, pela identificação de uma ou outra "materialidade", em verdadeiro raciocínio cartesiano[334], inúmeros obstáculos são encontrados

In: Moreira, André Mendes [et al.]. *O direito tributário*: entre a forma e o conteúdo. São Paulo: Noeses, 2014, p. 73-119.

333 Cintra, Carlos César Souza; Mattos, Thiago Pierre Linhares. ISS — tributação das atividades realizadas pelos data centers. In: Carvalho, Paulo de Barros (Coord.). *Racionalização do sistema tributário*. 1. ed. São Paulo: Noeses/IBET, 2017, p. 156.

334 Raciocínio que pode se mostrar inadequado a se lidar com a fluidez própria da digitalização da economia. Não por outro motivo, foi reafirmada na Convenção de Ottawa a obser-

quando diante de relações jurídicas complexas, em que mais de um tipo de prestação e/ou obrigação é firmado de forma coligada em um mesmo contrato. E é justamente esse o desafio que é imposto hoje, e cada vez mais, pelo desenvolvimento tecnológico e digitalização da economia: a interpretação jurídica das novas formas de fazer negócios com o ferramental antigo, que foi forjado para uma realidade que já não mais existe. E, como se já não bastasse, deve-se ainda trabalhar com as interpretações, em certa medida oscilantes, como rapidamente mencionado linhas atrás, dos institutos usados para delimitar as competências tributárias dos entes, levadas a efeito pelos Tribunais Superiores.

É nesse terreno arenoso que teremos de trabalhar quando diante de operações com criptoativos. Isto é, consoante salientamos no capítulo anterior, a "regulação" existente aqui no Brasil relativamente ao uso e aplicação de criptoativos é o sistema positivo atualmente posto. Assim, o questionamento a ser feito quando diante de operações com criptoativos é se se trata, de fato, de algo novo ou apenas de uma nova forma de se fazer as coisas. É, portanto, a funcionalidade em que foi empregado tal criptoativo no caso em exame que deve ser levado em consideração para se identificar eventuais regimes jurídicos aplicáveis, bem como se inferir eventuais consequências jurídicas correlatas.

Dentro desse cenário, e atendo-nos às criptomoedas, examinaremos primeiramente de que forma a Receita Federal do Brasil se posicionou, esclarecendo de que forma se devem interpretar as atividades com essa espécie de criptoativo realizadas. Na sequência, traremos algumas questões que, à guisa de não terem sido tratadas pelo órgão fazendário, têm levantado questionamentos e discussões diversas, e que portanto merecem ser pontuadas.

6.2. Como se posicionou a Receita Federal do Brasil

Inicialmente, é de se esclarecer que a Receita Federal, para fins tributários, baseia-se na classificação jurídica, em registros contábeis de

vância dos seguintes princípios enquanto regentes da tributação das atividades comerciais realizadas em ambiente cada vez mais digital: (i) neutralidade; (ii) eficácia e eficiência; (iii) clareza e simplicidade; (iv) equidade; e (v) flexibilidade. OECD. A Borderless World: Realising the Potential of Electronic Commerce. A Report by the Committee on Fiscal Affairs, as presented to Ministers at the OECD Ministerial Conference. " 8 out. 1998. Disponível em: <https://www.oecd.org/tax/consumption/1923256.pdf>. Acesso em: 15 mar. 2020.

determinada sociedade e nas classificações contábeis internacionalmente aceitas, após a conversão das normas brasileiras às internacionais (IFRS[335]). Ademais, e consoante restou esclarecido no capítulo antecedente, o cenário brasileiro ainda é o de subsunção das operações realizadas com criptomoedas às normas jurídicas existentes, dada a inexistência de regramentos específicos tratantes do tema. Logo, é conforme a função desempenhada pela criptomoeda no caso específico que se lhe atribuirá seu enquadramento jurídico. Daí que, consoante bem pontuado por Bárbara das Neves e Pedro Cíceri[336], as criptomoedas poderiam assumir a estrutura de bens do ativo intangível, propriedade, mercadorias, entre outras características.

Pois bem. Relativamente à tributação de operações com criptomoedas, o único pronunciamento "oficial" existente decorre de uma orientação, exposta no campo de "*perguntas e respostas*" da Declaração de Imposto de Renda Pessoa Física — 2017. Ali, a Receita Federal do Brasil manifestou sua interpretação de que as criptomoedas poderiam ser equiparadas a ativos financeiros:

> MOEDA VIRTUAL — COMO DECLARAR
>
> 447 — As moedas virtuais devem ser declaradas?
> Sim. As moedas virtuais (bitcoins, por exemplo), muito embora não sejam consideradas como moeda nos termos do marco regulatório atual, devem ser declaradas na Ficha Bens e Direitos como "outros bens", uma vez que podem ser equiparadas a um ativo financeiro. Elas devem ser declaradas pelo valor de aquisição. Atenção: Como esse tipo de "moeda" não possui cotação oficial, uma vez que não há um órgão responsável pelo controle de sua emissão, não há uma regra legal de conversão dos valores para fins tributários. Entretanto, essas operações deverão estar comprovadas com documentação hábil e idônea para fins de tributação.
>
> [...]

[335] International Financial Reporting Standards.

[336] Das Neves, Bárbara; Cíceri, Pedro. A tributação dos criptoativos no Brasil: Desafios das tecnologias disjuntivas e o tratamento tributário brasileiro. *Revista Jurídica da Escola Superior de Advocacia da OAB-PR*, ano 3, n. 3, dez. 2018. Disponível em: <http://revistajuridica.esa.oabpr.org.br/wp-content/uploads/2018/12/revista_esa_8_07.pdf>. Acesso em: 15 mar. 2020.

ALIENAÇÃO DE MOEDAS VIRTUAIS

607 — Os ganhos obtidos com a alienação de moedas "virtuais" são tributados? Os ganhos obtidos com a alienação de moedas virtuais (bitcoins, por exemplo) cujo total alienado no mês seja superior a R$ 35.000,00 são tributados, a título de ganho de capital, à alíquota de 15%, e o recolhimento do imposto sobre a renda deve ser feito até o último dia útil do mês seguinte ao da transação. As operações deverão estar comprovadas com documentação hábil e idônea.

Assim, tais "ativos" devem ser declarados como "outros bens e direitos". Ademais, em caso de alienação, eventual ganho de capital poderá ser tributado. Mais especificamente, será passível de tributação a operação (ou operações) realizada(s) por pessoas físicas que ultrapasse(m) o patamar de R$ 35.000,00 (trinta e cinco mil reais)/mês, e da qual decorram valores positivos ("ganhos"). Considera-se ganho de capital justamente a diferença positiva entre o custo de aquisição da(s) criptomoeda(s) e o(s) seu(s) valor(es) de alienação, sempre com a conversão em reais. Sobre tal ganho serão aplicadas alíquotas progressivas consoante previsto pela própria legislação do imposto de renda pessoa física (IRPF)[337].

Aliás, como corolário de tal entendimento, e mesmo objetivando lhe dar efetividade, a Receita Federal do Brasil publicou a Instrução Normativa nº 1.888/2019[338], em que determina que lhe seja informada a

[337] Pessoa Física — ganhos bens/direitos de qualquer natureza
(i) sobre a parcela do ganho de capital de até R$ 5.000.000,00 incidirá alíquota de 15%;
(ii) sobre a parcela do ganho de capital de R$ 5.000.000,01 até R$ 10.000.000,00 incidirá a alíquota de 17,5%;
(iii) sobre a parcela do ganho de capital de 10.000.000,01 a R$ 30.000.000,00 incidirá a alíquota de 20%
(iv) sobre a parcela acima de R$ 30.000.000,00 incidirá alíquota de 22,5% —
* Conforme Lei nº 13.259 de 16 de março de 2016. Altera as Leis nºs 8.981, de 20 de janeiro de 1995, para dispor acerca da incidência de imposto sobre a renda na hipótese de ganho de capital em decorrência da alienação de bens e direitos de qualquer natureza, e 12.973, de 13 de maio de 2014, para possibilitar opção de tributação de empresas coligadas no exterior na forma de empresas controladas; e regulamenta o inciso XI do art. 156 da Lei nº 5.172, de 25 de outubro de 1966 – Código Tributário Nacional.

[338] RECEITA FEDERAL. Instrução Normativa RFB n. 1888, de 03 de maio de 2019. Disponível em: <http://normas.receita.fazenda.gov.br/sijut2consulta/link.action?visao=anotado&idAto=100592>. Acesso em: 10 dez. 2019.

realização de transações com criptomoedas. É que, uma vez que compreenda que as transações com criptomoedas estão sujeitas ao recolhimento do Imposto de Renda (obrigação principal), determinar que sejam fornecidas informações e documentos que possam indicar a ocorrência do evento jurídico consubstancia mero dever instrumental àquele tributo relacionado[339]. Estabelece referida Instrução que devem as *exchanges* brasileiras informar ao órgão fazendário todas as operações realizadas por seus clientes. Ainda, determina que as pessoas (físicas ou jurídicas) que realizem operações diretamente entre partes (P2P), ou em *exchanges* estrangeiras, informem todas as transações que ultrapassem, no decorrer do mês, R$ 30.000,00 (trinta mil reais)[340].

Em suma, o que temos de pronunciamento oficial por parte de nosso órgão fazendário é que as pessoas físicas que possuam criptomoedas devem declará-las, em seu informe anual, na ficha "Outros bens e direitos". Ainda, no caso de alienação (ou alienações) desses ativos cripto-

[339] Análise sobre a proposta de consulta pública, que em grande medida aplica-se à própria IN 1888/2019, vide: UHDRE, Dayana de Carvalho Uhdre. Sobre a consulta pública nº 06/2018 da Receita Federal do Brasil e seus pontos polêmicos. *Direito e Inovação*: volume 1. Curitiba: Escola Superior da Advocacia da OAB-PR, 2019, p. 89-101 Disponível em: <https://www.oabpr.org.br/wp-content/uploads/2019/08/Direito-e-Inovação.pdf>. Acesso em: 11 ago. 2020.

[340] Art. 6º Fica obrigada à prestação das informações a que se refere o art. 1º:
I — a exchange de criptoativos domiciliada para fins tributários no Brasil;
II — a pessoa física ou jurídica residente ou domiciliada no Brasil quando:
a) as operações forem realizadas em exchange domiciliada no exterior; ou
b) as operações não forem realizadas em exchange.
§ 1º No caso previsto no inciso II do caput, as informações deverão ser prestadas sempre que o valor mensal das operações, isolado ou conjuntamente, ultrapassar R$ 30.000,00 (trinta mil reais).
§ 2º A obrigatoriedade de prestar informações aplica-se à pessoa física ou jurídica que realizar quaisquer das operações com criptoativos relacionadas a seguir:
I — compra e venda;
II — permuta;
III — doação;
IV — transferência de criptoativo para a exchange;
V — retirada de criptoativo da exchange;
VI — cessão temporária (aluguel);
VII — dação em pagamento;
VIII — emissão; e
IX — outras operações que impliquem em transferência de criptoativos.

gráficos, e existente mais-valia, tal operação pode — ou tais operações podem — estar sujeita ao imposto de renda por ganho de capital. Estarão sujeitas caso a operação, ou conjunto de operações, com criptomoedas realizadas no interregno do mesmo mês ultrapassar o valor de R$ 35.000,00 (trinta e cinco mil reais). Sobre o lucro deverá ser aplicada a alíquota de 15%, regra geral[341], devendo o valor resultante ser pago até o último dia do mês seguinte pelo sistema GCAP (ganho de capital), disponibilizado pela Receita Federal do Brasil.

Pois bem, ocorre que, mesmo nos centrando no próprio âmbito de entendimento da Receita Federal, algumas dúvidas remanescem. Quando diante de operações de *trade* e *day-trade* com criptomoedas, por exemplo, é de se indagar se, ante a proximidade dessas atividades com a realizada com ações, não se lhes poderia aplicar o regime jurídico tributário daquelas (imposto de renda no mercado de ações). Em sendo positiva a resposta, nas operações à vista (comuns), teríamos isenção do imposto caso as transações realizadas sejam no valor de até R$ 20.000,00 (vinte mil reais)[342]. Acima disso, a base de cálculo seria a "diferença positiva entre o valor de alienação do ativo e o seu custo de aquisição, calculado [sic] pela média ponderada dos custos unitários"[343]. Já nas operações de *day-trade* (assim consideradas as "iniciadas e encerradas no mesmo dia, com o mesmo ativo, em uma mesma instituição intermediadora, em que a quantidade negociada tenha sido liquidada, total ou parcialmente"[344]), não há qualquer faixa de isenção prevista[345]. Ademais, a legislação do Imposto de Renda prevê aplicação de uma alíquota de 20% sobre qualquer rendimento auferido, nessas operações de *day-trade*, e estabelece como critério de cálculo desse resultado positivo o valor do primeiro negócio de compra *vis-à-vis* o primeiro negócio de venda — ou vice-versa[346] (o chamado método "FIFO"[347]). Em ambos os

[341] Ganhos de até R$ 5.000.000,00 (cinco milhões de reais) estarão sob a alíquota de 15%. Entre R$ 5.000.000,00 (cinco milhões) e R$ 10.000.000,00 (dez milhões): 17,5 %. Já entre R$ 10.000.000,00 (dez milhões) e R$ 30.000.000,00 (trinta milhões): 20%. E, ganhos acima de R$ 30.000.000,00 (trinta milhões) estarão sujeitos a uma alíquota de 22,5%.

[342] IN SRF no 1.585/2015, Art. 59, § 1º, inciso II

[343] IN SRF no 1.585/2015, Art. 59, caput.

[344] IN SRF no 1.585/2015, Art. 65, § 1º, inciso I

[345] IN SRF no 1.585/2015, Art. 59, § 2º, inciso I

[346] IN SRF no 1.585/2015, Art. 65, § 3º.

[347] *First in-first out.*

casos, há a possibilidade de se compensar o prejuízo de um período com eventual lucro apurado no subsequente[348].

No entanto, em que pese inexistir qualquer manifestação a respeito disso, entendemos sim ser defensável a hipótese ventilada no parágrafo anterior. Ora, consoante destacado no capítulo anterior, a identificação de eventuais regimes jurídicos aplicáveis (regulação) tem em conta as operações realizadas com os criptoativos e as funcionalidades pelos mesmos exercidas. Daí que não parece adequado aplicar uma única "norma", ou um único regime jurídico tributário, para operações realizadas com criptomoedas. Estruturamos todo um arcabouço jurídico tributário para lidar com as várias operações envolvendo ativos financeiros — e não financeiros — justamente porque as operações são distintas e merecem tratamento distintos — consoante opção política por nós feita. Por que razão aplicaríamos apenas um único regime jurídico tributário quando estamos lidando com operações, igualmente distintas, mas que agora utilizam criptomoedas?

Reiteramos: temos de olhar para as operações realizadas, para a funcionalidade que aquele criptoativo (no caso, criptomoeda) está exercendo no caso concreto. Com isso em mente, é de se perquirir o eventual — ou eventuais — regimes jurídicos vocacionados a lidar com aquela(s) situação — ou situações — identificada(s). Respeitar tal pluralidade de regimes jurídicos aplicáveis aos casos concretos consubstancia, aliás, própria exigência do princípio da isonomia (no caso, tributária). Logo, a manifestação exarada pela Receita Federal do Brasil é passível de questionamento desde a legislação aplicável (imposto de renda sobre ganho de capital ou regente do ganho em mercado de ações, ou ainda um híbrido delas) até a própria metodologia de cálculo na atribuição de valores às criptomoedas (se média ponderada ou FIFO/LILO[349]).

É importante ainda destacar aqui que, por força do princípio da tributação universal, adotada pelo Estado Brasileiro, a exação incide sobre qualquer pessoa que seja domiciliada ou residente fiscal no Brasil[350],

[348] Tal possibilidade se dá em tese, uma vez que inexiste qualquer pronunciamento específico sobre o assunto a permitir eventuais compensações.

[349] Last in last out..

[350] Consoante o art. 127 do Código Tributário Nacional, cabe ao contribuinte indicar seu domicílio para fins tributários; não o fazendo, ou o fazendo de maneira a dificultar a atuação do fisco, será considerada (i) residência habitual da pessoa física o centro habitual de suas

sendo irrelevante a operação ocorrer fora do país em razão, por exemplo, da utilização de *exchanges* e/ou contas bancárias estrangeiras. Muito embora a Receita Federal não tenha fornecido orientação específica para transações com moedas virtuais originalmente adquiridas em moeda estrangeira, por uma questão de coerência, é possível se lhes aplicar as regras fiscais gerais para ganhos de capital de origem estrangeira.

Dessa forma, se uma moeda virtual for comprada no exterior por um indivíduo residente no Brasil, tendo o preço de compra sido pago em moeda estrangeira, o custo de aquisição a ser relatado na Declaração deverá ser expresso tanto em moeda estrangeira quanto em real. A determinação do valor de aquisição em real é feita seguinte forma: (i) toma-se o valor, expresso em moeda estrangeira, usado para compra da moeda virtual e converte-o em dólar americano (caso essa moeda estrangeira já não seja o dólar dos EUA), usando a taxa oficial de "venda" emitida pelo Banco Central do Brasil na data da compra; (ii) na sequência, converte-se o valor, agora referenciado em dólares norte-americanos para real brasileiro, também se usando a taxa oficial de "venda" emitida pelo Banco Central do Brasil na data da compra.

Já eventuais ganhos de capital incorridos na realização desses investimentos serão calculados de forma distinta consoante o investimento

atividades, e (ii) domicílio habitual da pessoa jurídica o local de sua sede ou ainda o local de cada estabelecimento que tenha dado origem aos atos ou fatos tributáveis.
O problema com tal normativa é relativamente às empresas do ramo tecnológico que têm como característica a presença virtual, o que lhes permite atuar em variadas jurisdições sem a necessidade de um estabelecimento físico. Tais empresas — como é o caso das *exchanges* de criptomoedas — podem inclusive negociar com pessoas físicas e jurídicas de outros países diferentes de sua sede, sendo suas atividades potencialmente tributadas em mais de uma jurisdição. No entanto, para tributar empresas prestadoras de serviços digitais, sem estabelecimento físico, em um dado país, é necessário que se lhe atribua domicílio fiscal, o que pressupõe critérios de conexão.
A legislação brasileira regente do imposto de renda (Decreto n. 9.580/2018) estabelece que empresas originariamente estrangeiras podem ser consideradas domiciliadas caso se verifique uma das três hipóteses abaixo: (1) aqui funcione filial, sucursal, agência ou representação de empresa estrangeira; (2) haja contrato de comissão firmado entre comitente do exterior e comissário no Brasil em relação às atividades prestadas pelo comissário brasileiro; e (3) caso seja realizada venda direta por não residente por intermédio de agente ou representante residente ou domiciliado no Brasil. Nota-se que os critérios de uma forma ou outra reconduzem à necessidade de uma presença física. Não à toa, trata-se de um dos desafios já apontados no Relatório da OCDE relativo à ação 01 do BEPS, e que tem recebido propostas de criação do chamado estabelecimento permanente virtual — mais adequado à economia virtual.

tenha sido feito com recursos auferidos em reais ou em moeda estrangeira. Assim, na hipótese de o investimento ter sido feito com recursos auferidos originalmente em reais, o ganho de capital corresponde à diferença, em reais, entre o valor de venda e o custo de aquisição. Assim, o custo de aquisição deverá ter por referência seu valor em reais[351]. Da mesma forma, o valor da venda, que deverá será convertido para real brasileiro, pegando-se o valor da venda em moeda estrangeira e convertendo-o em dólar norte-americano e, a seguir, em real brasileiro usando a taxa de câmbio de "compra" para a data da venda, conforme publicado pelo Banco Central do Brasil. Ganhos de capital tributáveis serão, portanto, o resultado de eventual diferença entre o valor de venda em reais brasileiros e o preço de compra também em reais. Daí que variações cambiais positivas, em reais, também serão tributáveis como ganhos de capital[352].

Já no caso de o investimento ter sido realizado com recursos auferidos originalmente em moeda estrangeira, o ganho de capital corresponderá à diferença, calculada em dólares norte-americanos, entre o valor de venda e o custo de aquisição da criptomoeda. Apurado o ganho, em dólares norte-americanos, será ele então convertido para real brasileiro usando-se a taxa de câmbio de "compra", conforme publicado pelo Banco Central do Brasil, para a data da venda. Eventuais ganhos cambiais sobre essas transações serão aqui tratados como receita isenta[353].

Um último ponto que merece menção, ainda sobre investimentos estrangeiros em criptomoedas, é quanto à exigência de Declaração de Censo de Capitais Brasileiros no Exterior (DCBE) perante o Banco Central do Brasil. Quem detiver ativos no exterior que ultrapassem

[351] Valor (em reais) esse determinado, repita-se, pela conversão do preço de aquisição da respectiva moeda estrangeira para dólar norte-americano e, depois, para real brasileiro, usando a taxa de câmbio de "venda" para a data de aquisição, conforme publicada pelo Banco Central do Brasil.

[352] Rubinstein, Flavio; Vettori, Gustavo Gonçalves. Taxation of Investments in Bitcoins and Other Virtual Currencies: International Trends and the Brazilian Approach. *SSRN*, 6 mar. 2018, p. 21. Disponível em: <https://ssrn.com/abstract=3135580 >. Acesso em: 12 ago. 2020.

[353] Rubinstein, Flavio; Vettori, Gustavo Gonçalves, Taxation of Investments in Bitcoins and Other Virtual Currencies: International Trends and the Brazilian Approach. *SSRN*, 6 mar. 2018, p. 21. Disponível em: <https://ssrn.com/abstract=3135580 >. Acesso em: 12 ago. 2020.

U$ 100.000,00 (cem mil dólares americanos) deve apresentar a DCBE àquela autarquia. Assim, não parece existir maiores dúvidas que tal regramento é aplicável inclusive a investimentos estrangeiros detidos em criptomoedas, que se consubstanciam em ativos. O problema é quanto à determinação de estraneidade ou não desses criptoativos.

Segundo Flávio Rubenstein e Gustavo Gonçalves Vettori, poder-se-ia sustentar que criptomoedas adquiridas em moeda estrangeira seriam consideradas ativos estrangeiros e, portanto, sujeitas a relatórios perante o Banco Central se a maior parte desses ativos exceder US $ 100.000,00. No entanto, e como bem pontuado por esses autores, este não parece ser um critério válido, uma vez que *todas as unidades de uma determinada moeda virtual "residiriam" na mesma blockchain, autorizada por uma carteira específica em poder do usuário*. Ou seja, é irrelevante o fato de uma unidade desse criptoativo ter sido adquirida em reais e outra em uma moeda estrangeira qualquer, visto que *todas elas residiriam digitalmente em um mesmo "local" (wallet)*[354]. Daí não fazer muito sentido utilizar tal critério para se qualificar uma criptomoeda como ativo nacional ou estrangeiro. A coisa mudaria de cenário caso tais ativos criptográficos estivessem sob a custódia de "estabelecimentos" sediados no Brasil ou fora. É que nessa última hipótese, as unidades, por estarem sob a custódia de "entidade estrangeira", poderiam sim ser consideradas ativos mantidos no exterior, e eventualmente sujeitas à DCBE. De qualquer forma, trata-se de questão em aberto e que merece ser debatida, eventualmente em um ambiente maior de delimitação de nexos de jurisdição.

No que tange ao imposto de renda eventualmente devido por pessoas jurídicas que transacionarem com criptomoedas, trata-se de assunto que merece pontuais comentários, mormente porque sobre ele nada disse o órgão fazendário. Pois bem, vimos que a Receita Federal do Brasil equiparou criptomoedas a ativos financeiros, e a elas atrelou o regime do ganho de capital. Assim, e em coerência a essa orientação,

[354] No original: "However, this does not seem to be a valid criterion, since all units of a given virtual *currency* would reside on the same *blockchain*, authorized by a particular wallet held by the user. Thus, regardless of one unit being acquired in Brazilian real and another in a foreign *currency*, they would digitally reside in the same 'place'". RUBINSTEIN, Flavio; VETTORI, Gustavo Gonçalves, Taxation of Investments in Bitcoins and Other Virtual Currencies: International Trends and the Brazilian Approach. SSRN, 6 mar. 2018, p. 22. Disponível em: <https://ssrn.com/abstract=3135580 >. Acesso em: 12 ago. 2020.

é de se concluir que, no caso de pessoas jurídicas, o ganho ou perda de capital será tratado, regra geral[355], como não operacional, e será apurado nas alienações de bens e direitos classificados como investimentos, imobilizados, intangíveis e de aplicações de ouro[356]. O ganho corresponderá à diferença positiva entre o valor de alienação e contábil[357].

A base de cálculo desse ganho dependerá do regime de apuração da pessoa jurídica e do objetivo com que os criptoativos foram transacionados. Isso porque pessoas jurídicas obrigadas ou optantes pela sistemática do Lucro Real poderão, em tese, evitar o ganho de capital caso exista prejuízo contábil/fiscal apurado no período. Já as pessoas jurídicas optantes pelo Lucro Presumido não poderão deduzir prejuízos contábeis e fiscais, na medida em que o ganho é somado à receita bruta para apuração dos tributos devidos, no caso do ganho de capital. Relativamente às alíquotas, sobre o ganho será aplicado 15% para o IRPJ (Imposto de Renda Pessoa Jurídica) e um adicional de 10% na parcela que ultrapassar 60.000,00 no trimestre. Ainda, há incidência de 9% a título de CSLL (Contribuição Social sobre o Lucro Líquido)[358].

Por fim, em relação às sociedades enquadradas no Simples Nacional, conforme art. 5º, inciso V, alínea "b" da Resolução CGSN nº 140/2018, a tributação do ganho de capital será definitiva mediante a incidência do tributo sobre a diferença positiva entre o valor de alienação e o custo de aquisição diminuído da depreciação, amortização ou exaustão acumulada, ainda que a microempresa e a empresa de pequeno porte não

[355] Regra geral porque, caso operações com criptomoedas constituam próprio objeto social da sociedade (caso das *exchanges*, v.g), o ganho ou perda serão tratados como operacionais.

[356] Decreto-Lei nº 1.598 de 1977. Art. 31.

[357] O valor contábil será o montante registrado na escrituração do contribuinte correspondente ao custo de aquisição da criptomoeda, ou seja, o valor originalmente transacionado. Art. 17 da Lei nº 9.249/1995; art. 52 da Lei nº 9.430/1996; art. 33 do Decreto-Lei nº 1.598/1977, alterado pela Lei nº 12.973/2014; art 215, §§ 14 a 18 e art 145, inciso II do caput, ambos da Instrução Normativa RFB nº 1700/2017 e art. 184, inciso III do caput da Lei nº 6.404/1976.

[358] É de se mencionar que o art. 18 do PL Nº 3949/19 traz modificações na legislação tributária federal para fins de prever ser aplicável o regime do ganho de capital de pessoa física tanto sobre a renda auferida, em transações com criptoativos, por pessoas físicas quanto jurídicas (consoante parte final do art. 18 da proposta que objetiva a modificação do art. 32 da Lei nº 8981/95). Criticável tal propositura ante ofensa ao princípio da isonomia, estrutural ao nosso sistema jurídico tributário, não ilidindo as conclusões já expostas.

mantenham escrituração contábil desses lançamentos. Aliás, a pessoa jurídica optante pelo Simples Nacional que não mantiver escrituração contábil deverá comprovar, mediante documentação hábil e idônea, o valor e data de aquisição do bem ou direito, no caso, as criptomoedas. As alíquotas aplicáveis, consoante a Lei n° 13.259/2016, variam de 15% a 22,5%, consoante o valor do ganho apurado:

> i) sobre a parcela do ganho de capital de até R$ 5.000.000,00 incidirá alíquota de 15%;
> (ii) sobre a parcela do ganho de capital de R$ 5.000.000,01 até R$ 10.000.000,00 incidirá a alíquota de 17,5%;
> (iii) sobre a parcela do ganho de capital de 10.000.000,01 a R$ 30.000.000,00 incidirá a alíquota de 20%; e
> (iv) sobre a parcela acima de R$ 30.000.000,00 incidirá alíquota de 22,5%.

Perceptível que a manifestação exarada pela Receita Federal do Brasil é bastante tímida e insuficiente para fins de orientar de forma segura o agir das pessoas físicas ou jurídicas detentoras de criptomoedas. Um rápido *panorama* de questões relacionadas apenas ao Imposto de Renda, tal como aqui fizemos, já nos demonstra que muitas questões merecem ser discutidas, enfrentadas e esclarecidas. E, como se já não bastassem, há outras questões tributárias, relativamente a outros impostos, que também merecem ser trazidas a debate, mormente porque não foram, até o momento, objeto de esclarecimentos e/ou posicionamentos por parte dos entes competentes.

6.3. Sobre os impostos que a Receita Federal do Brasil não se pronunciou...

Dentro do nosso foco de estudo neste capitulo, vimos que a Receita Federal do Brasil interpretou que as operações com criptomoedas, espécie de criptoativo, devem ser tratadas como se fossem ativos financeiros. Porém, uma tal abordagem é insuficiente para lidar com a multiplicidade de realidades que se nos apresentam, subsistindo inúmeras dúvidas e espaços para discussões. Como dissemos, são muitas, e de variadas natureza, as operações que se inserem dentro do que poderíamos apontar como inerentes ao mercado de criptoativos. Ademais, como dito algumas vezes, inúmeras são as finalidades em que as criptomoedas possam ser utilizadas (ou mesmo em mais de uma concomitantemente). Daí ser possível, por exemplo, vermos criptomoedas sendo utilizadas como meio de pagamentos, ou mesmo como mercadoria. Em casos tais, não nos parece adequado sempre[359] enquadrar as operações ao âmbito de incidência do Imposto de Renda. É que não parece existir aqui correspondência fática à hipótese de incidência daquele imposto — mormente quando pensamos no regime de ganho de capital.

Ainda, uma outra fonte de questionamentos possíveis refere-se às atividades exercidas pelos "novos *players*" desse mercado, caso dos mineradores e das *exchanges*. As remunerações percebidas pelos mineradores, por validarem as transações e/ou por criarem novos blocos de registro dessas mesmas transções, estariam sujeitas a alguma tributação, e, em sendo positiva a resposta, de que espécie (ou espécies) seria(m)? Da mesma forma, a atividade desempenhada pelas plataformas de *exchange* estaria sujeita a alguma tributação? Ou ainda, poder-se-ia indagar acerca da possibilidade de se responsabilizar tais plataformas relativamente a eventuais tributos relacionados às operações por elas intermediadas?

Logo, as discussões inerentes à tributação de criptomoedas[360] estão longe do fim. Aliás, estão só no começo. Nossa intenção é trazer algum dos principais aspectos debatidos nesse início de discussão relativos ao tema. Isto é, escolhemos, sem qualquer pretensão de completude e esgotamento, alguns tópicos que julgamos merecer serem trazidos ao debate. É de se esclarecer que nossos raciocínios são desenvolvidos consoante a aplicabilidade da legislação jurídico tributária ainda em vigor, não nos enveredando na análise das propostas de reforma tributária hoje em trâmite no Congresso Nacional.

[359] Referimo-nos a projetos e/ou criptoativos cujo escopo e uso corrente é o de ser meio de pagamento. No entanto, caso, se trate de criptoativo que tenha sido utilizado como investimento e posteriormente utilizado como meio de troca (pagamento) por outrem bem, eventual sobrevalorização desse ativo virtual poderá sim ser tributável pelo imposto de renda por ganho de capital.

[360] Caso ampliemos a nossa visão ao universo de fatos jurídicos tributáveis inerente ao gênero criptoativos — do qual as criptomoedas são espécie —, a vastidão de assuntos a serem explorados pelos cientistas do direito se nos revela.

6.3.1. Ainda no âmbito federal de competência: criptomoedas e IOF?

Consoante estabelecido no art. 153, V da Constituição Federal, posteriormente minudenciado pela Lei nº 5143/1966 e pelo Decreto nº 6306/2007[361] em seu art. 2º, constituem hipóteses de incidência do IOF:

> I — operações de crédito realizadas:
> a) por instituições financeiras (Lei nº 5.143, de 20 de outubro de 1966, art. 1º);
> b) por empresas que exercem as atividades de prestação cumulativa e contínua de serviços de assessoria creditícia, mercadológica, gestão de crédito, seleção de riscos, administração de contas a pagar e a receber, compra de direitos creditórios resultantes de vendas mercantis a prazo ou de prestação de serviços (factoring) (Lei nº 9.249, de 26 de dezembro de 1995, art. 15, § 1º, inciso III, alínea "d", e Lei nº 9.532, de 10 de dezembro de 1997, art. 58);
> c) entre pessoas jurídicas ou entre pessoa jurídica e pessoa física (Lei nº 9.779, de 19 de janeiro de 1999, art. 13);
> *II — operações de câmbio (Lei nº 8.894, de 21 de junho de 1994, art. 5º);*
> III — operações de seguro realizadas por seguradoras (Lei nº 5.143, de 1966, art. 1º);
> IV — operações relativas a títulos ou valores mobiliários (Lei nº 8.894, de 1994, art. 1º);
> V — operações com ouro, ativo financeiro, ou instrumento cambial (Lei nº 7.766, de 11 de maio de 1989, art. 4º).

Para os propósitos deste breve ensaio, eventuais hipóteses de incidências seriam aquelas pertinentes ao IOF-câmbio[362]. E aqui ganham

[361] Conhecido como Regulamento do IOF (RIOF/2007).

[362] Foge do escopo desta obra debater sobre eventual subsunção de operações com criptoativos ao IOF-valores mobiliários. É que aqui estaríamos diante de um criptoativo destinado primordialmente a servir como valor mobiliário, da categoria dos chamados *security tokens*, ou ainda diante de *securities* tonenizadas, isto é, valores mobiliários que foram tokenizados. Tendo em vista que nosso foco é tão apenas no universo das criptomoedas, deixaremos o debate de lado. No entanto, já adiantamos que entendemos pela possibilidade de incidência desse imposto federal caso as transações apresentem as características típicas da hipótese de IOF — valores mobiliários (porquanto a incidência tributária independe da forma ou mesmo legalidade em como se dão os fatos tributáveis, consoante expresso no artigo 3º do Código Tributário Nacional).

relevo as discussões relativas à conformação das criptomoedas às características e funções próprias de moeda, sobretudo para fins jurídicos. É que, consoante o Resolução nº 3.568/2008 do Banco Central do Brasil, constituiriam-se operações de câmbio o ingresso ou saída de valores monetários do território nacional realizadas pelas instituições autorizadas para tanto[363]. Daí que, consoante tal Regulamento, a hipótese de incidência do IOF-câmbio é justamente "a entrega de *moeda nacional ou estrangeira*, ou de documento que a represente, ou sua colocação à disposição do interessado, em montante equivalente à moeda estrangeira ou nacional entregue ou posta à disposição por este"[364].

Roberto Quiroga Mosquera[365], em estudo clássico sobre o tema, após analisar autores nacionais e estrangeiros, conclui serem duas as correntes sobre o conceito de moeda. Uma, que, ao privilegiar o aspecto positivo, entende ser moeda aquilo legalmente definido como tal — corrente à qual o autor se filia. E, uma segunda, que privilegia o aspecto de coesão social, segundo a qual moeda é aquilo que assume o especial papel de facilitador de trocas, e cujo valor decorre da confiança que a sociedade nela deposita, e não da autoridade estatal.

Melissa Guimarães Castello[366] chama a atenção aos problemas que a adoção dessa primeira corrente (positivista) pode apresentar em nosso sistema jurídico. É que, tendo em conta o disposto no art. 21, VII da Constituição Federal, apenas o Real, por ser emitido pela União, é que poderia ser considerado moeda, a "moeda legal", portanto. Porém, a legislação infraconstitucional (sobretudo a Resolução nº 3.568/2008, suprareferida), ao regulamentar as operações de câmbio, como não poderia deixar de ser, faz referência ao termo "moeda estrangeira".

[363] Art. 1º O mercado de câmbio brasileiro compreende as operações de compra e de venda de moeda estrangeira e as operações com ouro-instrumento cambial, realizadas com instituições autorizadas pelo Banco Central do Brasil a operar no mercado de câmbio, bem como as operações em moeda nacional entre residentes, domiciliados ou com sede no País e residentes, domiciliados ou com sede no exterior.

[364] Art. 11 do RIOF/2007 (Decreto nº. 6306/2007).

[365] Quiroga Mosquera, Roberto. *Direito monetário e tributação da moeda*. São Paulo: Dialética, 2006.

[366] Castello, Melissa Guimarães. *Bitcoin* é moeda? Classificação das criptomoedas para o direito tributário. *Revista Direito FGV*, v. 15, n. 3, p. 1-20, 2019. Disponível em: <http://dx.doi.org/10.1590/2317-6172201931>. Acesso em: 07 set. 2020.

Diante de tal aparente paradoxo, entende a autora que é a segunda corrente que melhor se adequa à nossa realidade.

Consoante bem lembrado pela autora, "'moeda' e 'moeda legal' são expressões que conceituam fenômenos distintos, sendo a primeira mais ampla do que a segunda". Assim é que "moeda legal" seria apenas aquela a que um dado ordenamento atribui curso legal — caso do Real, no Brasil, por força do art. 1º da Lei n. 9.069/1995. Já "moeda é aquilo que é efetivamente aceito como meio de troca": é a confiança, depositada por uma dada sociedade, em um determinado instrumento para facilitar as trocas, que conta. Assim, seriam moedas, por exemplo, os títulos de crédito aceitos como meios de pagamentos, assim como as moedas estrangeiras, ainda que não tenham por cá curso legal. Daí concluir a autora que "o ordenamento jurídico brasileiro não obsta quanto à conclusão de que 'bitcoin é moeda", e mais especificamente "moeda estrangeira"[367].

Nesse sentido, entende que as operações com criptomoedas, como o "bitcoin", estariam sujeitas ao IOF-câmbio, justamente por se tratar de transações com moedas estrangeiras. Destaco que, nesse contexto eventual, uma dúvida poderia remanescer relativamente à exigência do art. 1º da Resolução nº 3.568/2008 de que as operações devem serem realizadas por "instituições autorizadas" para isso pelo Banco Central do Brasil. No entanto, a aplicação do princípio *non olet*, expressamente previsto no art. 3º do CTN, assim como do princípio da isonomia, parece afastar uma interpretação assaz literal.

Apesar de interessante o posicionamento da autora, não estamos inteiramente convencidos da conclusão. É que, embora defensável ser moeda aquilo efetivamente aceito pela sociedade como meio de troca, como bem pontuado por Aleksandra Bal, tal aceitabilidade deve ter um mínimo de "generalidade"[368]. Assim, dada a baixa adesão à utilização —

[367] CASTELLO, Melissa Guimarães. *Bitcoin* é moeda? Classificação das criptomoedas para o direito tributário, p. 8. Aliás, é de se chamar a atenção que, diante de tal conclusão, a autora inclusive defende ser o caso de se dar às criptomoedas o tratamento tributário inerente às moedas. Daí entender que relativamente ao Imposto de Renda, por exemplo, deveria lhes ser aplicado o tratamento jurídico de moeda, e não de ativos financeiros. Ainda, as operações com bitcoins estariam sujeitas ao IOF-câmbio.

[368] No original: "[...] *given the limited number of venues accepting them, virtual currency is still a weak barter catalyst. It has a very low level of acceptance among the general public compared to other*

e aceitação por estabelecimentos — dessas criptomoedas como meios de pagamento, comparativamente a outros meios mais disseminados[369], bem como a ausência mesmo da cultura de as utilizar para fins outros que não investimentos, por ora entendemos que não há como se catalogar as criptomoedas como moedas, eventualmente sujeitas ao IOF-câmbio.

No entanto, um último ponto, relativamente ao assunto, merece menção. Recentemente, foi reconhecido pelo FMI que bitcoins seriam reservas de valor, e recomendou aos Bancos Centrais que inserissem tal rubrica em suas estatísticas de balança de pagamentos[370]. O Banco Central do Brasil já o fez em 2019, constando como ativos não financeiros nas nossas estatísticas da Balança de Pagamentos. Ocorre que, uma vez que as criptomoedas (no caso, o Bitcoin) sejam classificadas como produto, passa-se a ter a necessidade de se declarar a importação e exportação das criptomoedas por meio da celebração de contratos de câmbio[371].

Pois bem, consoante o regulamento do Mercado de Câmbio e Capitais Internacionais, contrato de câmbio é definindo "como instrumento específico firmado entre o vendedor e o comprador de moeda estrangeira, no qual são estabelecidas as características e as condições sob as quais se realiza a operação de câmbio"[372]. É de se indagar, portanto, se

alternative payment solutions". BAL, Aleksandra. *Taxation, Virtual Currency and Blockchain.* Alphen aan den Rijn: Kluwer Law, 2019, p. 51.

[369] Há menção por Aleksandra Bal de um interessante experimento em que se tentou, com certa dificuldade, passar um dia em Londres utilizando apenas "bitcoins" como meio de pagamento. BAL, Aleksandra. From Bitcoin To Other Altcoins: How Are They Actually Used In Today's World?. *Crypto News.* 05 jan. 2020. Disponível em: <https://cryptonews.net/en/264482/?es_p=10872267>. Acesso em: 07 set. 2020.

[370] INTERNATIONAL MONETARY FUND.. Comitê de Estatísticas de Balanço de Pagamentos. Treatment of Crypto Assets in Macroeconomic Statistics. 2019. Disponível em: <https://www.imf.org/external/pubs/ft/bop/2019/pdf/Clarification0422.pdf>. Acesso em: 14 ago. 2020.

[371] A nota divulgada, pelo Banco Central do Brasil, em 26 de agosto de 2019, à imprensa esclarece que: "Por serem digitais, os criptoativos não têm registro aduaneiro, mas as compras e vendas por residentes no Brasil implicam a celebração de contratos de câmbio. As estatísticas de exportação e importação de bens passam, portanto, a incluir as compras e vendas de criptoativos". BANCO CENTRAL DO BRASIL. Estatísticas do setor externo. 26 ago. 2019. Disponível em: <https://www.bcb.gov.br/estatisticas/historicoestatisticas>. Acesso em: 14 ago. 2020.

[372] BANCO CENTRAL DO BRASIL. Regulamento do mercado de câmbio e capitais internacionais. Disponível em: <https://www.bcb.gov.br/Rex/RMCCI/Ftp/RMCCI-1-03.pdf>. Acesso em: 14 ago. 2020.

tal entendimento do BACEN — em consonância às orientações exaradas pelo FMI —, ao exigir a celebração de contratos de câmbio para importação e/ou exportação desses criptoativos, teria o condão de reconhecer, de forma indireta, a natureza não monetária das criptomoedas a afastar eventual tributação pelo IOF[373].

Em razão do princípio da estrita legalidade, estrutural ao direito brasileiro, não parece ser suficiente uma interpretação nas estatísticas da balança de pagamentos ter o condão de caracterizar ou não o criptoativo como moeda[374], a autorizar ou afastar a incidência do imposto federal. Todavia, por se tratar — a celebração de contrato de câmbio — de efeito indireto do reconhecimento das criptomoedas como ativos não financeiros, interpretação essa exarada pelo órgão competente a definir o que constituiriam operações de câmbio — e, por conseguinte trocas de moedas[375] —, não há como negar seu forte apelo argumentativo. No entanto, maiores reflexões e estudos merecem ser feitos no que tange ao conceito de moeda nacional *versus* moeda estrangeira nessa realidade em que as criptomoedas muitas vezes assumem o papel de títulos representativos de moedas soberanas — seja quando representem a moeda emitida (*stable coins), seja quando há emissão pelo ente soberano (CDBC's).*

6.3.2. No âmbito estadual de competência: criptomoedas e ICMS?

Consoante a opção feita pelo constituinte de 1988, qual seja, o de atribuir a cada um dos entes federados âmbitos de competência legislativo-tributária próprios[376], aos Estados-membros compete instituírem o imposto sobre a realização de operações de circulação de mercadoria, e sobre a prestação de serviços de transporte interestadual e intermu-

[373] Assim como todo o regime jurídico relativo à figura monetária.

[374] Consoante a Lei Nº 5.172/1966, considera-se "fato gerador" do IOF-câmbio, *a sua efetivação pela entrega de moeda nacional ou estrangeira, ou de documento que a represente, ou sua colocação à disposição do interessado em montante equivalente à moeda estrangeira ou nacional entregue ou posta à disposição por este.*

[375] E, apartando de forma expressa a figura das criptomoedas do instituto monetário.

[376] Atribuíram-se, a cada um dos entes, tipos identificadores de manifestações de riquezas passíveis de serem por eles tributados. É que, de acordo com Luís Eduardo Schoueri, o constituinte se utilizou de tipos — e não conceitos — para apartar as realidades tributáveis de cada um dos entes federados. SCHOUERI, Luís Eduardo. *Direito Tributário.* 4ª ed. São Paulo: Saraiva, 2014, p. 269.

nicipal e de comunicação (art. 155, II da CF), mais conhecido pela sigla ICMS. Em que pese se tratar, o ICMS, de sigla que se refira a inúmeros impostos (ICMS-Mercadoria, ICMS-Transporte, ICMS-Comunicação), nosso foco será apenas no imposto incide sobre as operações mercantis. É que além de se tratar de seu representante mais característico, é aquele que potencialmente poderia ter repercussão em operações com criptoativos.

Realizar operações de circulação de mercadoria consiste, consoante abalizada doutrina[377], em tabular negócios jurídicos cujo objeto consiste em transmitir a titularidade de bens na cadeia de consumo. É da categoria de "obrigação de dar" que se trata. Tributa-se, via ICMS-Mercadoria, as várias etapas do ciclo econômico de um bem, em direção ao seu consumo final[378]. Insta esclarecer que não é sobre qualquer "bem", objeto de transmissão, que o ICMS tem vocação para incidir. Apenas se tal bem for catalogado como "mercadorias", isto é, encontrar-se à disposição do mercado. Daí ser relevante o exame desse aspecto volitivo em se pôr o bem em comércio para fins de incidência do tributo estadual.

Outrossim, há de se pontuar que os bens incorpóreos também são passíveis de sofrer incidência desse tributo estadual. Diante da realidade virtual que se nos apresenta, em que tanto bens corpóreos quanto incorpóreos podem ser adquiridos através da internet, o Supremo Tribunal Federal já se manifestou no sentido de ser prescindível a existência de "suporte físico" (*corpus mechanicum*)[379]; daí se poder falar que o ICMS

[377] Entre outros: Ataliba, Geraldo; Giardino, Cleber. "Núcleo da Definição Constitucional do ICM". *Revista de Direito Tributário*, vols. 25/26, RT, São Paulo; Carrazza, Roque Antônio. *ICMS*. 17ª ed. ampl. e atualiz. São Paulo: Malheiros Editores, 2015; Melo, José Eduardo Soares de. *ICMS*: Teoria e Prática. 11ª ed. São Paulo: Dialética, 2009.

[378] Schoueri, Luís Eduardo; Galdino, Guilherme. Internet das Coisas à luz do ICMS e do ISS: entre mercadoria, prestação de serviço de comunicação e serviço de valor adicionado. In: Faria, Renato Vilela et al (coord.). *Tributação da Economia Digital*. Desafios no Brasil, experiência internacional e novas perspectivas. São Paulo: Saraiva Educação, 2018, p. 250.

[379] A discussão está sendo travada no ambiente de tributação de *software*. Em um primeiro momento (RE 176.626-3/SP), nossa Corte Superior entendeu que o conceito de mercadoria exigiria corporalidade do bem. Influenciado pelo entendimento de que o conceito de mercadoria estaria vinculado àquele de Direito Privado, o STF entendeu que caberia ICMS sobre a venda de *softwares* "de prateleira" (*standard*) produzidos em série e comercializados no varejo, e não sobre *softwares* customizáveis aos interesses dos clientes. A *ratio decidendi* foi a existência, ou não, de suporte físico (*corpus mechanicum*). Posteriormente, em sede cautelar em ação direta de inconstitucionalidade, em que se tratou da possibilidade de lei estadual

passou a incluir, dentro de seu âmbito de competência, operações de circulação de mercadorias tanto física quanto virtuais[380].

O ponto passível de gerar dúvidas é relativamente à possibilidade de se catalogar as criptomoedas como mercadorias aptas a estar sob o âmbito de incidência do ICMS-Mercadoria. E aqui é importante relembrarmos que é para as operações, que podem ser das mais variadas ordens, em que esses criptoativos (e criptomoedas) estão sendo usados, que devemos voltar nossa análise. Quer isso dizer que é a funcionalidade exercida pela criptomoeda em uma determinada operação que devemos ter em conta, inferindo então eventuais conclusões. Daí que compreender o negócio[381] em que a criptomoeda está sendo utilizada parece ser a chave a fim de se atribuir eventuais consequências jurídico-tributárias: afinal, muitas vezes trata-se de "velhos vinhos em garrafas novas".

Pois bem, olhando o caso das *exchanges* de criptomoedas, é possível afirmar que, consoante a forma em que estão estruturados seus negócios, as criptomoedas podem sim assumir a funcionalidade de mercadorias, de maneira que eventuais operações com elas realizadas estariam sim sujeitas ao ICMS-Mercadoria. Regra geral, tais intermediários disponibilizam plataformas digitais ("balcões de negócios") em que compradores e vendedores de criptomoedas possam realizar suas ofertas. Nesse caso, as *exchanges* seriam meras prestadoras de serviços, intermediadores dos negócios, sujeitas, tais operações, ao ISS (consoante item 10 da lista anexa da LC nº 116/2003).

inserir no âmbito de incidência do ICMS "operações com programas de computador — software —, ainda que realizada por transferência eletrônica de dados", entendeu o STF não haver motivos para diferenciar uma compra de mercadoria pela internet, em que está presente a circulação (virtual) da mesma, de uma compra de *software* em suporte físico (CD-ROM, disquete) que a contivesse (ADI-MC 1.945/MT).

[380] SCHOUERI, Luís Eduardo; GALDINO, Guilherme. Internet das Coisas à luz do ICMS e do ISS: entre mercadoria, prestação de serviço de comunicação e serviço de valor adicionado, p. 252. Sobre mutação do conceito de mercadoria, vide: BARRETO, Simone Rodrigues Costa. *Mutação do conceito constitucional de mercadoria*. São Paulo: Noeses, 2015.

[381] Ainda que focados no contexto de IOT (internet das coisas), já tivemos a oportunidade de salientar a importância de se compreender o negócio econômico para fins de atribuição de eventuais efeitos jurídico-tributários. UHDRE, Dayana de Carvalho.Internet das coisas e seus desafios tributários: ISS e/ou ICMS? Eis a questão... Direito Tributário em Questão. *Revista da FESDT*, vol. 09, maio 2019. Disponível em: <https://www.fesdt.org.br/web2012/revistas/9/artigos/1.pdf>. Acesso em: 28 set. 2020.

Contudo, é possível, por exemplo, que, para além de intermediarem os negócios, tais agentes econômicos também adquirissem criptomoedas para si, para tê-las "em estoque", a fim de vendê-las em suas plataformas. Aqui nos parece que as criptomoedas tomariam sim a funcionalidade própria de mercadorias, cujas operações subjacentes estariam sujeitas ao ICMS-Mercadoria[382].

Outra hipótese que merece alguns comentários é a de responsabilização das plataformas (*exchanges*) pelo recolhimento de ICMS de eventuais operações que lhes sejam subjacentes. É que o Convênio 106/2017, de ICMS, em sua cláusula quinta[383], autorizou os Estados-membros a preverem, em suas legislações, a responsabilização tributária das plataformas eletrônicas que intermedeiem operações com "mercadorias digitais". Mais especificamente ao que nos interessa aqui, o referido diploma legislativo elenca como possível destinatário do liame obrigacional tributário *aquele que realizar a oferta, venda ou entrega de bens em razão de contrato com o comercializador.* Assim, a *exchange*, enquanto plataforma intermediadora, poderia ser chamada a responder pelo ICMS relativo a operações mercantis praticados por "comercializadores de criptomoedas" que utilizam tal interface para vendê-las.

"Poderia" porque, consoante se mencionou, o Convênio apenas autorizou que os Estados-membros previssem em seus ordenamentos jurídicos tal hipótese de responsabilização, o que requer expressa determinação por lei estatal. Ainda, é necessário que se identifique a atividade desempenhada pelo "comerciante de criptomoedas", através da plataforma de *exchange*, como realização de operações mercantis.

[382] Isso relativamente às criptomoedas que as exchange vendessem diretamente a seus clientes, o que não afasta a incidência de ISS relativamente à atividade de intermediação.

[383] Cláusula quinta. Nas operações de que trata este convênio, as unidades federadas poderão atribuir a responsabilidade pelo recolhimento do imposto:

I — àquele que realizar a oferta, venda ou entrega do bem ou mercadoria digital ao consumidor, por meio de transferência eletrônica de dados, em razão de contrato firmado com o comercializador;

II — ao intermediador financeiro, inclusive a administradora de cartão de crédito ou de outro meio de pagamento;

III — ao adquirente do bem ou mercadoria digital, na hipótese de o contribuinte ou os responsáveis descritos nos incisos anteriores não serem inscritos na unidade federada de que trata a cláusula quarta;

IV — à administradora de cartão de crédito ou débito ou à intermediadora financeira responsável pelo câmbio, nas operações de importação.

No que tange à expressa previsão normativa em diploma estadual, ao menos cinco Estados — quais sejam, São Paulo, Bahia, Ceará, Mato Grosso e Rio de Janeiro[384] — já modificaram suas legislações internas, estabelecendo a responsabilização das plataformas eletrônicas pelo pagamento do ICMS devido nas operações que lhes são subjacentes. Da análise dessas legislações, constatamos a tendência de responsabilizar as plataformas pelo pagamento do tributo incidente sobre as operações — por elas intermediadas —, em razão do não fornecimento, por elas, de informações solicitadas pelo Fisco. Ainda, verificam-se previsões de responsabilização tributária desses atores quando as transações (de *e-commerce*) realizadas em suas plataformas foram efetuadas por contribuintes do ICMS que se encontrem em situação irregular. E, nesse último caso, é prescindível inclusive de qualquer aviso prévio por parte do Fisco relativamente à situação cadastral dos fornecedores das mercadorias.

Assim, caso as operações com criptomoedas estejam sob o âmbito de incidência do ICMS, e tenham sido realizadas por intermédio de uma plataforma de *exchange*, tal intermediário poderia ser responsabilizado pelo pagamento dos ICMS devidos pelo comerciante que dela (plataforma) fez uso. No entanto, entendemos que tanto o Convênio quanto as hipóteses normativas atualmente vigentes são questionáveis.

É que, quando se está a falar de disciplina relativa à sujeição passiva tributária — seja das plataformas, seja de outros intermediários —, está-se a tratar de matéria afeta constitucionalmente à lei complementar (art. 146, III e art. 155, § 2º, XII, "a" da Constituição Federal). Consoante a Carta Política de 1988, compete à lei complementar estabelecer normas gerais sobre obrigação tributária (sendo a sujeição passiva um de seus elementos constitutivos) e, no que tange especificamente ao ICMS, definir seus "contribuintes", assim como dispor sobre "substituição tributária". E, consoante regramento constante em leis complementares de normas gerais[385], só pode ser alçado, por lei estadual, à categoria de responsável tributário terceiro que de alguma forma encontra-se conexo ao fato jurídico tributário[386], e cujos atos ou omissões

[384] Referimo-nos às Leis estaduais nº 13.918/09 de São Paulo, nº 14.183/19 da Bahia, nº 16.904/19 do Ceará, nº 11.081/20 do Mato Grosso, e nº 8.795/20 do Rio de Janeiro.

[385] Referimo-nos ao Código Tributário Nacional (CTN) e à Lei Complementar 87/96 (Lei Kandir).

[386] Consoante art. 128 do Código Tributário Nacional (CTN), *verbis*: "Sem prejuízo do disposto neste capítulo, a lei pode atribuir de modo expresso a responsabilidade pelo crédito

concorrerem[387] para o não recolhimento do tributo estadual[388]. Assim, não compete ao Convênio inovar nessa matéria, ampliando o espectro de possibilidades de eleição, pelos entes estatais, de terceiros responsáveis tributários: a reserva dessa matéria, repita-se, é de lei complementar.

Às escâncaras, portanto, que não estão sendo observadas, pelos entes federados, as normas de estrutura regentes de suas competências para instituírem hipóteses de responsabilização tributária[389]. É que, no caso das plataformas de intermediação de *e-commerce*, atribui-se responsabilidade a terceiros que, apesar de estarem conexos aos fatos ensejadores da incidência tributária, não convergiram, ao menos pelas previsões legais ora postas, para o inadimplemento do imposto estadual. Ora, atribuir liame obrigacional apenas em razão de não apresentação das informações solicitadas pelo Fisco, ou pela simples situação de irregularidade cadastral do fornecedor envolvido (ou fornecedores envolvidos) nas operações, em nada se vincula à condicionante de contribuição desses terceiros (*plataformas — inclusive de exchange*) ao não recolhimento do ICMS devido[390].

tributário a terceira pessoa, vinculada ao fato gerador da respectiva obrigação, excluindo a responsabilidade do contribuinte ou atribuindo-a a este em caráter supletivo do cumprimento total ou parcial da referida obrigação" (grifou-se). É de se notar que, apesar de tal previsão estar em diploma normativo de *status* de lei ordinária (Decreto-Lei), o CTN, quando recepcionado pela Constituição Federal de 1988, o foi com a função de lei complementar.

[387] Consoante art. 5º da Lei Complementar 87/96, *verbis*: Lei poderá atribuir a terceiros a responsabilidade pelo pagamento do imposto e acréscimos devidos pelo contribuinte ou responsável, quando os atos ou omissões daqueles concorrerem para o não recolhimento do tributo.

[388] Para maiores informações sobre limites à responsabilização de terceiros em matéria tributária, vide Uhdre, 2017.

[389] Referimo-nos especificamente ao disposto nos artigos 146, III, c/c 155, § 2º, XII, " a" e "b", ambos da Constituição Federal e nos artigos 128 do CTN c/c 5º da Lei Complementar 87/96, já anteriormente mencionados.

[390] Isso não quer dizer que, observadas as condicionantes impostas nas leis complementares de normas gerais, não poderiam os Estados instituírem hipóteses de responsabilização dessas plataformas digitais (intermediários). Sobre o assunto, vide: Uhdre, Dayana de Carvalho. *Marketplaces:* possibilidades e limites à sua responsabilização no âmbito da tributação indireta. No prelo.

6.3.3. No âmbito municipal de competência: criptomoedas e ISS? O caso dos mineradores de criptomoedas

Analisaremos, ainda que rapidamente, o caso dos mineradores de criptomoedas. O caso das *exchanges* foi pontualmente mencionado no tópico anterior[391], razão pela qual não será ora tratado. Sabe-se que o art. 156, III da Carta Política atribui aos Municípios competência para instituir imposto sobre a prestação de serviços de qualquer natureza[392], assim definidos em lei complementar. É importante destacar que, consoante o entendimento sedimentado em doutrina, e baseado nos dispositivos do Código Civil Brasileiro[393], "prestar serviços" consistiria em uma "obrigação de fazer" por parte do prestador, ou prepostos, em oposição à "obrigação de dar" (inerente à hipótese de incidência do ICMS-Mercadoria)[394]. Mais especificamente, erigiu-se, em doutrina[395], o entendimento de que o conceito de serviço tributável pelo ISS, consistente em uma obrigação de fazer, referir-se-ia a uma prestação de atividade a outrem, realizada com habitualidade, dirigida ao oferecimento de uma utilidade ou comodidade (material ou imaterial), num ambiente negocial marcado pela presença de conteúdo econômico, não submetida

[391] Foi dito que, regra geral, tais intermediários disponibilizam plataformas digitais ("balcões de negócios"), em que compradores e vendedores de criptomoedas possam realizar suas ofertas. Nesse caso, as "exchanges" seriam meras prestadoras de serviços, intermediadores dos negócios, sujeitas, tais operações, ao ISS (consoante item 10 da lista anexa da LC nº 116/2003).

[392] Exceto aqueles que estão sob a égide de competência do ICMS: prestação de serviços de transporte interestadual e intermunicipal e prestação de serviços de comunicação.

[393] Arts. 1216 e ss. do Código Civil/1916. Atualmente, o contrato de prestação de serviços está previsto nos artigos 593 e ss do Código Civil/2002.

[394] SEGUNDO, Hugo de Brito Machado; MACHADO, Raquel Cavalcanti Ramos. Tributação da atividade de armazenamento digital de dados. In: Faria, Renato Vilela et al. (coord) *Tributação da Economia Digital.* Desafios no Brasil, experiência internacional e novas perspectiva. São Paulo: Saraiva Educação, 2018, p. 563.

[395] Vide, entre outros: BAPTISTA, Marcelo Caron. *ISS*: do texto à norma. São Paulo: Quartier Latin, 2005. CARVALHO, Paulo de Barros. A natureza jurídica do ISS. *Revista de Direito Tributário*, v. 7, n. 23/24, jan./jun., 1983, p. 146-166; JUSTEN FILHO, Marçal. *O imposto sobre serviços na Constituição.* São Paulo: Editora Revista dos Tribunais, 1985; MELO, José Eduardo Soares de. *ISS*: Aspectos Teóricos e Práticos. 6ª ed. São Paulo: Malheiros, 2017; GRUPENMACHER, Betina Treiger. A regra-matriz de incidência do imposto sobre serviços. In: MOREIRA, André Mendes [et al.]. *O Direito Tributário*: entre a forma e o conteúdo. São Paulo: Noeses, 2014, p. 73-119.

à relação empregatícia ou estatutária, regida pelo direito privado, e que esteja fora do âmbito de competência tributária dos Estados e DF[396].

Tal entendimento foi inclusive acolhido pela jurisprudência pátria e consolidado no verbete de Súmula Vinculante 31 do STF. Isto é, o STF reconheceu que faltava à locação elementos que a caracterizassem como prestação de serviço, razão pela qual careceria ao legislador de normas gerais, bem como ao ordinário, competência para instituir tributação de ISS sobre tal atividade econômica.

Não obstante, mais recentemente, o STF acabou por adotar um conceito mais amplo de serviços. Consoante já adiantamos anteriormente, no julgamento do RE nº 651.703/PR, em que se analisara a constitucionalidade da incidência do ISS sobre as atividades de administração de planos de saúde, restou consignado que o método interpretativo veiculado pelo artigo 110 do CTN serviria para interpretar apenas conceitos tributários de estatura infraconstitucional. Entendeu, nossa E. Corte, que, embora os conceitos de direito civil tenham importante papel na atividade de interpretação dos conceitos constitucionais tributários, é necessário que se reconheça a interação entre Direito e Economia, a fim de que princípios como igualdade, capacidade contributiva e solidariedade sejam prestigiados. Propôs-se, consoante essa linha de raciocínio, a adoção de um conceito econômico de serviço, relacionado ao oferecimento de uma utilidade (e não necessariamente ao fornecimento de trabalho), podendo estar conjugada, ou não, com a entrega de bens, inclusive imateriais.

Nesse contexto, a questão que se coloca é se as atividades desempenhadas pelas mineradoras de criptomoedas subsumem-se à categoria "prestação de serviços". Em apertada síntese, os mineradores seriam os agentes responsáveis pela validação das transações realizadas na rede *blockchain* a que pertencem. Para o desempenho de tal mister, recebem "remuneração" de duas ordens: (i) pela resolução do problema matemático, e criação do novo bloco, caso em que receberá originariamente algumas criptomoedas como recompensas; e (ii) pela validação de cada uma das transações, recebendo dos usuários da rede parcela dos valores por eles transacionados (as chamadas *mining fees*).

[396] Cintra, Carlos César Souza; Mattos, Thiago Pierre Linhares. ISS — Tributação das atividades realizadas pelos data centers. In: Carvalho, Paulo de Barros (coord). *Racionalização do sistema tributário*. 1ª ed. São Paulo: Noeses: IBET, 2017, p. 156.

No primeiro caso, conforme bem observado por Guilherme Broto Follador[397], inexistiria um suposto contrato comutativo entre os mineradores e a rede *blockchain* a que pertencem. É que, aqui, a "remuneração" depende da sorte dos mineradores envolvidos nas validações das operações por meio de solução dos problemas matemáticos, inexistindo um preço efetivo pactuado. Ou seja, não há obrigação previamente pactuada entre o minerador e os usuários ou adeptos da rede. Inexiste qualquer comutatividade a lastrear a ideia — ainda que no viés econômico — de prestação de serviços. Nesse sentido, concordamos com Bárbara das Neves e Pedro Cíceri[398] ao concluírem pela inexistência de serviços tributáveis pelo ISS. É que eventual serviço seria prestado à própria rede *blockchain* a que pertencem os mineradores, carecendo tal relação da necessária bilateralidade entre prestador e tomador do serviço, essencial, como vimos, à caracterização de fato jurídico apto à incidência do ISS.

Já a segunda fonte de remuneração parece trazer uma conclusão diversa. É que, aqui, o minerador acaba cobrando uma taxa diretamente dos usuários para que suas operações sejam validadas (*mining fees*). Nesse caso, é defensável a existência de acordo firmado, assim como a individualização do serviço prestado[399], sujeitando-o à tributação pelo ISS. É certo que tal conclusão traria problemas de outras ordens, tais como a definição do "sujeito ativo" apto ao recebimento desse tributo. É que as máquinas (e, consequentemente, os indivíduos) envolvidas nas validações poderão estar em diferentes municípios e até mesmo países. No entanto, tais dificuldades apenas principiam os debates que, repita-se, mostram-se em todo necessários.

[397] Follador, Guilherme Broto. Criptomoedas e competência tributária. *Revista Brasileira de Políticas Públicas*, v. 7, n. 3, p. 26, 2017. Disponível em: <https://www.publicacoesacademicas.uniceub.br/RBPP/article/viewFile/4925/3661>. Acesso em: 28 out. 2020.

[398] Das Neves, Bárbara; Cíceri, Pedro. A tributação dos criptoativos no Brasil: Desafios das tecnologias disjuntivas e o tratamento tributário brasileiro. *Revista Jurídica da Escola Superior de Advocacia da OAB-PR*, ano 3, n. 3, dez. 2018. Disponível em: <http://revistajuridica.esa.oabpr.org.br/wp-content/uploads/2018/12/revista_esa_8_07.pdf>. Acesso em: 15 mar. 2020.

[399] Que em uma primeira aproximação poderia ser subsumível aos itens 1.04 ou 1.07 da Lista Anexa da Lei Complementar nº 116/2003, que elencam atividades inerentes ao processamento de dados ou suporte a banco de dados.

Considerações Finais

Por se tratar de assunto "novo" no cenário jurídico, é em todo questionável se ter conclusões bem estabelecidas e consolidadas. Eis porque não se ousa ter tal pretensão com a presente obra. Muito pelo contrário, o que se intentou aqui foi tão apenas principiar a sistematização dos principais pontos de reflexão que aqueles juristas que intentem ingressar no estudo relativo à *blockchain* (e tecnologias correlatas), *tokens*, criptoativos etc. devam inicialmente ter em consideração.

Tratou-se, portanto, de mero trabalho de compilação de reflexões por que esta autora perpassou nesses quase três anos de estudos, descobertas e redescobertas, desse fascinante universo *blockchain*. Não por outro motivo, ficam aqui, nessas páginas consignadas, um pouco (se não muito) dessa experiência pessoal, a qual aliás, é inerente a todo ato de conhecer. Afinal, é o investigador, enquanto ser complexo, detentor de visões de mundo (pré-conceitos), valores e conhecimentos, que toma contato com o objeto cognoscente, analisa-o, descreve-o e opina.

E, consciente de que o enredo aqui apresentado foi oriundo de escolhas pessoais desta autora, constituindo uma entre inúmeras outras das possibilidades, resta-nos, em prol da honestidade científica, tão apenas esclarecer a escolha do caminho percorrido. Isto é, a narrativa por nós empreendida. De início, é de se contextualizar o momento (ou ao menos se tentar) por que passamos, marcado por intensas mudanças, em muito impulsionadas pelas inovações tecnológicas, e ao qual identificamos como Quarta Revolução Industrial (ou Revolução 4.0). Restou assente no início do trabalho que vivenciamos uma era de revoluções de convergências: presenciamos mudanças relevantes nas áreas tecnológica, econômica e social, todas interconectadas e em verdadeiro movimento de retroalimentação. Em tal ambiente assaz complexo, um ferramental profícuo é se buscar olhar o todo por molduras contextuais.

Isto é, olhando a finalidade social perseguida como referencial, é possível compreender o conjunto de ferramentais tecnológicos utilizados e os impactos econômicos por eles engendrados. Nesse sentido, o cabedal de tecnologias (DLT, criptografia etc.) que convencionamos chamar de *blockchain* surgiu em um contexto econômico de crise financeira e em resposta à crise (social) de confiança nas instituições intermediárias tradicionais (bancos, de uma forma geral). E tal crise de confiança, por seu turno, é consentânea à realidade mais hedonista, de centralidade na figura do indivíduo (experienciação da vida), de nossa modernidade líquida (tal qual descrito por Zygmunt Bauman[400]). Mas tal realidade foi em muito forjada pelos movimentos de globalização — mormente econômica —, capitaneados pelo desenvolvimento tecnológico. Eis o movimento de retroalimentação acima mencionado.

Voltando à *blockchain*, buscamos esclarecer — com as naturais limitações de quem é apenas uma jurista e curiosa do assunto —, no capítulo 2, no que consistiria tal tecnologia. Notamos que tal ferramental tecnológico, cuja origem atrela-se à do protocolo Bitcoin (sua primeira aplicabilidade), estava vocacionado a possibilitar a realização de transferência de valores, de forma digital, e diretamente entre as partes envolvidas (P2P). Ou seja, buscaram-se replicar, no mundo digital, as transações realizadas "em dinheiro vivo". As pessoas tornam-se seus próprios "bancos". Claro o intuito, aqui, de se afastar os intermediários (financeiros) até então necessários a esse tipo de transação.

As criptomoedas (primeira aplicabilidade da tecnologia *blockchain*) nascem assim como um "grito de liberdade", dentro de um movimento maior de "empoderamento do ser". E mais, a ideologia fundamentadora do "bitcoin" é de tal monta radical-libertária que a própria unidade representativa desses valores (bitcoin) nem sequer existe, mesmo virtualmente[401]: impede-se, assim, qualquer investidura estatal em se

[400] BAUMAN, Zygmunt. *Modernidade Líquida*. Rio de Janeiro: Zahar, 2001; NAÍM, Moisés. *O Fim do Poder*. São Paulo: Leya, 2013; LÉVY, Pierre. *Cibercultura*. São Paulo: Editora 34, 2010.

[401] O que existe são apenas registros, na Blockchain do Bitcoin, de transações feitas. Isso significa que o "ativo" representado pela palavra "bitcoin" não existe, sendo uma aceitação tácita de valor pelos aderentes ao sistema.

"bloquear", ou "confiscar" tais "bens". Eis o potencial transgressor, dessa tecnologia, ao *status quo* estatal vigente, a chamar a atenção das autoridades competentes.

É que essa extrema liberdade não tardou a mostrar seu lado negativo. A dificuldade de controle estatal e certo anonimato possibilitados pelas criptomoedas acabaram incentivando seu uso criminoso, sendo o caso "Silk Road" seu exemplo mais caricato. Não é de se espantar que a difusão de um instrumento digital (criptomoeda) apto a intermediar transações econômicas em tese incontroláveis pelos Estados (seja quem as celebram, sejam os objetos negociados, ou mesmo alguma conexão com dada territorialidade) alarmasse as autoridades públicas.

Estava-se diante de uma representação digital de valor facilitadora do cometimento de crimes como lavagem de dinheiro, evasão de divisas e financiamento ao tráfico de entorpecentes e pessoas, e ao terrorismo. Não por outra razão, o FATF (Financial Action Task Force), organismo intergovernamental do G20 que tem como objetivo desenvolver e promover políticas, nacionais e internacionais, de combate à corrupção e ao financiamento do terrorismo, apresentou estudos[402] que, além de fundamentar a modificação interpretativa de sua Recomendação 15[403], passando a prever as medidas face aos criptoativos, poderiam subsidiar eventuais adaptações normativas levadas a efeito pelos seus países membros. O intuito desse relatório foi o de destacar a importância de um novo segmento de mercado, a criptoeconomia, e sinalizar as novas oportunidades de risco envolvendo a lavagem de dinheiro.

Mas as preocupações, por parte das autoridades estatais, não paravam por aqui. É que o ecossistema de criptoativos desenvolveu-se, ganhando não só em número de adeptos, como também em promessas de aplicações as mais variadas possíveis. A segunda onda dessa tecnologia (*blockchain*), então nascente, foi inaugurada com o lançamento da plataforma Ethereum. Tal projeto, capitaneado, entre outros por Vitalik Buterin, tinha por pretensão tornar-se uma *blockchain* de base ao desen-

[402] Referimo-nos ao "Guidance for a Risk-Based Approach — Prepaid Cards, Mobile Payments and Internet-Based Payment Services" e ao "Guidance for a Risk-Based Approach — Virtual Currencies".

[403] FATF. The FATF Recommendations. Disponível em: <http://www.fatf-gafi.org/media/fatf/documents/recommendations/pdfs/FATF%20Recommendations %202012.pdf>. Acesso em: 16 ago. 2020.

volvimento de outros projetos em criptoativos. Eis a ascensão da ideia de *smart contracts*.

Foi ainda, nessa segunda onda, que o *boom* das ofertas iniciais de *tokens*, popularizadas pelo seu anacrônico ICO`s (Inicial Coin Offering), teve espaço, sendo arrecadados, em curtíssimo espaço de tempo, milhões (ou mesmo bilhões[404]) de dólares em projetos muitas vezes frágeis ou mesmo inconsistentes. Muitos investidores neófitos, atraídos pela promessa de ganhos exponenciais, apostaram alto nessas ofertas iniciais de *tokens*. Por se tratar de um mercado nascente e ainda carente de regulação, acabou-se por testemunhar uma série de golpes, "esquemas Ponzi", lesivos à economia popular. A resposta estatal não tardou a aparecer, sendo publicados avisos, orientações ao público[405], bem como emitidas notificações aos emissores que atrelavam os ganhos dos seus *tokens* a lucros futuros para que parassem suas ofertas públicas, porque carentes da chancela estatal. Interpretou-se que, dadas as semelhanças dessas ofertas iniciais com as de valores mobiliários, as condições impostas pela legislação de mercados de capitais devem ser observadas. Eis aqui mais um eixo de preocupações aos entes estatais.

Ainda, testemunhou-se a eclosão de um mercado voltado à realização de *trade* de criptomoedas, notadamente de bitcoins[406]. Mineradores, "*pool* de mineração", *exchanges*, "*traders* baleias" são alguns dos termos, referentes a partícipes, conexos a essa indústria emergente, que passamos a costumeiramente ouvir. Trata-se, aqui, de mercado essencialmente especulativo, movimentando hoje um volume diário de aproximadamente U$132.115.101.764,00[407]. Estamos diante de mani-

[404] O ICO da EOS arrecadou mais de 4 bilhões de dólares, e o da Telegram 1,7 bilhões, aproximadamente. Sobre os maiores ICO'S, vide: Lielacher, Alex. Top 10 biggest ICOs (by Amount Raised). *Bitcoin Market Journal.* 01 ago. 2018. <https://www.bitcoinmarketjournal.com/biggest-icos/>. Acesso em: 03 ago. 2020.

[405] Dos quais são exemplos os Comunicados nº 25.306/2014 e nº 31.379/2017 do Banco Central do Brasil (BACEN) e manifestações da Comissão de Valores Mobiliários (CVM), esta última disponível em: COMISSÃO DE VALORES MOBILIÁRIOS. Initial Coin Offering (ICO). 11 out. 2017. Disponível em: <http://www.cvm.gov.br/noticias/arquivos/2017/20171011-1.html>. Acesso em: 02 ago. 2020.

[406] A dominância de mercado dessa criptomoeda está estimada atualmente em mais de 60%. Consoante dados do site da CoinMarketCap, em 02 de agosto de 2020, ela já é de 61,3%. Disponível em: <https://coinmarketcap.com/charts/>. Acesso em: 02 ago, 2020.

[407] Disponível em: <https://coinmarketcap.com/charts/>. Acesso em: 02 ago. 2020.

festações de riquezas bilionárias, e que, como tal, devem (ou deveriam) estar afetas ao pagamento de tributos. Ademais, por se tratar de representações digitais de valor, as criptomoedas, vocacionadas a serem globais, pois não atreláveis a qualquer soberania, incrementam o risco de serem utilizadas para fins de evasão de divisas. Eis, portanto, mais fontes de preocupação dos Estados.

Mas, nem só preocupações o avanço dessa tecnologia trouxe aos Estados. Foram também vislumbradas possibilidades. Em uma frente, testemunhamos o pioneirismo de alguns países em estabelecer ambiente regulatório adequado ao desenvolvimento de projetos em *blockchain* e/ou tecnologias correlatas. São os chamados países *crypto-friendlies*, que vislumbraram desde cedo o potencial econômico e estratégico que tal mercado tem, atraindo para seus territórios os investimentos a ele relacionados. Por outro lado, é possível vermos iniciativas voltadas à utilização desse ferramental tecnológico para solução, ou aprimoramento, de atividades administrativas *lato sensu*. É caso, por exemplo, das iniciativas que defendem "tokenizar" variadas informações estatais (desde registros públicos, perpassando por processos licitatórios, até as próprias verbas públicas) para fins de lhes proporcionar maior segurança e transparência, além de minorar os custos administrativos envolvidos. Também é o caso das iniciativas em torno das chamadas Central Bank Digital Currencies (CBDC`s[408]), verdadeiras moedas virtuais oficiais que podem ser utilizadas para fins de otimizar as liquidações interbancárias, ou mesmo para revolucionar o mercado financeiro como um todo.

Aliás, relativamente a esse último ponto, tem-se visto inúmeras iniciativas dos Bancos Centrais pelo mundo a fim de sedimentar o terreno para lidar com esse novo sistema financeiro e monetário que tende a se instaurar. É de se pontuar que os estudos iniciais[409] acerca do impacto

[408] Em que pese não serem em todo novas essas iniciativas, posto já se ter notícias de projetos em Bolívia, Uruguai que datam de mais de dois anos, é fato que ganharam fôlego e importância após as investidas de *Big techs* no nicho de meios de pagamentos por meio de *coins* lastreadas em ativos (*stable coins*). Referimo-nos ao consórcio Calibra capitaneado pelo Facebook que tinha por objetivo inicial, ao lançar a Libra, exercer papéis que em muito se assemelhavam ao das moedas oficiais (meio de pagamento) e ao dos bancos centrais, razão pela qual causou mal-estar em todo o mundo.

[409] BIS (Bank for International Settlements). Bis Annual Economic Report. Cryptocurrencies: looking beyond the hype. Disponível em: <https://www.bis.org/publ/arpdf/ar2018e5.htm>. IMF (International Monetary Fund). Global Financial Stability Report April 2018:

das transações com criptomoedas no cenário financeiro macro concluíram pela sua insignificância, em razão da sua pequena expressão *vis-à-vis* o volume global transacionados. No entanto, não podemos nos esquecer do componente comportamental. Os criptoativos são ferramentas tecnológicas que não só permitem a "modernização" do sistema financeiro[410] como ainda estão em consonância ao movimento maior de individualismo e "empoderamento do ser", de modo a não ser desprezível a possibilidade de disseminação em sua adoção — sobretudo quando entram em cena as gigantes de tecnologia[411]. Daí que a manutenção do controle da política monetária, bem como da higidez do sistema financeiro, revela preocupações a também serem administradas.

Obviamente, os pontos acima mencionados não esgotam as vicissitudes e oportunidades que o desenvolvimento, em progresso, do ecossistema cripto trazem, ou continuarão a trazer. Para além de variadas arquiteturas de *blockchains* (ou de DLT`s), falamos hoje em *blockchains* 3.0, 4.0, 5.0[412], resultantes da convergência de outras tecnologias, e que propulsionam inúmeras outras potencialidades, assim como preocupações. Entretanto, é nas duas primeiras (gerações[413]) que reside a maioria das investidas e discussões hoje presentes nas agendas estatais.

Em tal ambiente de efervescência e intenso desenvolvimento e mudanças, pareceu-nos importante buscar catalogar essas várias facetas, realidade e/ou funcionalidades desenvolvidas no evoluir da tecnologia *blockchain*, e/ou mesmo alvorecer de uma economia tokenizada. *Tokens*,

A Bumpy Road Ahead. Disponível em: <https://www.imf.org/en/Publications/GFSR/Issues/2018/04/02/Global-Financial-Stability-Report-April-2018>. Acesso em: 02 ago. 2020. ECB (European Central Bank) Crypto-Assets: Implications for financial stability, monetary policy, and payments and market infrastructures. ECB Occasional Paper Series nº 223. May 2019. Disponível em: <https://www.ecb.europa.eu/pub/pdf/scpops/ecb.op223~3ce14e986c.en.pdf>. Acesso em: 02 ago. 2020.

410 Sistema financeiro que, apesar de existente na era digital, ainda não havia ingressado nessa nova forma de existir: trabalha-se ainda com horário comercial, dias úteis etc.

411 Referimo-nos ao projeto Libra, capitaneado pelo Facebook, por exemplo.

412 Srivasyava, Abhishek et al. A Systematic Review on Evolution of Blockchain Generations. *ITEE Journal*, vol. 7, issue 6, dez. 2018. Disponível em: <https://www.researchgate.net/publication/330358000_A_Systematic_Review_on_Evolution_of_Blockchain_Generations>. Acesso em: 02 ago. 2020. Relictum Pro. Blockchain 5.0: Here's Why We Need it Today. 10 out. 2019. Disponível em: <https://medium.com/@relictumpro/blockchain-5-0-heres-why-we-need-it-today-b25bfb288e6c>. Acesso em: 02 ago. 2020.

413 Relacionadas, respectivamente, à rede Bitcoin e ao protocolo Etherium.

ativos tokenizados, criptoativos, criptomoedas, *tokens* de pagamento (*payment tokens*), *tokens* de utilidade (*utility tokens*), *tokens* representativos de valores mobiliários (*security tokens*), eis alguns dos termos utilizados para se referir a essa gama de soluções e ferramentas inauguradas no universo de *blockchains*, e pelos quais perpassamos no nosso percurso (capítulo 3).

Compreendida a variedade de cenários e realidades a que os Estados deveriam ter em consideração em suas iniciativas regulatórias, identificamos os principais cenários de riscos em que tais instrumentos tecnológicos possam ser empregados. Isso quer dizer que os pontos que têm chamado a atenção dos Estados-nações, e suas pretensões regulatórias[414], são de quatro ordens principais: (i) utilização das criptomoedas para fins criminosos (evasão de divisas, lavagem de dinheiro, financiamento ao tráfico e ao terrorismo); (ii) captação pública de valores e a necessária proteção dos investidores; (iii) higidez do sistema financeiro e monetário; e (iv) tributação dessas "manifestações de riqueza".

Uma vez identificados os principais desafios impostos aos Estados, a questão principal que se coloca, a todas as nações, é "como" enfrentá-los. Foi esse o objeto de reflexão do capítulo 4. Ali, buscamos esclarecer que, se de um lado, o objetivo central dos entes competentes é minorar os riscos trazidos por uma tecnologia que nasceu para desafiar o *status quo*; de outro, é o de não "aniquilar" a efervescência de um ferramental tecnológico (ou conglomerado de) que se mostra potencialmente benéfico à evolução socioeconômica. Alertamos que deve se ter em conta, ainda, a própria trama em que estão entrelaçadas a codificação tecnológica e a codificação jurídica (*rule of law*, *code is law* e *code as law*[415]). E, no desempenho dessa missão — que está longe de ser simples —, vemos, para além de debates promovidos em arenas internacionais (OCDE, ONU, FMI BIS, FATF), a proposição, mundo afora, de alguns diplomas legislativos — sejam inaugurais, sejam adaptativos — das normativas vigentes para reger essas novas realidades do universo "criptoativos".

[414] Ao menos no atual momento.

[415] Com essas expressões, queremos designar, respectivamente, "Estado de Direito", "Código é lei", " Código como lei". Há mútua implicação entre esses contextos, assunto tratado na parte inicial do capítulo 4.

O Brasil, mesmo não estando na vanguarda do assunto, tem buscado lidar com os desafios impostos por essa realidade global. Como pudemos ver no capítulo 5, para além de terem sido proferidas manifestações pelo Banco Central[416] e pela Comissão de Valores Mobiliários[417] alertando e/ou orientando o mercado, bem como elaborada Instrução Normativa pela Receita Federal do Brasil[418], atualmente tramitam cinco projetos de lei no Congresso Nacional[419]. No entanto, por ora, o operador

[416] Resumidamente, o Banco Central do Brasil, por meio dos Comunicados nº 25.306/2014 e nº 31.379/2017, afirmou que os criptoativos não são moedas, nem mesmo eletrônicas (consoante Lei nº 12.865/2013). Ainda, alertou para os riscos de os criptoativos serem utilizados no financiamento de atividades criminosas, bem como para o potencial de perda patrimonial dos usuários, ante a ausência de regulação estatal. De igual forma, essa mesma autarquia ponderou sobre a desnecessidade, naquele momento, de se regulamentar tais ativos, alertando, porém, que permaneceria monitorando a evolução do uso das moedas virtuais, bem como acompanhando "as discussões nos foros internacionais sobre a matéria para fins de adoção de eventuais medidas, se for o caso, observadas as atribuições dos órgãos e das entidades competentes".

[417] Para além de lançar nota sobre os chamados ICO`s (COMISSÃO DE VALORES MOBILIÁRIOS. Initial Coin Offering (ICO). 11 out. 2017. Disponível em: <http://www.cvm.gov.br/noticias/arquivos/2017/20171011-1.html>. Acesso em: 29 set. 2019), a CVM, por meio do Ofício Circular nº 1/2018, de 12 de janeiro de 2018, manifestou-se sobre a possibilidade de investimento em criptoativos pelos fundos de investimento regulados pela Instrução CVM nº 555/2014. A autarquia posicionou-se no sentido de que as criptomoedas (termo utilizado pelo referido instrumento) não seriam ativos financeiros, para os efeitos do disposto no artigo 2º, V, da Instrução CVM nº 555/2014, de modo que suas aquisições diretas por fundos de investimento não seriam permitidas. Complementando essa última orientação, a CVM lançou, em setembro de 2018, outro Ofício Circular, de nº 11/2018, visando esclarecer a possibilidade de os fundos realizarem investimentos indiretos em criptoativos. Entendeu o órgão regulador que a Instrução CVM nº 555, em seu arts. 98 e seguintes, ao tratar do investimento no exterior, autorizaria o investimento indireto em criptoativos por meio, por exemplo, da aquisição de cotas de fundos e derivativos, entre outros ativos negociados em terceiras jurisdições, desde que admitidos e regulamentados naqueles mercados.

[418] Trata-se da Instrução Normativa nº 1888/2019 que, *grosso modo*, institui o dever de as *exchanges* informarem à Receita Federal do Brasil as operações com criptoativos realizadas por intermédio dessas plataformas eletrônicas. Sobre o assunto, vide: UHDRE, Dayana de Carvalho. Sobre a consulta pública nº 06/2018 da Receita Federal do Brasil e seus pontos polêmicos. *Direito e Inovação*, vol. 1. Escola Superior da Advocacia da OAB-PR. 2019. Disponívelem:<https://www.oabpr.org.br/wp-content/uploads/2019/08/Direito-e-Inovação.pdf>. Acesso em: 22 set. 2020

[419] Seriam os projetos de lei nº 2303/2015 e nº 2060/2019 da Câmara dos Deputados, e projetos de lei nº 3825/2019, nº 3949/2019 e nº 4207/20 do Senado Federal.

do direito no Brasil deve trabalhar com enquadramento interpretativo das operações levadas a efeito com criptoativos.

É que, muitas vezes, apenas estaremos diante de novas formas de se efetuar operações já atualmente realizadas e cujos riscos foram já objeto de tratamento jurídico pelo ordenamento posto. Daí que, sob o aspecto jurídico, não se trata de regulamentar os *tokens* em si, mas as operações com ele realizadas e que tenham implicações jurídicas. E, para identificar se tais operações têm implicações jurídicas, devemos reconhecer os riscos jurídicos[420] atrelados às transações, em exame, com aqueles *tokens* realizadas. Tais identificações indicarão os eventuais regimes jurídicos aplicáveis e deverão tomar por critério as funcionalidades pelos *tokens* desempenhadas no caso em exame.

Em realidade, quando falamos de *tokens*, é de ferramental tecnológico que se trata, e, enquanto ferramenta, é instrumento para realização de objetivos determinados. Ou seja, é o componente humano que está presente, é a vontade vocacionada a um objetivo em específico, que pode ser lídimo ou não. Assim, o que esse instrumental tecnológico tem propiciado são, de um lado, maiores oportunidades ao cometimento de comportamentos socioeconômicos reprováveis (evasão de divisas, lavagem de dinheiro, financiamento ao tráfico e ao terrorismo) e, de outro, aumento da dificuldade de os Estados adequadamente minorarem e administrarem os riscos inerentes a esses comportamentos desconformes.

Tanto é assim que, como já dissemos anteriormente, os próprios Estados já têm, no atual estado da arte, quatro focos principais de preocupações relacionadas ao uso desses ativos virtuais: (i) utilização das criptomoedas para fins criminosos (evasão de divisas, lavagem de dinheiro, financiamento ao tráfico e ao terrorismo); (ii) captação pública de valores e a necessária proteção dos investidores; (iii) higidez do sistema financeiro e monetário; e (iv) tributação dessas "manifestações de riqueza". Note-se que todos esses riscos são objeto de tutela jurídica, justamente porque — mesmo antes da era dos *tokens* — são comportamentos humanos passíveis de ocorrer.

O desafio, portanto, é adaptar o regramento posto, que tinha por cenário algumas formas conhecidas de realizar os comportamentos

[420] Sobre o assunto, vide: Collomb, Alexis; De Filippi, Primavera; Sok, Klara. Blockchain Technology and Financial Regulation: A Risk-Based Approach to the Regulation of ICOs. *European Journal of Risk Regulation, 10* (2), 263-314, 2019.

reprováveis — e, por isso, objeto de regramento —, a essas novas ferramentas facilitadoras desses mesmos comportamentos desconformes. E, nessa busca de se readequar o sistema posto a essas novas formas de transações socioeconômicas, alguns desafios e peculiaridades podem ser enfrentados. A potencial fluidez de funcionalidades exercíveis pelos *tokens*, por exemplo, pode dificultar, muitas vezes, o enquadramento das operações à moldura legal atualmente posta. O cenário jurídico-tributário das criptomoedas nos demonstrou isso (capítulo 6). Daí a necessidade de se adaptar o regramento posto, seja por meio de esclarecimentos interpretativos oficiais, seja por modificações dos diplomas legais aplicáveis, ou ainda pela elaboração de novas disposições normativas, especialmente, nesse último caso, ante o desenvolvimento de novas atividades econômicas até então inexistentes (caso da mineração). E, nesse mister, deverão estar envolvidos todos os agentes que exerçam papéis centrais na salvaguarda dos interesses jurídicos potencialmente atingidos pelos riscos mais relevantes que esse novo ferramental pode impingir.

De qualquer forma, não parece que tenhamos de inventar a roda. Ao menos, não em muitos dos casos. É que, muitas vezes, não estamos a lidar com "uma nova realidade", mas antes com "uma nova roupagem" de relações socioeconômicas há tempos conhecidas e juridicamente disciplinadas. Daí que, olhando a realidade brasileira atual, entendemos que os raciocínios jurídicos devem partir da compreensão dos riscos *vis-à-vis* funcionalidades a que estão vocacionados os *tokens* ou criptoativos. É com esse cenário em mente que os desafios lançados pela tecnologia *blockchain* ao direito posto devem ser enfrentados.

Eis o ponto central do desafio lançado: compreender e definir a funcionalidade (ou ao menos a principal delas) em que são utilizados os *tokens* ou criptomoativos no contexto em exame, a fim de identificar os efeitos jurídicos a essas relações aplicáveis. Eis o intento deste livro: municiar os estudiosos do direito a fim de que avancemos, passo a passo, no desenvolvimento de uma possível interpretação e enquadramento jurídico das operações socioeconômicas realizadas com *tokens* (ou criptoativos). Isto é, que possamos construir possíveis raciocínios jurídicos de subsunção dessas "novas" realidades às normas jurídicas ora em vigor, ou mesmo que possamos propor, de forma crítica, eventuais adaptações ou mesmo inovações regulatórias que façam frente ao cenários social de intensas transformações que se nos coloca. Eis nosso objetivo: dar alguns passos, ainda que pequenos, nessa jornada.

REFERÊNCIAS

ABCRIPTO. Código de autorregulação. Disponível em: <https://86613500-eaf4-4162-8d4d-c18355319852.filesusr.com/ugd/55dd41_6a8e32790b5a40a08478fabdf373c4d3.pdf>. Acesso em: 25 set. 2020.

AGÊNCIA O GLOBO. Ações dobram de valor após Kodak lançar criptomoeda própria. *Época*. 10 jan. 2018. Disponível em: <https://epocanegocios.globo.com/Mercado/noticia/2018/01/acoes-dobram-de-valor-apos-kodak-lancar-criptomoeda-propria.html>. Acesso em: 18 de maio 2020.

Ainsworth, Richard Thompson; Alwohaibi, Musaad; Cheetham, Mike; Tirand, Camille. A VATCoin Solution to MTIC Fraud: Past Efforts, Present Technology, and the EU's 2017 Proposal. *Boston Univ. School of Law, Law and Economics Research Paper*, n. 18-08, 26 mar. 2018. Disponível em: <https://ssrn.com/abstract=3151394>. Acesso em: 07 set. 2020.

Ainsworth, Richard Thompson; Shact, Andrew, Blockchain (Distributed Ledger Technology) Solves VAT Fraud. *Boston Univ. School of Law, Law and Economics Research Paper*, n. 16-41, 17 out. 2016. Disponível em: <https://ssrn.com/abstract=2853428>; Acesso em: 07 set. 2020.

Alecrim, Emerson. Japonesa Coincheck sofre o maior roubo de criptomoedas da história: US$ 533 milhões. *Tecnoblog*, 29 jan. 2018. disponível em: <https://tecnoblog.net/233223/roubo-nem-coincheck-japao/>. Acesso em: 21 set. 2020.

Allen, Mathew. Swiss Law Reform makes Crypto respectable. Swissinfo. 10 set. 2020. Disponível em: <https://www.swissinfo.ch/eng/swiss-law-reforms-make-crypto-respectable/46024124>. Acesso em: 15 set. 2020.

Amaro, Luciano da Silva. Conceito e classificação dos tributos. *Revista de Direito Tributário*, n. 55. São Paulo: RDT, 1991.

Arenas Rodelio; Fernandez, Proceso. CredenceLedger: a permissioned blockchain for verifiable academic credentials. 2018 IEEE Int Conf Eng Technol Innov ICEITMC. 2018, p. 1-6. Disponível em: <https://doi.org/10.1109/ICE.2018.8436324>. Acesso em: 23 ago. 2020.

Arner, Douglas W.; Buckley, Ross P.; Zetzsche; Dirk Andreas; Didenko, Anton. After Libra, Digital Yuan and COVID-19: Central Bank Digital Currencies and the New World of Money and Payment Systems. *European Banking Institute Working Paper Series 65/2020, University of Hong Kong Faculty of Law Research Paper n. 2020/036*. 16 jul. 2020., Disponível em: <https://ssrn.com/abstract=3622311>. Acesso em: 21 set. 2020.

Ataliba, Geraldo; Giardino, Cleber. Núcleo da Definição Constitucional do ICM. *Revista de Direito Tributário*, vols. 25/26, RT, São Paulo.

Au, Sean; Power, Thomas. Tokenomics. *The Crypto Shift of Blockchains, ICOs, and Tokens*. Birmingham: Packt Publiching, 2018.

Ayuso, Juan; Conesa, Carlos. Una introducción al debate actual sobre la moneda digital de banco central (CBDC) (An Introduction to the Current Debate on Central Bank Digital Currency (CBDC)). *Banco de Espana Occasional Paper*, n. 2005. 11 mar. 2020. Disponível em: <https://ssrn.com/abstract=3617558>. Acesso em: 21 set. 2020.

Bal, Aleksandra. From Bitcoin To Other Altcoins: How Are They Actually Used In Today's World?. *Crypto News*. 05 jan. 2020. Disponível em: <https://cryptonews.net/en/264482/?es_p=10872267>. Acesso em: 07 set. 2020.

______. *Taxation, Virtual Currency and Blockchain*. Alphen aan den Rijn: Kluwer Law, 2019.

BANCO CENTRAL DO BRASIL. Comunicado nº 25.306 de 19/2/2014. Disponível em: <https://www3.bcb.gov.br/normativo/detalharNormativo.do?method=detalharNormativo&N=114009277>. Acesso em: 10 abr. 2019.

______. Estatísticas do setor externo. Documento disponível em: <https://www.bcb.gov.br/estatisticas/estatisticassetorexterno>. Acesso em: 04 jan. 2020.

______. Estatísticas do setor externo. 26 ago. 2019. Disponível em: <https://www.bcb.gov.br/estatisticas/historicoestatisticas>. Acesso em: 14 ago. 2020.

______. Regulamento do mercado de câmbio e capitais internacionais. Disponível em: <https://www.bcb.gov.br/Rex/RMCCI/Ftp/RMCCI-1-03.pdf>. Acesso em: 14 ago. 2020.

______. Relatório de Economia Bancária. 2017. Disponível em: <https://www.bcb.gov.br/content/publicacoes/relatorioeconomiabancaria/REB_2017.pdf>. Acesso em: 10 abr. 2019.

BANK FOR INTERNATIONAL SETTLEMENTS. Bis Annual Economic Report. Cryptocurrencies: looking beyond the hype. 17 jun. 2018. Disponível em: <https://www.bis.org/publ/arpdf/ar2018e5.htm>.

Baptista, Marcelo Caron. *ISS*: do texto à norma. São Paulo: Quartier Latin, 2005.

Barlow, John Perry. A Declaration of Independence of Cyberspace. Disponível em: <https://www.eff.org/pt-br/cyberspace-independence>. Acesso em: 09 set, 2020.

Barreto, Simone Rodrigues Costa. *Mutação do conceito constitucional de mercadoria.* São Paulo: Noeses, 2015.

Bauman, Zygmunt. *Modernidade Líquida.* Rio de Janeiro: Zahar, 2001.

Beck, Ulrick. *A Metamorfose do Mundo.* Novos conceitos para uma nova realidade. 1ª ed. Rio de Janeiro: Zahar, 2018.

BIS (Bank for International Settlements). Bis Annual Economic Report. Cryptocurrencies: looking beyond the hype. Disponível em: <https://www.bis.org/publ/arpdf/ar2018e5.htm>.

BITLICENSE Recipients. Coindesk, 24 jun. 2020. Disponível em: <https://www.coindesk.com/bitlicense-recipients>. Acesso em: 18 ago. 2020.

Blemus, Stéphane. Law and Blockchain: a legal perspective on current regulatory trends worldwide. *Revue Trimestrielle de Droit Financier (Corporate Finance and Capital Markets Law Review) RTDF*, n. 4, –dez. 2017. Disponível em: <https://papers.ssrn.com/sol3/papers.cfm?abstract_id=3080639>. Acesso em: 20 ago. 2020.

Bobbio, Norberto. *Dalla Struttura Alla Funzione.* Nuovi Studi di teoria Del diritto. Milano: Ed. Di Comunitá, 1976.

Bodkhe, Umesh et alli. Blockchain for Industry 4.0: A Comprehensive Review. *IEEE Access*, vol. 8, p. 79764-79800, 2020. Disponível em: <https://www.researchgate.net/publication/340476682_Blockchain_for_Industry_40_A_Comprehensive_Review>. Acesso em: 20 ago. 2020.

Boring, Perianne; KIM, Amy Davine. Introducing: "Understanding Digital Tokens: Market Overviews & Guidelines for Policymakers & Practioners". An initial initial step toward self-regulation. Chamber of Digital Commerce. Disponível em: <https://digitalchamber.org/token-alliance-paper/>. Acesso em: 15 dez. 2019.

Bovério, Maria Aparecida; Silva, Victor Ayres Francisco da. BLOCKCHAIN: uma tecnologia além da criptomoeda virtual. *Interface Tecnológica*, vol. 15, n. 1, 2018, p. 109-121.

BRASIL. Tribunal de Contas da União. Levantamento da tecnologia blockchain / Tribunal de Contas da União; Relator Ministro Aroldo Cedraz. — Brasília: TCU, Secretaria das Sessões (Seses), 2020, p. 17. Disponível em: <https://portal.tcu.gov.br/data/files/59/02/40/6E/C4854710A7AE4547E18818A8/Blockchain_sumario_executivo.pdf>. Acesso em: 17 set. 2020.

Brett, Jason. Crypto Legislation 2020: Analysis Of 21 Cryptocurrency And Blockchain Bills In Congress. Forbes. Disponível em: <https://www.forbes.com/sites/jasonbrett/2019/12/21/crypto-legislation-2020-analysis-of-21-cryptocurrency-and-blockchain-bills-in-congress/#671dea9b56c1>. Acesso em: 20 ago. 2020.

CAMPOS, Emília Malgueiro. *Criptomoeda e Blockchain.* O Direito no Mundo Digital. Rio de Janeiro: Editora Lumen Juris, 2018.

CARRAZA, Roque Antônio. *Curso de Direito Constitucional Tributário.* 22ª ed. São Paulo: Malheiros.

______. *Reflexões sobre a obrigação tributária.* São Paulo: Noeses, 2010.

______. *ICMS.* 17ª ed. ampl. e atualiz. São Paulo: Malheiros Editores, 2015.

MELO, José Eduardo Soares de. *ICMS*: Teoria e Prática. 11ª ed. São Paulo: Dialética, 2009.

CARVALHO, Paulo de Barros. A natureza jurídica do ISS. *Revista de Direito Tributário*, São Paulo, v. 7, n. 23/24, p. 146-166, jan./jun. 1983.

______. *Curso de direito tributário.* 19. ed. rev. São Paulo: Saraiva, 2007.

______. *Direito Tributário, Linguagem e Método.* 4a ed., rev. e ampl. São Paulo: Editora Noeses, 2011.

CASTELLO, Melissa Guimarães. Bitcoin é moeda? Classificação das criptomoedas para o direito tributário. *Revista Direito FGV*, v. 15, n. 3, p. 1-20, 2019. Disponível em: <http://dx.doi.org/10.1590/2317-6172201931>. Acesso em: 07 set. 2020.

CHAUM, David. Blind Signatures for Untraceable Payments," Advances in Cryptology Proceedings of Crypto 82, R.L. Rivest, & A.T. Sherman (Eds.), Plenum, p. 199-203. Disponível em: <https://www.chaum.com/publications/Chaum-blind-signatures.PDF>, acesso em 13 de out. 2020.

CHEVET, Sylve. Blockchain Technology and Non-Fungible Tokens: Reshaping Value Chains in Creative Industries (May 10, 2018). Disponível em: <https://ssrn.com/abstract=3212662>. Acesso em: 21 set. 2020.

CINTRA, Carlos César Souza; MATTOS, Thiago Pierre Linhares. ISS — Tributação das atividades realizadas pelos data centers. In: CARVALHO, Paulo de Barros (coord). *Racionalização do sistema tributário.* 1ª ed. São Paulo: Noeses: IBET, 2017.

COLLOMB, A., DE FILIPPI, P., & SOK, K. Blockchain Technology and Financial Regulation: A Risk-Based Approach to the Regulation of ICOs. *European Journal of Risk Regulation*, n. 10 (2), 263-314, 2019.

COMISSÃO DE VALORES MOBILIÁRIOS. Initial Coin Offering (ICOs). 11 out. 2017. Disponível em: <http://www.cvm.gov.br/noticias/arquivos/2017/20171011-1.html>. Acesso em 10 abr. 2019.

______. Instrução nº 555 e Ofício Circular nº 11/2018/CVM/SIN. Disponível em: <http://www.cvm.gov.br/export/sites/cvm/legislacao/oficios-circulares/sin/anexos/oc-sin-1118.pdf>. Acesso em: 22 ago. 2020.

______. Ofício Circular nº 11/2018/CVM/SIN. 19 set. 2018. Disponível em: <http://www.cvm.gov.br/export/sites/cvm/legislacao/oficios-circulares/sin/anexos/oc-sin-1118.pdf>. Acesso em: 10 abr. 2019.

COMMODITY FUTURES TRADING COMMISSION. In the Matter of Coinflip, Inc d/b/a Derivabit and Francisco Riordan. *CFTC Docket*, n. 15-29, 17 set. 2015.

Cunha Filho, Marcelo de Castro; Vainzof, Rony. A natureza jurídica "camaleão" das criptomoedas. *Jota*, 21 set. 2017. Disponível em: <https://www.jota.info/paywall?redirect_to=//www.jota.info/opiniao-e-analise/artigos/a-natureza-juridica-camaleao-das-criptomoedas-21092017>. Acesso em: 22 out. 2018.

Das Neves, Bárbara; Cíceri, Pedro. A tributação dos criptoativos no Brasil: Desafios das tecnologias disjuntivas e o tratamento tributário brasileiro. *Revista Jurídica da Escola Superior de Advocacia da OAB-PR*, ano 3, n. 3, dez. 2018. Disponível em: <http://revistajuridica.esa.oabpr.org.br/wp-content/uploads/2018/12/revista_esa_8_07.pdf>. Acesso em: 15 mar. 2020.

De Filippi, Primavera; Wright, Aaron. *Blockchain and the Law* — The Rule of Code. Cambridge: Harvard University Press, 2018.

______. Decentralized Blockchain Technology and the Rise of Lex Cryptographia. *SSRN*, mar. 2015, Disponível em: <https://papers.ssrn.com/sol3/papers.cfm?abstract_id=2580664>. Acesso em: 13 set. 2020.

DEPARTMENT OF FINANCIAL SERVICES. Virtual Currency Businesses. Disponível em: <https://www.dfs.ny.gov/apps_and_licensing/virtual_currency_businesses>. Acesso em: 18 ago. 2020.

Derzi, Misabel de Abreu Machado. *Direito Tributário, Direito Penal e tipo*. São Paulo: Revista dos Tribunais, 1988.

______. Mutações, Complexidade, tipo e conceito, sob o signo da segurança e da proteção da confiança. In: Torres, Heleno Taveira (coord). *Tratado de Direito Constitucional Tributário*. Estudos em homenagem a Paulo de Barros Carvalho. São Paulo: Saraiva, 2005

Diana, Frank. Visualizing Our Emerging Future - Revised. Reimagining the Future. 18 abr. 2018. Disponível em: <https://frankdiana.net/2018/04/18/visualizing-our-emerging-future-revised/>. Acesso em: 15 set. 2020.

Dodebei, Vera Lúcia. *Tesauro*: linguagem de representação da memória documentária. Niterói: Intexto; 2002.

Dünser, Thomas. The Liechtenstein Blockchain-Act. Government of Liechtenstein. 12 mar. 2019. Disponível em: <http://www.ecri.eu/system/tdf/thomas_duenser_1.pdf?file=1&type=node&id=155&force=0>. Acesso em: 20 set. 2020.

ECB (European Central Bank) Crypto-Assets: Implications for financial stability, monetary policy, and payments and market infrastructures. *ECB Occasional Paper Series*, n. 223. May 2019. Disponível em: <https://www.ecb.europa.eu/pub/pdf/scpops/ecb.op223~3ce14e986c.en.pdf>. Acesso em: 02 ago. 2020.

ESMA (European Security and Markets Authority)."Prospectuses. Questions and Answers, 29th updated version — January 2019" ESMA (2019). Disponível em: <https://www.esma.europa.eu/sites/default/files/library/esma31-62-780_qa_on_prospectus_related_topics.pdf>. Acesso em 28 ago. 2020.

EUBLOCKCHAIN. European Union Comission. Legal and Regulatory Framework of Blockchain and Smart Contracts. A Thematic Report prepared by European Union Blockchain and Fórum. Setembro de 2019. Disponível em: <https://www.eublockchainforum.eu/reports >. Acesso em: 23 ago 2020.

Euler, Thomas. The Token Classification Framework: A multi-dimensional tool for understanding and classifying crypto tokens. Untitled INC. 18 jan. 2018. Disponível em: <http://www.untitled-inc.com/the-token-classification-framework-a-multi-dimensional-tool-for-understanding-and-classifying-crypto-tokens/>. Acesso em: 21 jun.2020.

EUROPEAN CENTRAL BANK. Virtual currency Schemes. Outubro 2012. Disponível em: <https://www.ecb.europa.eu/pub/pdf/other/virtualcurrencyschemes201210en.pdf>.

EUROPEAN SECURITIES AND MARKETS AUTHORITY. Advice Initial Coin Offerings and Crypto-Assets. Disponível em: <https://www.esma.europa.eu/sites/default/files/library/esma50-157-1391_crypto_advice.pdf>. Acesso em: 20 set. 2020.

EUROPEAN UNION LAW. Proposal for a REGULATION OF THE EUROPEAN PARLIAMENT AND OF THE COUNCIL on Markets in Crypto-assets (MiCA). 24 set. 2020. Disponível na URL: <https://eur-lex.europa.eu/legal-content/EN/TXT/?uri=COM:2020:593:FIN>. Acesso em: 25 set. 2020.

______. Diretiva (EU) 2009/138/CE. Disponível em: <https://eur-lex.europa.eu/legal-content/pt/TXT/?uri=CELEX:32009L0138>. Acesso em: 28 ago. 2020.

______. Diretiva (EU) 2018/843. Disponível em: <https://eur-lex.europa.eu/legal-content/PT/TXT/?uri=CELEX%3A32018L0843>. Acesso em: 28 ago. 2020.

______. Diretiva 2013/36/UE. Disponível em: <https://eur-lex.europa.eu/legal-content/PT/TXT/?uri=CELEX%3A32013L0036>. Acesso em: 28 ago. 2020.

FATF. The FATF Recommendations. Disponível em: <http://www.fatf-gafi.org/media/fatf/documents/recommendations/pdfs/FATF%20Recommendations%202012.pdf>. Acesso em: 16 ago. 2020.

FCA. CRYPTOASSETS TASKFORCE: Final Report. Disponível em: <https://assets.publishing.service.gov.uk/government/uploads/system/uploads/attachment_data/file/752070/cryptoassets_taskforce_final_report_final_web.pdf>. Acesso em: 15 mar. 2020.

Filho, Marçal. *O imposto sobre serviços na Constituição*. São Paulo: Editora Revista dos Tribunais, 1985.

FINANCIAL CONDUCT AUTHORITY. Guidance on Cryptoassets. Consult Paper CP19/3. Janeiro 2019. Disponível em: <https://www.fca.org.uk/publication/consultation/cp19-03.pdf>. Acesso em: 02 nov. 2019.

Fincke, Michèle. *Blockchain*. Regulation and Governance in Europe. Cambridge: Cambridge University Press. 2018.

FINMA. FINMA publishes ICO Guidelines. 16 fev. 2018. Disponível em: <https://www.finma.ch/en/news/2018/02/20180216-mm-ico-wegleitung>. Acesso em: 15 set. 2020.

FLÜHMANN, Daniel; HSU, Peter. New Swiss draft regulations could be a milestone for DLT. *International Financial Law Review*, abr./maio 2019. Disponível em: <https://www.baerkarrer.ch/publications/IFLR_FintechLSwitzerland_B&K_Newsletter.pdf>. Acesso em: 17 set. 2020.

FOLLADOR, Guilherme Broto. Criptomoedas e competência tributária. *Revista Brasileira de Políticas Públicas*, v. 7, n. 3, p. 26, 2017. Disponível em: <https://www.publicacoesacademicas.uniceub.br/RBPP/article/viewFile/4925/3661>. Acesso em: 28 out. 2020.

FRIEDMAN, Thomas. *Obrigado pelo atraso*: um guia otimista para sobreviver em um mundo cada vez mais veloz. São Paulo: Objetiva, 2017.

FUJIHIRA, Katsuhiko; GRAHAM, Seth M. Japanese Cryptocurrency Update: New Amendments to Crypto Asset Regulations Take Effect May 1. Morrison & Foerster. Disponível em: <https://www.mofo.com/resources/insights/200423-japanese-cryptocurrency-update.html>. Acesso em: 21 set. 2020.

GAN, Jingxing (Rowena); TSOUKALAS, Gerry; NETESSINE, Serguei. Initial Coin Offerings, Speculation, and Asset Tokenization (March 16, 2018). Management Science. Disponível em: <https://ssrn.com/abstract=3361121>. Acesso em: 21 set. 2020.

GIRASA, Rosario. *Regulation of Cryptocurrencies and blockchain Technologies*: National and International Perspectives. London: Palgrave Macmillan, 2018.

GOLDSMITH, Jack; WU, Tim. *Who controls the Internet?*. Oxford: Oxford University Press, 2006.

GROSS, Jonas; GRALE, Lena; SCHULDEN, Philipp; SANDNER, Philipp; The Digital Programmable Euro, Libra and CBDC: Implications for European Banks. *SSRN*, 29 jul. 2020. Disponível em: <https://ssrn.com/abstract=3663142>. Acesso em: 21 set. 2020.

GRUPENMACHER, Betina Treiger. A regra-matriz de incidência do imposto sobre serviços. In: MOREIRA, André Mendes [et al.]. *O Direito Tributário*: entre a forma e o conteúdo. São Paulo: Noeses, 2014.

GUIMARÃES, Courtnay. Não é blockchain. É DATP. 6 jul. 2018. Disponível em: <https://medium.com/@courtnay/n%C3%A3o-%C3%A9-blockchain-%C3%A9-datp-d7d592afe393>.Acesso em: 10 ago. 2020.

______. Como nascem os tokens. 14 ago. 2018. Disponível em: <https://medium.com/@courtnay/como-nascem-os-tokens-a348d9f74dc8>. Acesso em: 02 ago. 2020.

HACKER, Philipp; THOMALE, Chris. Crypto-Securities Regulation: ICOs, Token Sales and Cryptocurrencies under EU Financial Law. *European Company and Financial Law Review*, n. 15, nov. 2017, p. 645-696, 2018.

HANDL, Guther; ZEKOLL, Joachim; ZUMBANSEN, Peer. Beyond Territoriality. Transnational Legal Authority in an Age of Globalization. *Queen Mary Studies in International Law*, vol. 11, 2012.

HARGRAVE, John; SAHDEV, Navroop; FELDMEIER, Olga. How Value is created in tokenized assets. In: *Blockchain economics: implications of distributed ledgers:* Markets, Communications Networks, and Algorithmic Reality. London: World Scientific Publishing Europe, 2018.

HAYS, Demelza. Blockchain 3.0 The Future of DLT?. Crypto Research, 17 jun. 2018. Disponível em: <https://cryptoresearch.report/crypto-research/blockchain-3-0-future-dlt/>. Acesso em: 23 ago. 2020.

HIBI, Makoto; SHIBATA, Hidenori. Bill to Revise Regulations on Virtual Currencies (Crypto-Assets) and ICOs in Japan. PwC Legal Japan News, abr. 2019. Disponível em: <https://www.pwc.com/jp/en/legal/news/assets/legal-20190425-en.pdf>. Acesso em: 21 set. 2020.

HOCKETT, Robert C. Money's Past is Fintech's Future: Wildcat Crypto, the Digital Dollar, and Citizen Central Banking. Forthcoming in 2 Stanford Journal of Blockchain Law & Policy (2019). *Cornell Legal Studies Research Paper*, n. 19-05. 11 dez. 2018. Disponível em: <https://ssrn.com/abstract=3299555 or http://dx.doi.org/10.2139/ssrn.3299555>. Acesso em: 22 set. 2020.

HOUBEN, Robby; SNYERS, Alexandre. Crypto-assets. Key developments, regulatory concerns and responses. Report requested by the European Parliament's Committee on Economic and Monetary Affairs, p. 17 e ss. Disponível em: <https://www.europarl.europa.eu/RegData/etudes/STUD/2020/648779/IPOL_STU(2020)648779_EN.pdf>. Acesso em: 21 jun. 2020.

IMPULS LIECHTENSTEIN. Token and Trusted Technology Service Provider Act (TVTG). Disponível em: <https://impuls-liechtenstein.li/en/blockchain-act-liechtenstein/>. Acesso em: 18 set. 2020.

INFORMATION COMISSIONER'S OFFICE. ICO Guidelines Lithuania. Disponível em: <https://finmin.lrv.lt/uploads/finmin/documents/files/ICO%20Guidelines%20Lithuania.pdf>. Acesso em: 15 set. 2020

INTERNATIONAL MONETARY FUND. Comitê de Estatísticas de Balanço de Pagamentos. Treatment of Crypto Assets in Macroeconomic Statistics. 2019. Disponível em: <https://www.imf.org/external/pubs/ft/bop/2019/pdf/Clarification0422.pdf>. Acesso em: 14 ago. 2020.

______. Global Financial Stability Report April 2018: A Bumpy Road Ahead. Abril 2018. Disponível em: <https://www.imf.org/en/Publications/GFSR/Issues/2018/04/02/Global-Financial-Stability-Report-April-2018>. Acesso em: 02 ago. 2020.

______. Statistics Departament. Treatment of Crypto Assets in Macroeconomic Statistics. Disponível em: <https://www.imf.org/external/pubs/ft/bop/2019/pdf/Clarification0422.pdf>. Acesso em: 04 jan. 2020.

INTERNATIONAL ORGANIZATION FOR STANDARDIZATION. ISO 22739:2020 Blockchain and distributed ledger technologies — Vocabulary. Julho 2020. Disponível em: <https://www.iso.org/standard/73771.html>. Acesso em: 21 jul. 2020.

INTERNATIONAL ORGANIZATION OF SECURITIES COMISSION. IOSCO Research Report on Financial Technologies (Fintech). Fevereiro 2017, p. 47. Disponível em::< https://www.iosco.org/library/pubdocs/pdf/IOSCOPD554.pdf>. Acesso em: 02 nov. 2019.

INTERNATIONAL REVENUE OFFICE. Notice 2014-21. Disponível em: <https://www.irs.gov/pub/irs-drop/n-14-21.pdf>. Acesso em: 20 ago. 2020.

ISO (International Organization for Standartization): INTERNATIONAL ORGANIZATION FOR STANDARTIZATION. ISO 22739:2020. Blockchain and distributed ledger technologies — Vocabulary. Disponível em: <https://www.iso.org/standard/73771.html>. Acesso em: 21 jun. 2020.

Justen Filho, Marçal. O imposto sobre serviços na constituição. São Paulo: *Revista dos Tribunais*, 1985.

Kobayashi, Eduardo Mesquita. Regulação de criptoativos no Japão — Marco regulatório, jurisprudência e doutrina. *Revista de Direito Público da Economia — RDPE*, Belo Horizonte, ano 17, n. 67, p. 115-135, jul./set. 2019.

Kroska, Renata Caroline; Rodrigues, Alexandre Correa. Bitcoin: a maior bolha financeira do século?. *Revista Jurídica da Escola Superior de Advocacia da OAB-PR*, ed. 8. Disponível em: <http://revistajuridica.esa.oabpr.org.br/bitcoin-a-maior-bolha-financeira-do-seculo/>. Acesso em: 23 ago. 2020

Lamounier, Lucas. Algortimos de consenso: a raiz que sustenta a tecnologia Blockchain. 101 Blockchains. 4 out. 2018. Disponível em: <https://101blockchains.com/pt/algoritmos-de-consenso/>. Acesso em: 18 maio 2020.

LEGISLATION MALTA. Technology Arrangements and Services Bill (Lei de Lei de Serviços e Arranjos Tecnológicos, em tradução livre). 2018. Disponível em: <http://www.justiceservices.gov.mt/DownloadDocument.aspx?app=lp&itemid=29078&l=1>. Acesso em: 25 nov. 2018.

______. The Malta Digital Innovation Authority Act (Lei da Autoridade de Inovação de Malta, em tradução livre). 2018. Disponível em: <http://www.justiceservices.gov.mt/DownloadDocument.aspx?app=lp&itemid=29080&l=1>. Acesso em: 25 nov. 2018.

______. Virtual Financial Assets Act (Lei de Ativos Financeiros Virtuais, em tradução livre). 1 nov. 2018. Disponível em: <http://www.justiceservices.gov.mt/DownloadDocument.aspx?app=lom&itemid=12872&l=1>. Acesso em: 25 nov. 2018.

Leitão, Lucas Antônio. Desmistificando as criptomoedas e o blockchain: a (des) necessária intervenção estatal. *Fórum Administrativo — FA*, Belo Horizonte, ano 18, n. 214, p. 50-63, dez. 2018.

LESSIG, Lawrence. *Code*: Version 2.0 — Code and Other Laws of Cyberspace. New York: Basic Books. 2018 (E-book).

______. *Code and other Laws of Cyberspace.* New York: Basic BOOKS, 1999.

LIELACHER, Alex. Top 10 Biggest ICO's (by Amount Raised). Bitcoin Market Journal, 01 ago. 2018. <https://www.bitcoinmarketjournal.com/biggest-icos/>. Acesso em: 03 ago. 2020.

LISBOA, Marcus. *Criptomoeda.* O dinheiro do futuro. 2ª ed. Caldas Novas-GO: CEVI, 2020.

LOPES, Fernando. Bitcoin não pode ser regulamentado porque já é regulamentado. Disponível em: <https://www.conjur.com.br/2020-ago-06/fernando-lopes-regulamentacao-bitcoin>. Acesso em 08 ago. 2020

LYONS, Tom Lyons; COURCELAS, Ludovic; TIMSIT, Ken. Legal and regulatory framework of blockchains and smart contract. UE Blockchain Observatory and Forum. Thematic Report, set. 2019, p. 33-35. Disponível em: <https://www.eublockchainforum.eu/reports>. Acesso em: 27 ago. 2020.

LÉVY, Pierre. *Cibercultura.* São Paulo: Editora 34, 2010.

MATTOS FILHO, Ary Oswaldo. *Direito dos Valores Mobiliários.* Vol. 1: Tomo 1. FGV Editora, 2015.

MELO, José Eduardo Soares de. *ISS*: Aspectos Teóricos e Práticos. 6ª ed. São Paulo: Malheiros, 2017.

MENGER, Carl. *The Origens of Money*. Auburn: Ludwig von Misses, 2009.

MENTHE, Darrel C. Jurisdiction In Cyberspace: A Theory of International Spaces. *MTLR: Michigan Technology Law Review*, vol. 4, p. 69-103, 1998. Disponível na URL: <http://www.mttlr.org/wp-content/journal/volfour/menthe.pdf>. Acesso em: 05 ago. 2020.

MFSA, Guidance Note to The Financial Instrument Test, Section 2, "High Level Guidelines" G1- 1.2.2, 1.2.3, 24 Julho, 2018.

______. Virtual Financial Asset Framework, Disponível em: <https://www.mfsa.com.mt/fintech/virtual-financial-assets/>. Acesso em: 08 nov. 2019.

NAKAMOTO, Satoshi. Bitcoin: A Peer-to-Peer Electronic Cash System. Disponível em: <https://bitcoin.org/bitcoin.pdf>. Acesso em: 03 ago. 2020.

NAÍM, Moisés. *O Fim do Poder*. São Paulo: Leya, 2013.

NELSON, Danny. BitLicense at 5: despite architect Lawsky's hopes, few states copied NY rules. Coindesk, 24 jun. 2020. Disponível em: <https://www.coindesk.com/bitlicense-influence-state-crypto-legislation>. Acesso em: 18 ago. 2020.

NOGUEIRA, João Félix Pinto. *Direito Fiscal Europeu* — O paradigma da proporcionalidade. Wolters Kluwer Portugal, 2010.

NUGNES, Luiz Gustavo. Digitalização de ativos utilizando Crypto Tokens (Blockchain). *Crypto Watch.* Disponível em: <https://cryptowatch.com.br/

digitalizacao-de-ativos-utilizando-crypto-tokens-blockchain/>. Acesso em: 25 nov. 2018.

OECD. A Borderless World: Realising the Potential of Electronic Commerce. A Report by the Committee on Fiscal Affairs, as presented to Ministers at the OECD Ministerial Conference. 8 out. 1998. Disponível em: <https://www.oecd.org/tax/consumption/1923256.pdf>. Acesso em: 15 mar. 2020.

OECD. OECD Blockchain Primer. 2018. Disponível em <http://www.oecd.org/finance/OECD-Blockchain-Primer.pdf>. Acesso em: 20 mar. 2020.

______. Tax Challenges Arising from Digitalisation — Interim Report 2018: Inclusive Framework on BEPS, OECD/G20 Base Erosion and Profit Shifting Project. Paris: OECD Publishing.

Palacios, Ricardo Colombo; Górdon, Maria Sanchéz, Aranda, Daniel Arias. A critical review on blockchain assessment initiatives: A technology evolution viewpoint. *Jounal of Software: Evolution and Process,* 30 maio 2002, p. 4. Disponível em: <https://doi.org/10.1002/smr.2272>. Acesso em: 23 ago. 2020.

Paulsen, Leandro. *Capacidade Colaborativa.* Princípio de Direito Tributário para obrigações acessórias e de terceiros. Porto Alegre: Livraria do Advogado Editora, 2014.

Perani, Giovani. *Blockchain*: Is Self-Regulation Sufficient?. Dissertação (LLM. in Comercial Law). Law School. Queen Mary University of London, London.

Perelman, Chaim et all.*Tratado da argumentação: A nova retórica.* 3ª ed. Editora WMF Martins Fontes : São Paulo, 2014.

Pinto, Ilídia. Indústria 4.0. Só os mais preparados sobrevivem à digitalização. *Dinheiro Vivo.* 23 jan. 2016. Disponível em: <https://www.dinheirovivo.pt/economia/industria-4-0-so-os-mais-preparados-escapam-a-digitalizacao/>. Acesso em: 20 out. 2019

PwC Annual Global Crypto Tax Report 2020. Disponível em: <https://www.pwchk.com/en/research-and-insights/fintech/pwc-annual-global-crypto-tax-report-2020.pdf>. Acesso em: 05 out. 2020.

Quiroga Mosquera, Roberto. *Direito monetário e tributação da moeda.* São Paulo: Dialética, 2006.

RATANASOPITKUL, Pholapatara et al. Blockchain — revolutionize Green Energy Management. Int Conf Util Exhib Green energy sustain Dev ICUE. 2018. Disponível em: <https://doi.org/10.23919/ICUE-GESD.2018.8635666>. Acesso em: 23 ago. 2020.

RECEITA FEDERAL. Instrução Normativa RFB n. 1888, de 03 de maio de 2019. Disponível em: <http://normas.receita.fazenda.gov.br/sijut2consulta/link.action?visao=anotado&idAto=100592>. Acesso em: 10 dez. 2019.

RELICTUM PRO. Blockchain 5.0: Here's Why We Need it Today. 10 out. 2019. Disponível em: <https://medium.com/@relictumpro/blockchain-5-0-heres--why-we-need-it-today-b25bfb288e6c>. Acesso em: 02 ago. 2020.

REVOREDO, Tatiana Trícia de Paiva. A digitalização da sociedade: economia da web no Brasil. *Jota.* 18 maio 2017. Disponível em: <https://www.jota.info/opiniao-e-analise/artigos/a-digitalizacao-da-sociedade-economia-da-web-no-brasil-18052017>. Acesso em: 20 out. 2019

ROTH, Jakob and SCHÄR, Fabian and SCHÖPFER, Aljoscha. The Tokenization of Assets: Using Blockchains for Equity Crowdfunding (August 27, 2019). Disponível em: <https://ssrn.com/abstract=3443382>. Acesso em 21 set. 2020

RUBINSTEIN, Flavio; VETTORI, Gustavo Gonçalves, Taxation of Investments in Bitcoins and Other Virtual Currencies: International Trends and the Brazilian Approach. *SSRN*, 6 mar. 2018, p. 22. Disponível em: <https://ssrn.com/abstract=3135580>. Acesso em: 12 ago. 2020.

SANDNER, Phillip. Liechtenstein Blockchain Act: How can nearly any right and therefore any asset be tokenized based on the Token Container Model?. 7 out. 2019. Disponível em: <https://medium.com/@philippsandner/liechtenstein-blockchain-act-how-can-nearly-any-right-and-therefore-any-asset-be-tokenized-based-389fc9f039b1>. Acesso em: 20 set. 2020.

SANTI, Eurico Marcos Diniz; de. *Decadência e prescrição no direito tributário.* São Paulo: Max Limonad, 2000.

SATHAYE, Deepa. Automatic Regulatory Compliance with Ethereum. 7 nov. 2018. Disponível em: <https://medium.com/fluidity/automatic-regulatory-compliance-with-ethereum-892f01ef9eaa>. Acesso em: 23 set. 2020.

SCHWAB, Klaus. *A Quarta Revolução Industrial.* São Paulo: EDIPRO, 2016.

SCHOUERI, Luis Eduardo; GALDINO, Guilherme. Internet das coisas à luz do ICMS e do ISS: entre mercadoria, prestação de serviço de comunicação e serviço de valor adicionado. In: FARIA, Renato Vilela et al. (Coord.). *Tributação da economia digital.* Desafios no Brasil, experiência internacional e novas perspectivas. São Paulo: Saraiva Educação, 2018.

______. *Direito Tributário.* 4ª ed. São Paulo: Saraiva, 2014.

SCHULTZ, Thomas. Carving up the Internet: Jurisdiction, Legal Orders, and the Private/Public International Law Interface. *European Journal of International Law*, vol. 19, Issue 4, set. 2008, p. 799–839. Disponível em: <https://academic.oup.com/ejil/article/19/4/799/349335>. Acesso em: 05 ago. 2020.

SECURITIES AND EXCHANGE COMMISSION. Report of Investigation under 21(a) of the Securities Exchange Act of 1934: The DAO. Release n. 81207; SECURITIES AND EXCHANGE COMMISSION. Investor Bulletin: Initial Coin Offerings, 25 jul. 2017.

SEGUNDO, Hugo de Brito Machado; MACHADO, Raquel Cavalcanti Ramos. Tributação da atividade de armazenamento digital de dados. In: FARIA, Renato Vilela et al. (Coord.). *Tributação da economia digital.* Desafios no Brasil, experiência internacional e novas perspectivas. São Paulo: Saraiva Educação, 2018.

Sicsú, João. *Economia Monetária Financeira*: teoria e política. 2 ed. Rio de Janeiro: Elsevier, 2007, p. 4.

Silva, Luiz Gustavo Doles. *Bitcoins & Outras Criptomoedas*. Teoria e Prática à luz da legislação brasileira. Curitiba: Juruá, 2018.

Silvestre, Ana Carolina de Faria. O contribuinte e o fisco — ou pela necessária assunção das emoções no âmbito das relações entre o contribuinte e o fisco. In: Santos, António Carlos dos; Lopes, Cidália Maria da Mota (coord.). *Fiscalidade — Outros Olhares*. Porto: Vida Econômica, 2013.

Siqueira, Marcelo Rodrigues de. Os desafios do Estado Fiscal Contemporâneo e a Transparência Fiscal. In: Nabais, José Casalta; Silva, Suzana Tavares da. *Sustentabilidade Fiscal em Tempos de Crise*. Coimbra: Almedina, 2011.

Sousa, António Freitas de. Desmaterialização da economia é o principal desafio da máquina fiscal. *O Jornal Económico*. 29 maio 2018. Disponível em: <www.jornaleconomico.sapo.pt/noticias/desmaterializacao-da-economia-e-o-principal-desafio-da-maquina-fiscal-313582>. Acesso 20 out. 2019

Souza, Hamilton Dias de. Lei complementar em matéria tributária. In: Martins, Ives Gandra (Coord.). *Curso de direito tributário*. São Paulo: Saraiva/CEU, 1982.

Souza, Manoel Tibério Alves de. Argumentos em Torno de um "Velho" Tema: A Descentralização. *Dados*, Rio de Janeiro, v. 40, n. 3, p. , 1997. Disponível em: <http://www.scielo.br/scielo.php?script=sci_arttext&pid=S0011-52581997000300004&lng=en&nrm=iso>. Acesso em: 20 out. 2019.

Srivasyava, Abhishek et al. A Systematic Review on Evolution of Blockchain Generations. *ITEE Journal*, vol. 7, issue 6, dez. 2018. Disponível em: <https://www.researchgate.net/publication/330358000_A_Systematic_Review_on_Evolution_of_Blockchain_Generations>. Acesso em: 02 ago. 2020.

Swan, Melanie. Blockchain: Blueprint for a New Economy. Sebastopol, California: O'Reilly Media Inc., 2015; Gates, Mark. Blockchain: Ultimate Guide to Understanding Blockchain, Bitcoin, Cryptocurrencies, Smart Contracts and the Future of Money. Breinigsville, Pensilvânia: Createspace Independent Publishing Platform, 2017.

Tapscott, Don; Tapscott, Alex. *Blockchain Revolution*: How the technology behind bitcoin is changing Money, business and the world. New York: Portfolio Penguin, 2016.

Tasca, Paolo; Tessone, Claudio Juan. A Taxonomy of Blockchain Technologies: Principles of Identification and Classification. *Ledger Journal*, vol. 4, p. 1-39, 2019.

THE BACH COMMISSION ON ACCESS TO JUSTICE. The Crisis in the Justice System in England and Wales. Interim Report. London: the Fabian Society, 2016. Disponível em: <https://www.fabians.org.uk/wp-content/uploads/2016/11/Access-to-Justice_final_web.pdf>. Acesso em: 14 set. 2020.

THE LAW LIBRARY OF CONGRESS. Regulation of Criptocurrency around the world. Report. Global Legal Research Center, jun. 2018.

THE TIMES. The Times 03 / Jan / 2009 Chanceler à beira de um segundo resgate para bancos. Matéria disponível em: <https://www.thetimes.co.uk/article/chancellor-alistair-darling-on-brink-of-second-bailout-for-banks-n9l382mn62h>. Acesso em: 03 ago. 2020.

TJUE. Acórdão Marleasing, de 13 de novembro de 1990. Disponível em: <https://eur-lex.europa.eu/legal-content/PT/TXT/?uri=CELEX%3A61989CJ0106>. Acesso em: 28 set. 2020.

______. Acórdão Ratti, de 5 de abril de 1979. Disponível em: <https://eur-lex.europa.eu/legal-content/PT/TXT/?uri=CELEX%3A61978CJ0148>. Acesso em: 28 set. 2020.

______. Acórdão Ursula Becker, de 19 de janeiro de 1982. Disponível em: <https://eur-lex.europa.eu/legal-content/PT/TXT/?uri=CELEX%3A61981CJ0008>. Acesso em: 28 set. 2020.

______. Acórdão Verbond van Nederlandese Ondernemmingen, de 1º de fevereiro de 1977. Disponível em: <https://eur-lex.europa.eu/legal-content/EN/TXT/?uri=CELEX%3A61976CJ0051>. Acesso em: 28 set. 2020.

______. Acórdãos Van Duyn, de 4 de dezembro de 1974. Disponível em: <https://eur-lex.europa.eu/legal-content/pt/ALL/?uri=CELEX:61974CJ0041>. Acesso em: 28 set. 2020.

TORRES, Heleno Taveira. Direito Constitucional Tributário e Segurança Jurídica. Metódica da Segurança Jurídica do Sistema Constitucional Tributário. 2ª ed. rev., atual. e ampliada. São Paulo: Editora Revista dos Tribunais, 2012.

U.S SECURITIES AND EXCHANGE COMISSION. Framework for "Investment Contract": Analysis of Digital Assets. Disponível em: <https://www.sec.gov/corpfin/framework-investment-contract-analysis-digital-assets>. Acesso em: 07 nov. 2019.

UHDRE, Dayana de Carvalho. *Competência tributária*. Incidência e limites de novas hipóteses de responsabilidade tributária. Curitiba: Juruá, 2017.

______. Criptomoedas, criptoativos, tokens? Do Caos à uma tentativa de organização. *Comunidade Legal Hub*, 22 nov. 2019. Disponível em: <https://comunidade.thelegalhub.com.br/direito-digital/criptomoedas-criptoativos-tokens-do-caos--a-uma-tentativa-de-organizacao>. Acesso em: 02 ago. 2020.

______. *Marketplaces*: possibilidades e limites à sua responsabilização no âmbito da tributação indireta (no prelo).

______. Sobre a consulta pública nº 06/2018 da Receita Federal do Brasil e seus pontos polêmicos. *Direito e Inovação*, vol. 1. Escola Superior da Advocacia da OAB-PR. 2019. Disponível em: <https://www.oabpr.org.br/wp-content/uploads/2019/08/Direito-e-Inovação.pdf>. Acesso em: 22 set. 2020.

______. Uma análise do PL 2.060/2019, sobre a regulamentação de criptoativos. *Consultor Jurídico*, 10 abr. 2019. Disponível em: <https://www.conjur.com.br/2019-abr-10/dayana-uhdre-analise-projeto-lei-criptoativos#_ftn5>. Acesso em: 03 ago. 2020.

______. Internet das coisas e seus desafios tributários: ISS e/ou ICMS? Eis a questão. Direito Tributário em Questão. *Revista da FESDT*, vol. 09, maio 2019. Disponível em: <https://www.fesdt.org.br/web2012/revistas/9/artigos/1.pdf>. Acesso em: 28 set. 2020.

______. *Blockchain na Educação*. In: Ferreira, Dâmares (coord). Educação, Inovação, Inclusão e Proteção de Dados. Editora CRV (no prelo).

UK GOVERNMENT CHIEF SCIENTIFIC ADVISER. Distributed Ledger Technology: Beyond Blockchain. London: Government Office for Science, 2016. *Blackett Review*. Disponível em: <https://assets.publishing.service.gov.uk/government/uploads/system/uploads/attachment_data/file/492972/gs-16-1-distributed-ledger-technology.pdf>. Acesso em: 13 set. 2020.

UNIFORM LAW COMISSION. Virtual-Currency Businesses Act, Regulation of. Disponível em: <https://www.uniformlaws.org/committees/community-home/librarydocuments?communitykey=e104aaa8-c10f-45a7-a34a-0423c2106778>. Acesso em: 18 ago. 2020.

US DEPARTMENT OF THE TREASURY, FINANCIAL CRIMES ENFORCEMENT NETWORK, Guidance on the Application of FinCEN's Regulations to Persons Adminis- tering, Exchanging or Using Virtual Currencies. FIN-2013-G001, 18 mar. 2013.

VASQUES, Sérgio. *Imposto sobre o Valor Acrescentado*. Reimpressão. Coimbra: Editora Almedina, 2019.

Venturi, Jacir. Estamos no limiar da Quarta Revolução Industrial. *Gazeta do Povo*. 04 fev. 2018. Disponível em: <https://www.gazetadopovo.com.br/opiniao/artigos/estamos-no-limiar-da-quarta-revolucao-industrial-885y6uwhv24ams3xr5pd0eykw>. Acesso em: 30 jul. 2018.

Voshmgir, Shermin. *Token Economy*. How Blockchains and Smart Contracts Revolutionalize the Economy. Luxemburgo: Amazon Media, 2019, p. 144.

Wille, José Juvenil. Quando o dinheiro ficará obsoleto?. *BH Cidadão*. 03 jun. 2018. Disponível em: <http://bhcidadao.com.br/quando-o-dinheiro-ficara-obsoleto/>. Acesso em: 20 out. 2019.

Wittgenstein, Ludwig. *Tractatus Logico-Philosophicus*. São Paulo: Edusp. 1994.

Yeaung, Karen. Regulation by Blockchain: the Emerging Battle for Supremacy between the Code of Law and Code as Law. *The Modern Law Review Limited*, vol. 82, n. 2, p. 207–239, 2019.

Zekos, Georgios I. State Cyberspace Jurisdiction and Personal Cyberspace Jurisdiction. *International Journal of Law and Information Technology*, vol. 15, Issue 1, Spring 2007, p. 1–37.

ZUCKERMAN, Molly Jane. Regulador de Malta procura feedback sobre o teste de instrumento financeiro cripto proposto anteriormente. *Cointelegraph*, 15 abr. 2018. Disponível em: <https://br.cointelegraph.com/news/malta-regulator-seeks-feedback-on-proposed-crypto-financial-instrument-test>. Acesso em: 18 jan. 2019.